# HANS DIETER ERLINGER
# SPRACHWISSENSCHAFT UND SCHULGRAMMATIK

HANS DIETER ERLINGER

# Sprachwissenschaft und Schulgrammatik

*Strukturen und Ergebnisse*
*von 1900 bis zur Gegenwart*

PÄDAGOGISCHER VERLAG SCHWANN
DÜSSELDORF

WIRKENDES WORT
Schriftenreihe • Band 8

Der vorliegenden Arbeit liegt eine Bochumer Dissertation zugrunde

© 1969 Pädagogischer Verlag Schwann Düsseldorf
Alle Rechte vorbehalten • 1. Auflage 1969
Umschlagentwurf Helfried Hagenberg
Satz und Druck Lengericher Handelsdruckerei
Einband Schwann Düsseldorf

# INHALT

5

# EINLEITUNG

Eine Fachkonferenz für Deutsch, die ein neues Sprachbuch einführen will, hat heute die Wahl zwischen mindestens zehn Schulgrammatiken, die seit 1950 erarbeitet worden sind.[1] Eine solche Dichte von Neuerscheinungen für den deutschen Sprachunterricht hat es in diesem Jahrhundert noch nicht gegeben. Diese Sprachbücher sind ihrem Selbstverständnis nach Neuansätze,[2] und ein Vergleich zwischen ihnen und den Schulgrammatiken der zwanziger bis vierziger Jahre zeigt einen Bruch im schulgrammatischen Denken, der in die Zeit um 1950 fällt. Auch diese übergangslose Veränderung schulgrammatischer Denkmethode ist seit der Jahrhundertwende ohne Beispiel. Um 1900 hat es zwar ebenfalls Umgestaltungen gegeben,[3] sie brauchten aber eine längere Zeit, um sich gegen ein bestehendes System – z. B. das deduktiv-logische – durchzusetzen.

Die mehrmalige Umstrukturierung der Schulgrammatik seit der Jahrhundertwende zeigt, daß die Didaktik des Sprachunterrichtes fortlaufend neu durchdacht wird. Das gilt vor allem für die Zeit nach 1945. Die Schule bemüht sich auf immer neue Weise, den Schüler mit dem Phänomen „Sprache" vertraut zu machen. Es stellt sich die Frage, was diese Änderungen auslöst und nach welchem Maßstab sie vorgenommen werden.

Alle nach 1950 erarbeiteten Sprachbücher, die sich von vorher erschienenen Schulgrammatiken bezüglich ihrer Methode und ihrer Ergebnisse abheben und auf die Motivation solcher Änderungen hin untersucht werden, weisen auf die Sprachwissenschaft. Evident wird das am Deutschen Sprachspiegel, an dessen Gestaltung die Sprachwissenschaftler Glinz, Weisgerber und Brinkmann mitgearbeitet haben.

Obwohl ein Zusammenhang zwischen Sprachwissenschaft und Schulgrammatik besteht, decken sich Strukturen und Ergebnisse beider

[1] S. hierzu und zum Folgenden die Übersicht u. S. 280–283.
[2] S. z. B. zu Schmitt-Martens und zum Sprachspiegel, u. S. 193 ff., 200 ff.
[3] S. u. S. 145 ff.

Gebiete nicht, weil die Sprachwissenschaft sich ganz vom Forschungsobjekt bestimmen lassen darf, die Schule aber einen wissenschaftlich und jugendpsychologisch vertretbaren Kursus erarbeiten muß.

Die Beobachtung der Gemeinsamkeit und der zwangsläufigen Verschiedenheit in beiden Bereichen hat diese Arbeit veranlaßt. Sie will zunächst solche verschiedenen Strukturen aufzeigen und von dieser Basis aus klären, inwieweit sich Bezüge zwischen schulischer und wissenschaftlicher Grammatik seit 1900 nachweisen lassen, wie Einflüsse aufgenommen und verarbeitet werden und welche Phasenverschiebung zwischen der Erarbeitung sprachwissenschaftlicher Ergebnisse und Methoden und ihrer Übernahme in die Schule erkennbar sind. Damit die Arbeit übersichtlich bleibt, stütze ich mich vorwiegend auf Sprachbücher der höheren Schule. In dem Kapitel „Neuansätze zur Umgestaltung des Sprachunterrichtes im Raum der Volksschule seit 1872"[4] sind Beiträge der Volksschulgrammatik nur deshalb zusammengestellt, weil sie indirekt das an höheren Schulen praktizierte Verfahren besser erkennen lassen.

Mein Untersuchungszeitraum reicht von der Jahrhundertwende bis zur Gegenwart, wobei „Jahrhundertwende" nicht als Jahreszahl aufgefaßt werden darf. Dieser zeitliche Ausgangspunkt ist folgendermaßen motiviert:

1. Um 1900 beginnt die höhere Schule, ein Unbehagen an der logisch-deduktiven Prägung des Sprachunterrichtes zu empfinden. Man versucht erste Neuerungen.

2. Auch die Sprachwissenschaft gerät in dieser Zeit in Bewegung. Die Sprachgeschichte mit ihrer einseitigen Betonung der Formenlehre bleibt nicht mehr alleiniges Forschungsgebiet.

3. Neuansätze um die Jahrhundertwende sind für das heutige Selbstverständnis wissenschaftlicher und schulischer Grammatik mitbestimmend gewesen.

Der Beginn mit dem Jahr 1872 für den Bereich der Volksschulgrammatik zerreißt die Einheit des Untersuchungszeitraumes für beide Gebiete insofern nicht, als die Volksschulgrammatik im Gesamtbereich dieser Arbeit ein Nebenproblem darstellt.

Die Methode der Arbeit wird durch ihren Stoff und ihr Ziel bestimmt. Nur wenige Schulgrammatiken äußern sich zu der wissen-

---

[4] S. u. S. 127 ff.

schaftlichen Tradition, von der sie den Gesamtaufbau, eine Teil-
konzeption, Einzelergebnisse oder methodische Denkweisen übernommen haben.[5] Das Bemühen von Herausgebern, die Stellung eines
Sprachbuches innerhalb der schulgrammatischen Traditionsreihe zu
klären, ist noch seltener. Deshalb mußte ich das schulgrammatische
Material zuerst sichten und ordnen, um Gruppierungen und Linien
herauszuarbeiten. Trotzdem beschäftige ich mich in der Gesamt-
ökonomie der Arbeit erst an zweiter Stelle mit der Schulgrammatik,
weil in einem Forschungsbericht zur Sprachwissenschaft seit 1900
zuerst die Voraussetzungen dargestellt werden müssen, an denen
sich die Schule bei der Überarbeitung ihrer Sprachbücher orientieren
konnte.

Um genaue und nachprüfbare Ergebnisse über das Verhältnis beider Gebiete zueinander zu bekommen, mußte der sprachwissenschaftliche und schulgrammatische Stoff ausgebreitet und aufbereitet
werden. Die methodische Schwierigkeit besteht darin, daß jedes
Einzelphänomen innerhalb der ersten beiden Hauptteile der Arbeit
in einer Doppelbeziehung steht: Es ist Bestandteil der wissenschaftlichen bzw. schulgrammatischen Tradition, aber auch möglicher
Ausgangspunkt für eine Verbindung zwischen beiden Linien. Die
Darstellungen der wissenschaftlichen Werke und der Schulgrammatiken durfte nicht zwanghaft auf den auswertenden dritten Hauptteil der Arbeit hin konzipiert werden. Deshalb mußte ich versuchen,
jedes Einzelwerk im Bereich seiner Traditionsreihe in seinem Eigen-
charakter zu erfassen. Wegen dieser Notwendigkeit ist ein auf alle
Grammatiken anwendbares Darstellungsschema mit einer immer
gleichen Reihenfolge für alle Teilbereiche nicht möglich. Deshalb
enthalten die ersten beiden Hauptteile jeweils verschieden gegliederte Einzeldarstellungen, die Einblick in die Strukturen beider
Bereiche geben, zugleich aber auch für die Auswertung unter dem
Aspekt des Verhältnisses zum jeweils anderen Gebiet präpariert
sind. Die Auswertung dieses Materials kann nur Hauptlinien verfolgen. Sie darf sich nicht zu lange bei der Herausarbeitung von
Übereinstimmungen in Einzelpunkten aufhalten. Diese können in
der gemeinsamen Sache begründet sein und brauchen nicht eine be-
wußte Übernahme aus dem anderen Gebiet zu bedeuten.

[5] Das tun z. B. der Deutsche Sprachspiegel, Schmitt-Martens, Florstedt-Stieber,
s. u. S. 200 ff., 193 ff., 162 ff.

Weil ich lediglich darstellen will, wie sich Schulgrammatik auf Grund ihres Selbstverständnisses und als Antwort auf die nur von ihrem Gegenstand bestimmte Sprachwissenschaft bisher entwickelt hat, liegt das Problem der zukünftigen Gestaltung des Sprachunterrichtes in der Schule außerhalb des Blickfeldes dieser Arbeit.

# I. DARSTELLUNG WISSENSCHAFTLICHER GRAMMATIKFORSCHUNG SEIT DEM ENDE DES VERGANGENEN JAHRHUNDERTS

## 1. Sprache als historisches Phänomen

### a) Hermann Paul als Vertreter der Junggrammatik

Die Sprachbetrachtung des ausgehenden 19. Jahrhunderts ist stark von den Gedanken der sogenannten Junggrammatik geprägt. Friedrich Stroh faßt ihre Bedeutung folgendermaßen zusammen: „Die Junggrammatiker des späten Jahrhunderts denken stark geschichtlich. Sie setzen Sprachgeschichte gleich mit Sprachwissenschaft (Historismus). Sie wollen vor allem wissen, wie sich die Sprache verändert ... Sie betrachten die Veränderungen gleichsam als blinde Entwicklung und suchen diese gern mechanistisch zu erklären, das heißt, aus äußerlich wirkenden Anstößen ..."[1] Einer ihrer wichtigsten Vertreter ist Hermann Paul.[2] Dünninger rechnet ihn mit zur „Scherer-Zeit", die er folgendermaßen charakterisiert: „Die Kausalität, die die Naturwissenschaft als ihr Grundgesetz erkannt hat, gibt für Scherer und seine Epoche die Möglichkeit der systematischen Ordnung des geschichtlichen Stoffes. Die Geschichte hat ihre Geheimnisse verloren. Die Vernunft vermag auch ihre so wirr erscheinenden Wege in eine folgerichtige Logik zu bringen. An die Stelle des verehrenden Anschauens tritt das selbstbewußte Erklären."[3] Das gilt nicht nur für Hermann Pauls „Prinzipien der Sprachgeschichte", das gilt in gleicher Weise für Wilmanns,[4] die Grammatik von Paul[5] und auch noch für ihre Zusammenfassung durch Heinz Stolte.[6]

---

[1] Stroh, Handbuch, S. 339; vgl. a. Michels, Deutsch, z. B. S. 479 f.
[2] 1. Aufl. d. Prinzipien 1880.
[3] Dünninger, Gesch. d. dt. Philologie, S. 179.
[4] Wilmanns, Dt. Grammatik, Bde. I–III, Straßburg 1899 ff.
[5] Paul, Dt. Grammatik, Bde. I–V, 1916 ff.
[6] Paul-Stolte, Kurze dt. Grammatik, 1951.

Paul selbst sagt zu seinen Bemühungen in der Auseinandersetzung mit Dittrichs Sprachpsychologie, die 1903 erschienen ist:[7] „Wenn Dittrich behauptet, mein Buch sei eigentlich ein flammender Protest gegen meine These ‚Sprachwissenschaft ist gleich Sprachgeschichte‘, so übersieht er, daß auch meine Prinzipienlehre sich durchaus auf die Entwicklung der Sprache bezieht ... Ich wollte ... nicht etwas aufstellen, was neben der Geschichte herlaufen sollte, sondern etwas, was die Behandlung der Geschichte durchdringen, derselben einen höheren Grad von Wissenschaftlichkeit geben sollte.“[8]

Exakt wissenschaftliche Behandlung der Sprachgeschichte: Das ist die gestellte Aufgabe. Um ihr gerecht zu werden, braucht Paul eine besondere Methode der Sprachbetrachtung, die aber untrennbar mit seiner besonderen Sprachsicht verknüpft ist: Beides ist in dem Begriff „Prinzipienwissenschaft“ enthalten. Sie ist nämlich eine Wissenschaft, „welche sich mit den allgemeinen Lebensbedingungen des geschichtlich sich entwickelnden Objektes (Sprache) beschäftigt, welche die in allem Wechsel gleichmäßig vorhandenen Faktoren nach ihrer Natur und Wirksamkeit untersucht“,[9] „ihr ist das schwierige Problem gestellt: wie ist unter der Voraussetzung konstanter Kräfte und Verhältnisse doch eine geschichtliche Entwicklung möglich, ein Fortgang von den einfachsten und primitivsten zu den kompliziertesten Gebilden?“[10] Das heißt erstens: In der Sprache gibt es in allem Wechsel allgemeine Kategorien, mit deren Hilfe sich ihre Mannigfaltigkeit systematisieren läßt, und zweitens: Die einzige der Sprache angemessene Betrachtungsweise ist die historische.

Dabei ist aber noch eine Einschränkung zu machen, denn die eigentümliche Aufgabe der Sprachwissenschaft ist nach Paul nicht, den „materiellen Inhalt“ der Sprache zu betrachten. „Dazu kann sie nur in Verbindung mit allen übrigen Kulturwissenschaften beitragen.“[11] Die Sprachwissenschaft hat „für sich nur die Verhältnisse zu betrachten, in welche dieser Vorstellungsinhalt zu bestimmten Lautgruppen tritt“.[12] Damit verbietet sich wohl jede Bedeutungslehre und wohl auch jede synchronische Betrachtungsweise. Alleinige

---

[7] Dittrich, Grundzüge d. Sprachpsychologie, 1903.
[8] Paul, Prinzipien, 4. Aufl., S. 21, Anm. 1, zu Dittrich s. u. S. 30 ff.
[9] Paul, Prinzipien, S. 1.
[10] Ebd., S. 2.
[11] Ebd., S. 17.
[12] Ebd., S. 17.

14

Aufgabe ist die Konstatierung „formativer Prinzipien"[13] in der Sprachentwicklung, die sich jeweils als „Veränderung des Sprachgebrauchs" konkretisiert.[14] Solche Prinzipien sind dann etwa Lautwandel,[15] Analogie[16] oder Kontamination.[17] Ob diese Veränderungen Ergebnisse von Veränderungen in der Volksseele oder in den Einzelseelen sind – dieser Streit zwischen Wilhelm Wundt[18] und Paul ist in diesem Zusammenhang unerheblich.

Es ist einleuchtend, daß Paul für die Sprachauffassung H u m - b o l d t s kein Verständnis haben konnte: „Versucht man, die sogenannte innere Sprachform im Sinne Humboldts ... zu charakterisieren, so kann man das nur, indem man auf den Ursprung der Ausdrucksformen und ihre Grundbedeutung zurückgeht. Und so wüßte ich überhapt nicht, wie man mit Erfolg über eine Sprache reflektieren könnte, ohne daß man etwas darüber ermittelt, wie sie geschichtlich geworden ist."[19] Sprache ist also ein vorgegebener Stoff in historisch-zeitlicher Dimension. Die Aufgabe der Sprachwissenschaft ist es, diesen Stoff nach Veränderungen abzusuchen, diese unter „allgemeine Kategorien zu bringen und jede einzelne Kategorie nach ihrem Werden und ihren verschiedenen Entwicklungsstadien zu untersuchen".[20] Die Sprache verliert dabei ihre Lebendigkeit. Ihre Bestandteile werden nicht in ihrem genuinen Zusammenhang, der Rede, dem Satz, betrachtet, sondern die „Prinzipien" wirken wie Fäden, auf die man das Sprachmaterial nach verschiedenen Gesichtspunkten aufreiht.

Paul äußert sich auch zu syntaktischen Fragen. Doch wie weit er dabei von den Vorstellungen etwa Erbens,[21] an den man beim Auftauchen des Begriffes „Funktion" denken könnte, entfernt ist, zeigt etwa folgende Passage: „Jeder Satz besteht ... aus mindestens zwei Elementen. Diese Elemente verhalten sich zueinander nicht gleich, sondern sind ihrer Funktion nach differenziert. Man bezeichnet sie als Subjekt und Prädikat. Diese grammatischen Kategorien beruhen auf einem psychologischen Verhältnis. Zwar müssen wir unter-

[13] Ebd., S. 8.
[14] Ebd., Vorrede zur 4. Aufl., S. VI.
[15] Paul, Prinzipien, S. 49 ff.
[16] Ebd., S. 106 ff.
[17] Ebd., S. 160 ff.
[18] W. Wundt, Völkerpsychologie, 1. Bd., Die Sprache, 1900.
[19] Paul, Prinzipien, S. 21.
[20] Ebd., S. 33.
[21] S. u. S. 69.

scheiden zwischen psychologischem und grammatischem Objekt respektive Prädikat, da beides nicht immer zusammenfällt ... Aber darum ist doch das grammatische Verhältnis nur auf Grundlage des psychologischen auferbaut."[22]

Es ist nach heutigen Vorstellungen nicht einleuchtend, warum Paul hier die P s y c h o l o g i e mit ins Spiel bringt, denn mit ihr ist zweifellos ein Unsicherheitsfaktor gegeben. Paul jedoch steht noch im Banne einer mechanistisch aufgefaßten Assoziationspsychologie, so daß sich auch die Vorgänge innerhalb der Psyche ohne Schwierigkeiten in den Zusammenhang der Prinzipienwissenschaft einordnen. Man kann Glinz zustimmen, wenn er Pauls Unterscheidung von grammatischem und psychologischem Satzglied als sehr unglücklich empfindet.[23]

Paul geht es in der S y n t a x, zum Beispiel bei der Reihenfolge der Satzglieder in der mündlichen Rede, nicht so sehr um eine Klarstellung der funktionalen Bedeutung einzelner Satzteile für die Einheit „Satz", sondern um das Aufzeigen von Beziehungen zwischen grammatischen Verhältnissen und deren psychologischer Grundlage: „Die grammatische Kategorie ist gewissermaßen eine Erstarrung der psychologischen."[24] Das heißt: Sprachwissenschaft und Psychologie sind gleichermaßen erstarrt.

Wie sehr die historische Betrachtung das Denken der Junggrammatiker gefangen hält, wie sehr sie ihr den Blick für die Lebendigkeit der Sprache als Rede verstellt hat, zeigt folgender Satz: „Sieht man auf die Funktion im Satzgefüge, so könnte man die Wörter vielleicht zunächst scheiden in solche, die für sich einen Satz bilden, und solche, die nur zur Verbindung von Satzgliedern dienen, Verbindungswörter."[25] Der Ansatz bei der Satzfunktion könnte fruchtbar sein. Erben entwickelt daraus seinen gesamten „Abriß der deutschen Grammatik",[26] gewinnt ein neues Verständnis der Wortarten und kommt von der Funktion des Verbs, das verschiedene Valenz haben kann, zu einer grundsätzlich neuen Sicht deutscher Satzmodelle.[27] Bei Paul jedoch bleibt der Ansatz vage. Die Verbindung von Wortart und Satz, die Charakterisierung des Wortes

22 Paul, Prinzipien, S. 124.
23 Glinz, Deutsche Syntax, S. 37 f.
24 Paul, Prinzipien, S. 261.
25 Ebd., S. 353.
26 Erben, Abriß d. deutschen Grammatik, 6. Aufl. 1963.
27 S. u. S. 67 ff., bes. S. 77.

aus seiner syntaktischen Funktion, wird zwar gesehen, aber nur als eben noch erwähnenswerte Möglichkeit. Damit ist konkret weder etwas über den Satz noch über die Funktionen seiner Teile im Bezug zum Ganzen gesagt. Und gerade hier zeigt sich das Dilemma der rein historischen Betrachtung: Dem Phänomen „Satz" kann man mit „Prinzipien der Sprachgeschichte" nicht gerecht werden. Man kann die Kasus historisch sehen,[28] man kann die sprachliche Entwicklung von Hypotaxe und Parataxe zeigen, man kann sogar den Unterschied zwischen Aktiv und Passiv als „von Hause aus syntaktischer Natur"[29] deklarieren, doch damit kommt man dem Wesen der Sprache als Rede um keinen Schritt näher.

b) Behaghel, Erdmann, Delbrück:
Syntax im Banne der Junggrammatik[30]

Die drei Syntaxbände D e l b r ü c k s[31] erscheinen zwischen 1893 und 1900. Schon der Titel „Vergleichende Syntax der indogermanischen Sprachen" macht deutlich, daß auch hier wie bei Paul nur historische Probleme behandelt werden. Wenn Delbrück auch zu Anfang des ersten Bandes mit Humboldt den energeia-Charakter betont und die einschlägigen Zitate anführt, so ist es doch keineswegs sein Ziel, die grammatische Struktur einer Sprache in ihrem energeia-Charakter aufzudecken, sondern von Bopps Forschungen[32] über den Zusammenhang der indogermanischen Sprachen ausgehend, formuliert er: „Auch die Syntax hat sich des vergleichenden Verfahrens zu bedienen. Sie muß unter Benutzung der Ergebnisse der Forschung auf dem Gebiet der Formenlehre festzustellen versuchen, welche Gebrauchsweisen bereits der Grundsprache angehört haben ... und wie sich auf dieser Grundlage die einzelnen Sprachen weiterentwickelt haben."[33] Der Blick geht von der gegenwärtigen Sprachform zurück in die Sprachhistorie, möglichst bis zum Altindischen. Dabei sammelt Delbrück eine Fülle von Material, ohne allerdings die einzelnen Beobachtungen zu einem Gefüge zusammenzusetzen, aus dem sich das synchronische Bild eines Sprachzustandes

[28] Paul, Prinzipien, S. 153.
[29] Paul, Prinzipien, S. 278.
[30] In diesen Zusammenhang gehört auch Wunderlich, Der deutsche Satzbau, 1901.
[31] Delbrück, Vgl. Syntax d. idgerm. Sprachen, 1893 ff.
[32] Bopp, Über das Conjugationssystem ..., 1816.
[33] Delbrück, Vgl Syntax I, S. 50.

17

ergäbe. Trotz des Titels, der eine Syntax ankündigt, treibt Delbrück Sprachvergleichung am Sprachatom, am Einzelphänomen und dessen Formenbestand. Eine wirkliche syntaktische Konzeption erarbeitet er nicht. Wie stark er unter dem Einfluß der Junggrammatik steht, zeigt sich einmal darin, daß er in seinem grundlegenden Teil Pauls „Prinzipien" öfter zustimmend zitiert, dann aber auch durch die Anschauung, die äußere Gestalt des jeweiligen Sprachzustandes werde „einesteils durch ausnahmslos wirkende Lautgesetze, andererseits durch die Kraft der Analogie herbeigeführt".[34]

Auch in seinen „Grundfragen"[35] geht Delbrück von Wilhelm von Humboldt aus, gibt aber im folgenden zunächst einen kurzen Überblick über das Eindringen psychologischen Gedankengutes in die sprachwissenschaftliche Arbeit. Begonnen hat diese Entwicklung schon um die Jahrhundertmitte durch Steinthal,[36] der sich weitgehend an Herbarts Psychologie anlehnte. Sie wird weitergeführt durch Hermann Paul und schließlich durch Wilhelm Wundt, dessen Völkerpsychologie 1900 erscheint[37] und mit dem Paul sich in den späteren Auflagen seiner „Prinzipien" auseinandersetzt.

Delbrück bietet insofern etwas Neues, als er „Sprache" von ihren beim Menschen bestehenden Voraussetzungen verständlich machen will. Doch dann mündet die Untersuchung in herkömmliche Bahnen ein: Lautwandel, Lautgesetze, Etymologie, Wortbildungslehre. Welche Hilflosigkeit die Forscher dieser Zeit angesichts der Tatsache befiel, etwas über den Satz sagen zu müssen, ist wiederum am Kapitel „Der Satz und seine Gliederung"[38] abzulesen. Delbrück beginnt mit psychologischen Fragen. Dann folgt Verlegenheit. Er untersucht keine Satztypen, noch erörtert er Möglichkeiten syntaktischer Bauweise. Dafür erfährt man aber, daß es „nackte" und „bekleidete" Sätze gibt: *Die Sonne scheint* im Gegensatz zu *Die helle Sonne bescheint die erfrischten Fluren.*

1923–32 erscheinen die vier Bände der „Deutschen Syntax" von Otto B e h a g h e l.[39] Trotz vieler Neuansätze, vor allem in bezug auf Wesen und „innere Form" der deutschen Sprache ist Behaghels Konzeption rein historisch. Sein Ziel: „Mein Buch will eine deutsche

---

[34] Delbrück, Vgl. Syntax I, S. 67.
[35] Delbrück, Grundfragen der Sprachforschung, 1901.
[36] Steinthal, Über den Ursprung der Sprache, 1851, 3. Aufl. 1888.
[37] W. Wundt, Völkerpsychologie, Bd. I, Die Sprache, 1900.
[38] Delbrück, Grundfragen, S. 145 ff.
[39] Behaghel, Deutsche Syntax, Bde. I–IV, 1923, 1924, 1928, 1932.

Syntax im engeren Sinne des Wortes sein, seine Quellen sind also grundsätzlich alle Äußerungen in deutscher Sprache, vom 8. Jahrhundert herab bis auf die lebendige Rede der Gegenwart."[40] Der Plan des Gesamtwerkes ist: I. Wortklassen und Wortformen, A. Nomen und Pronomen, II. Wortklassen und Wortformen, B. Adverbium, C. Verbum, III. Die Satzgebilde, IV. Wortstellung, Periodenbau. Er bietet eine große Fülle von Material, um die Möglichkeiten und den Wandel syntaktischer Fügungen zu dokumentieren. Ein kurzer Auszug daraus ohne den ausgedehnten historischen Apparat ist seine „Deutsche Satzlehre" von 1926.[41]

Auch E r d m a n n s „Grundzüge der deutschen Syntax" erscheinen gegen Ende des Jahrhunderts.[42] Erdmann gibt einen Überblick über Bestand und Geschichte der Wortarten, und auch er arbeitet rein historisch-vergleichend. Er empfiehlt zum Beispiel, die Verbformen des Neuhochdeutschen und des Altgriechischen zu vergleichen. Man werde dabei Einblick in die Mangelhaftigkeit der verbalen Ausdrucksmöglichkeit im Deutschen bekommen. Bei der Behandlung des Konjunktivs sind Ansätze zu einer modernen Sicht da, indem der deutsche Konjunktivgebrauch sehr deutlich vom lateinischen abgesetzt wird. Dazu heißt es: „In beiden Tempusstämmen steht dem Indikativ im Deutschen ein zweiter Modus gegenüber, der nach Bildung und Bedeutung dem Optativ der verwandten Sprachen entspricht, für den jedoch durch den Einfluß der lateinischen Grammatik die Bezeichnung Konjunktiv üblich geworden ist, die als unschädlich hier beibehalten werden soll, obwohl sie das Wesen des deutschen Modus durchaus nicht richtig bezeichnet. Derselbe ist nämlich niemals bloß der Verbindung der Sätze wegen, vielmehr immer mit Rücksicht auf die eigentümliche Geltung, welche die Aussage eines jeden Satzes für sich betrachtet haben soll, gesetzt."[43] Ansätze sind da, Leistungen aufzudecken, aber das historische Interesse überwiegt. Auch Erdmann geht in gotische und althochdeutsche Zeit zurück und denkt diachronisch. Die Sprache der Gegenwart scheint nur deshalb von Interesse zu sein, weil man sie als Produkt einer Entwicklung begreifen und sezieren kann.

Wieso Erdmann seinen Büchern den Titel „Syntax" gibt, ist bei ihm so wenig wie bei Delbrück ersichtlich. Offenbar ist der Titel

[40] Behaghel, Syntax I, S. X.
[41] Behaghel, Deutsche Satzlehre, 1926.
[42] Erdmann, Grundzüge der deutschen Syntax, Bd. I, 1886, Bd. II, 1898.
[43] Erdmann, Grundzüge I, S. 121.

des Buches formbezogen zu verstehen. Die untersuchten Wörter sind mittels ihrer Formen dazu imstande, einen Satz zu bilden. Von einer übergeordneten Redeabsicht allerdings, der sich die Formen fügen, ist hier nicht die Rede. Sätze sind somit auf Grund der Veränderbarkeit von Wörtern gefügte Gebilde.

c) Zusammenfassung: Historische Sprachforschung um 1900

Paul, Delbrück, Erdmann und Behaghel repräsentieren die grammatischen Ansichten um die Jahrhundertwende. Sprache ist für sie ein historisches Phänomen. Die Arbeiten dieser Sprachwissenschaftler haben das Ziel, darzustellen und zu erörtern, wie die deutsche Sprache sich entwickelt hat. Eine lückenlose Übersicht der deutschen Sprachgeschichte ist intendiert und, soweit der Forschungsgegenstand es zuläßt, auch erreicht. Die Festlegung auf den historischen Aspekt allein erscheint in der Rückschau angesichts der inhaltsbezogenen und funktionalen Sprachbetrachtung der Gegenwart als eine Verengung. Die Junggrammatik begrenzt ihr Forschungsgebiet absichtlich und hat dabei das Bewußtsein, nur so sachgerecht forschen zu können. Paul z. B. lehnt Humboldts Ansatz mit der Frage nach dem energeia-Charakter der Sprache ab,[44] und er beschneidet das Gebiet der deutschen Philologie wesentlich, wenn er die Besinnung auf die Sprachinhalte der Forschung der gesamten „Kulturwissenschaften" anheimgibt.[45]

Die Laut- und Formenlehre war der Stoff, an dem diese Forschung Gesetzmäßigkeiten und Entwicklungslinien in der Sprache am besten entdecken konnte. Von hierher wird deutlich, warum junggrammatische Werke kaum zu Ergebnissen in der Satzlehre kommen. Die Vielfalt der syntaktischen Möglichkeiten entzieht sich einer so begrenzten Systematik. Vom Laut ausgehend konnte die Junggrammatik über die Zwischenstationen Silbe und Wort auch zu der Perspektive „Satz" vorstoßen, sie begriff den Satz aber dann als synthetisches Gebilde. Einsicht in den Bau deutscher Sätze hat diese Forschungsrichtung nicht geben können. Das Hindernis war dabei nicht die Festlegung auf die Sprachgeschichte, sondern die Unzulänglichkeit der syntaktischen Kategorien. Die Junggrammatik konnte von den Einzelformen ausgehend nur eine Satzfügungslehre entwerfen. Als Schnittpunkt von „Baugesetz und

[44] S. o. S. 15.
[45] S. o. S. 14.

Redeabsicht"[46] oder von Typischem und Individuellem[47] konnte sie den Satz noch nicht verstehen.

Trotz der Beschränkung des Forschungsraumes und der unzulänglichen Satzlehre muß man der historischen Forschung ihr Recht lassen. Sie hat den Materialcharakter der Sprache aufgedeckt und das Fundament für alles Spätere gelegt. Die wissenschaftlichen Grammatiken nach dem zweiten Weltkrieg entdecken die Sprache nach Vorarbeiten in den zwanziger und dreißiger Jahren neu. Sie arbeiten synchronisch. Das Bewußtsein hat sich durchgesetzt, daß diachronische Forschung der Sprache nicht voll und adäquat gerecht werden kann. Die Diachronie scheint abgetan, historisch, ein Teil der Philologiegeschichte. Bei Drach spätestens,[48] aber schon bei Ammann,[49] Neumann und Porzig,[50] ja schon bei Voßler[51] wird die Wende von der Diachronie zur Synchronie vollzogen.

Erst die synchronische Forschung hat brauchbare Ergebnisse zur Syntax erbracht. Aus dieser Entwicklung der deutschen Philologiegeschichte darf man allerdings nicht den Schluß ziehen, diachronischer Forschung sei es prinzipiell unmöglich, syntaktische Probleme zu lösen. Sie braucht dazu allerdings andere Kategorien als die Junggrammatik.

Für die Einsicht in die Eigengesetzlichkeit und Lebendigkeit der Sprache hat die historische Sprachwissenschaft einen indirekten und von ihr selbst ungewollten Beitrag geleistet. Porzig charakterisiert ihn folgendermaßen: „So hat man die Bedingungen immer genauer erforscht und gesondert, unter denen die Entwicklung der Laute steht, und diese Forschungen sind keineswegs abgeschlossen. Aber man sieht, worauf sie hinauslaufen: Auf die Erkenntnis, daß im Grunde jedes einzelne Wort seine eigenen Bedingungen hat. Aber das war es ja, was die Gegner der Junggrammatiker von Anfang an behauptet hatten! So wäre also der ganze Kampf um die Lehre von der Ausnahmslosigkeit der Lautgesetze vergeblich gewesen? Keineswegs. Denn durch die geduldige Arbeit eines halben Jahrhunderts ist an die Stelle des unbestimmten Eindrucks, daß sich die Mannigfaltigkeit der Lautentwicklung der Berechnung entzöge, die

[46] S. u. S. 176.
[47] S. u. S. 44.
[48] S. u. S. 49 ff.
[49] S. u. S. 44 ff.
[50] S. u. S. 40 ff.
[51] S. u. S. 34 ff.

klare Einsicht in die Vielfalt ihrer Bedingungen getreten. Gleichzeitig hat sich die Eigenart der sprachlichen Gesetzlichkeit gegenüber der Naturgesetzlichkeit in Physik, Chemie und Biologie herausgestellt."[52] Beeinflußt vom naturwissenschaftlichen Denken suchte die Junggrammatik nach einem Kausalitätsprinzip in der Sprache.[53] Dieses Ziel konnte nicht erreicht werden. Die Lebendigkeit der Sprache war stärker als der methodische Ansatz. Übrig blieben die Einzelergebnisse aus der Erforschung der germanischen und deutschen Sprachgeschichte.

„Prinzipien der Sprachgeschichte" wird man nach dem gescheiterten Versuch der Junggrammatiker nicht mehr entdecken wollen. Auch der Versuch, auf dem nur-historischen Weg die Sprache voll zu erfassen, braucht nicht wiederholt zu werden. Insofern sind Paul, Erdmann, Wilmanns und Behaghel das gute Gewissen für Weisgerber, Glinz, Brinkmann, Erben und die übrigen synchronisch arbeitenden Grammatiker.

Mackensen weist in seinem Buch über die deutsche Sprache unserer Zeit[54] eine ungeheure Lebendigkeit sprachlichen Lebens für die Zeit der Jahrhundertwende nach. Man empfindet die Sprache der Klassik als normativ und will sie überwinden. Vor allem Gerhart Hauptmann ist es, der durch seine Dramen deutlich macht, was alle anderen meinen: Hauptmann verwendet schlesische Mundart, und er ist „auch in den hochsprachlichen ... Abschnitten mehr der lässigen Umgangssprache als einem festtäglichen Sprachstil verpflichtet".[55] Das Neue an dieser Entwicklung war eine Sprachform auf der Bühne, von deren Existenz die Sprachforschung noch nicht Kenntnis genommen hatte. Zum ersten Male rückt die gesprochene Sprache in den Blickpunkt weiter Kreise der Öffentlichkeit und weckt ihre Teilnahme für das Problem Sprache überhaupt. „Was die Wissenschaft in jenen Jahren beisteuerte, war nicht sehr geeignet, sie (diese Teilnahme) zu stärken."[56] Das ist bei der oben[57] skizzierten Lage der Dinge auch gar nicht ohne weiteres zu erwarten. Der Prozeß, in dem die Sprachwissenschaft nach einer in die Sprachvergangenheit gewandten Blickrichtung die lebendige Sprache gleichsam ein-

---

[52] Porzig, Das Wunder der Sprache, S. 289 f.
[53] S. o. S. 14 f.
[54] Mackensen, Die deutsche Sprache unserer Zeit, 1956.
[55] Ebd., S. 8.
[56] Ebd., S. 109.
[57] S. o. S. 20.

holt, ist langwierig. Er beginnt allerdings schon um 1900. Dieser Neubeginn mit immer konkreter ausgeprägten Ansichten über die Sprache erstreckt sich über einen Zeitraum von etwa 25 Jahren. Hermann Ammann versucht dann 1924,[58] von dem neuen Ansatz der menschlichen Rede her auch zu einem neuen System zu kommen.

## 2. Neuansätze um 1900

a) Lyons Absonderung der Sprachhistorie zu einem eigenen Gebiet der Grammatik; Abbau des sprachlichen Systemdenkens als Vorbereitung auf die Wendung zur Sprache der Gegenwart

Bei einer deutschen Grammatik, die 1897 erscheint,[59] muß als bemerkenswert bezeichnet werden, wenn sie an erster Stelle den Satz untersucht, Satz- und Wortlehre nicht trennt und schließlich mit einem Kapitel „Die Lehre vom zusammengesetzten Satz" endet. Die Beschäftigung mit dem Satz bildet somit schon rein optisch einen Rahmen für alle übrigen Gebiete der Grammatik. Weiter ist es aufschlußreich, daß Lyon erst am Schluß ein Kapitel „Geschichte der deutschen Sprache" gibt,[60] aus dem ersten grammatischen Teil somit alle Diachronie ausklammert. Dieses Verfahren ist um so auffälliger, als um diese Zeit die junggrammatisch-historische Forschung in vollster Blüte steht und Hermann Paul eine andere als historische Betrachtung der Sprache ausschließt. Nun liegt bei Otto Lyon die Vermutung nahe, daß er auch als Wissenschaftler von den Erfordernissen der Schule mit geprägt wurde. Das zeigt sich deutlich bei der Durchsicht der deutschen Grammatik, denn dort geht es eigentlich gar nicht um die Frage Historie oder nicht Historie oder um das Schwerpunktverhältnis beider Gebiete zueinander. Dieses Problem wird wie selbstverständlich zuungunsten der Historie entschieden, indem ihr ein eigenes Gebiet in der Grammatik angewiesen wird. Es geht vielmehr um die M e t h o d e innerhalb der Betrachtung des ersten Teiles, der Sprache, wie sie vorliegt. Und hier ist der Wissenschaftler Lyon von der humanistischen Tradition des ausgehenden 19. Jahrhunderts noch stark geprägt: Er betrachtet vorwiegend gar nicht die Sprache der Gegenwart, sondern sieht sie durch die Brille des grammatischen Systems von Subjekt, Objekt usw., das durch

---

[58] S. u. S. 44 ff.
[59] Lyon, Deutsche Grammatik und kurze Geschichte der deutschen Sprache, 1897.
[60] Ebd., S. 131–144.

die Sprache erfüllt wird. Es gibt, wie die Einzelbetrachtung zeigt, dabei auch Ausnahmen, bei denen die Sprache selbst in den Blick kommt. Daraus und aus dem Zurückdrängen der Sprachhistorie leite ich die Berechtigung ab, Lyon in einer Linie zu sehen, die bei Sütterlin und Dittrich endet.[61]

Die Grammatik beginnt mit dem e i n f a c h e n  S a t z, dessen wichtigste Teile Subjekt und Prädikat sind[62] und der als Aussage-, Ausrufe- und Befehlssatz vorkommt. Im Verlauf der Untersuchung ist die Methode so, daß die Glieder des einfachen Satzes genannt werden und dann angegeben wird, mit welcher Wortart sie besetzt werden können. Es heißt zum Beispiel beim Subjekt: „Das Subjekt wird in der Regel durch ein Substantivum oder Hauptwort ausgedrückt. Hauptwörter nennt man die Wörter, die eine Person oder Sache bezeichnen ... Um das Hauptwort mit anderen Wörtern zu verbinden, bedient man sich verschiedener Formen desselben ... Steht nun ein Hauptwort als Subjekt, so wird es als der Gegenstand, von dem etwas ausgesagt wird, schlechthin genannt und steht daher im Nominativ."[63] Genauso wird das Objekt als „Gegenstand, auf den sich die vom Subjekt ausgeübte Tätigkeit richtet",[64] zunächst im Satzrahmen bestimmt. Dann kommt der Sprung zu den W o r t a r t e n : „Das Objekt wird gewöhnlich durch ein Hauptwort ausgedrückt und kann in verschiedenen Fällen stehen."[65] Anschließend gibt es einen langen, der Besprechung der Hauptwörter gewidmeten Teil, der sich mit allen im Umkreis „Hauptwort" zu beobachtenden Phänomenen beschäftigt, sie nennt und darstellt. Danach folgt als 18. Abschnitt des Grammatikteiles das Pronomen oder Fürwort. Das Kapitel beginnt folgendermaßen: „Statt des Satzes: Der Knabe lief kann ich auch sagen: Er lief. Die Stelle des Substantivs Knabe vertritt dann das Wort er ... Wir nennen solche Wörter, die als Stellvertreter anderer Wörter eintreten, Pronomina oder Fürwörter. Das Subjekt eines Satzes braucht daher nicht immer durch ein Hauptwort ausgedrückt zu werden, sondern es kann auch durch ein Pronomen dargestellt werden."[66] Entscheidend ist hier wie bei den folgenden Kapiteln Prädikat–Verb und Umstands-

[61] S. u. S. 28 ff., 30 ff.
[62] Lyon, Dt. Grammatik, S. 7.
[63] Ebd., S. 9 f.
[64] Ebd., S. 11.
[65] Ebd., S. 11.
[66] Ebd., S. 43.

bestimmung und ihre Besetzung, daß – zumindest bei der Einführung einer Wortart – die Ebenen Satz und Wort nicht schichthaft unverbunden getrennt bleiben, sondern immer wieder durchstoßen werden. Über lange Strecken muß dabei nur vom Substantiv oder nur vom Verb gesprochen werden, und hier wird dann das Individuelle der Wortart abgehandelt, die Einzelwortart bleibt aber nicht für sich stehen, denn ihr werden Aufgaben für die Satzaussage und den Satzbau zugemessen. Bei der Einführung der Pronomen ist dabei sogar schon etwas von Funktionalität zu spüren, wenn diese Wortart als „Stellvertreter anderer Wörter" gefaßt wird. Zwar ist der Weg bis zu Erbens „inhaltsarmen Formwörtern"[67] noch sehr weit, aber er scheint hier schon beschritten.
Insgesamt ist die Methode Lyons konsequent und sauber durchgeführt. Satz- und Wortlehre verschwimmen nicht zu einem unentwirrbaren Gemisch. Beide Gebiete behalten ihre Eigenberechtigung, werden aber durch die dauernde Beziehung zueinander auch polar füreinander geöffnet. Die Satzglieder und ihre Stellung im Satzgefüge sind zwar auch für Lyon vorgegeben. Aber er beobachtet sie an Sätzen. Das heißt nicht, daß er sie an ihnen bestätigt oder verifiziert. Die Sprache wird dabei mehr zum Gegenüber, das beobachtet wird. So scheint es berechtigt, Lyon, der um 1900 die Sprache schon nicht historisch versteht, auch nicht als rein deduktiven Grammatiker einzustufen. Er hat zwar eine „Lehre" von der Sprache.[68] Indem er, wie bei der Herleitung zu den Pronomen,[69] aber auch die Sprache selbst zu Wort kommen läßt, könnte man seine Methode als Mischung aus Deduktion und Induktion nennen.
Der abschließende Abschnitt des Grammatikteiles „Die Lehre vom zusammengesetzten Satz"[70] enttäuscht. Hier läuft wieder alles auf das Nennen der verschiedenen Arten von „Nebensätzen" hinaus.

b) Fincks Versuch, Sprache als Ausdruck der Weltsicht zu fassen

Fincks Buch über den deutschen Sprachbau[71] erscheint 1899. Unter den Männern, von denen er gelernt hat und denen er zu Dank ver-

---

[67] S. u. S. 76.
[68] Z. B. die Kapitel „Satz- und Wortlehre"; „Die Lehre vom zusammengesetzten Satz".
[69] S. o. S. 24.
[70] Lyon, Deutsche Grammatik, S. 125–130.
[71] Finck, Der deutsche Sprachbau als Ausdruck deutscher Weltanschauung, 8 Vorträge, 1899.

pflichtet ist, nennt er Wilhelm von Humboldt. Dieser Name und der Titel des Buches lassen vermuten, daß die Vorträge eine über das Bild der damaligen Zeit hinausgehende S i c h t  d e r  S p r a c h e entwickeln. Finck kommt vom Individuum zur Sprache. Sie ist für ihn ein Produkt der Weltsicht vieler Individuen. „Die Art nun, wie jeder seine Vorstellungen bildet, wie er Gesamtvorstellungen in Bestandteile zerlegt, diese in Kategorien einordnet und miteinander in einem Gedanken verknüpft, das ist offenbar die Art, wie er sich die Welt vorstellt, wie er ... sie anschaut ... Nun leben aber die Menschen nicht in der Einsamkeit, sondern in irgendeiner geistigen Gemeinschaft. Was eine solche zustande bringt, ist in erster Linie die Sprache."[72] Wichtig ist dabei, daß es „keine von uns unabhängige Sprache gibt, sondern nur sprechende und Sprechens sich erinnernde Individuen".[73]

Nach diesem Ansatz kann Finck eine C h a r a k t e r i s i e r u n g  d e r d e u t s c h e n  S p r a c h e versuchen und ihre Qualitäten aufdecken, die dann Qualitäten der sie sprechenden Individuen sein müssen. Das erste Ergebnis nach einer Charakterisierung der germanischen Sprachen, wie sich Grad und Art menschlicher Reizbarkeit in ihnen äußern: „Innerhalb des Germanischen scheinen sich keine graduellen Unterschiede der Reizbarkeit nachweisen zu lassen, wohl aber ein solcher der Art, insofern, als das Deutsche mehr Gefühl zum Ausdruck bringt als das Englische, Schwedische, Dänische und Niederländische. Somit wäre die Stelle gefunden, die dem Deutschen unter den Sprachen der Erde zukommt."[74] Fast dasselbe ergibt sich auch von der Wortstellung her: „Fragen wir uns noch einmal: Was verrät die Tatsache, daß wir Deutsche das Adjektiv dem Substantiv häufiger folgen lassen als die anderen Germanen es tun? Einmal weist sie auf ein geringeres Maß von Vorbedacht als das unsern Stammverwandten zuzuerkennende, und sodann deutet es auch noch auf ein Vorherrschen des Gefühls."[75] Dieses recht magere Ergebnis wird nach einem ausgedehnten Sprachvergleich an fast allen Sprachen der Erde erreicht. Fincks Interesse liegt dabei nicht eigentlich darin, den funktionalen Wert dieser syntaktischen Besonderheit für die Aussagekraft eines Satzes oder die Verwirklichung einer Inten-

[72] Ebd., S. 8.
[73] Ebd., S. 9.
[74] Ebd., S. 48.
[75] Finck, Der deutsche Sprachbau, S. 73.

tion aufzuhellen, sondern er möchte zeigen, wie das Phänomen des vor- oder nachgestellten Adjektivs mit seiner jeweiligen sprachpsychologisch erhellenden Kraft in das Schema paßt, das er sich zuvor von den einzelnen Völkern gemacht hat. Durch Vorausstellen des Adjektivs kommt Bedächtigkeit des Sprechenden zum Ausdruck: Finck ist erfreut darüber, die Beobachtung (Vorausstellung des Adjektivs) bei solchen Sprachen – und damit solchen Völkern – machen zu können, denen er geringe Reizbarkeit zuschreibt.

National-pathetisch werden die Ausführungen beim Verb: Im Deutschen kann ein Verb mit zugehörigem Präfix oft einen ausgedehnten Gedankenkomplex einschließen. Fincks Folgerung: „So scheint denn tatsächlich die deutsche Sprache ein Zeugnis ungewöhnlicher Willensstärke, ein Zeugnis ungewöhnlicher Geisteskraft zu sein."[76] Das Fazit der Gesamtuntersuchung lautet: Die „Deutschen lassen ihr Handeln ... mehr als alle anderen Germanen durch den eigenen Willen bestimmen – das deutsche Verb verrät die stärkste Subjektivität; und was sie erreicht haben, das verdanken sie diesen selbstgewollten Taten – sie haben den stärkstentwickelten Subjektskasus, (das verdanken sie) nicht einem günstigen Zufall, nicht der Erfüllung der Wünsche durch fremde Mächte (England!). Auch ihnen ist der Erfolg ihres Tuns nicht gleichgültig, nicht nur aus Freude an der Betätigung eigener Kraft wirken sie, aber – wenn die Sprache nicht lügt – so sehen sie nicht allein auf den Erfolg ohne Rücksicht auf den, der ihn verschafft, wie die Dänen und Schweden – denken sie an den ausgedehnten Passivgebrauch, sondern wollen ihn sich selbst verdanken – erinnern sie sich der aktiven, stark synthetischen Ausdrucksweise."[77]

Somit läuft das Ganze auf eine laudatio der deutschen Wesensart hinaus, bei der die Deutung sprachlicher Erscheinungen von nationalem Pathos diktiert wird.

Das Ergebnis der Finckschen Bemühungen kann kaum befriedigen. Doch sein Ansatz, seine Sicht von der Sprache, die sich durch das sprechende Individuum realisiert, ist bemerkenswert. Wenn auch der historische durch den nationalen Standpunkt ersetzt wird, so ist eben doch wichtig, daß die Sprachbetrachtung der Junggrammatik aufgegeben worden ist. Auch hier ist der Blick auf die Sprache noch immer verstellt, wird Erkenntnis der Sprache durch ein be-

---

[76] Ebd., S. 93.
[77] Ebd., S. 101.

stimmtes Vorverständnis getrübt. Aber der Blick bleibt in der Gegenwart der Sprachrealität, und wenn Finck Wilhelm von Humboldt nennt, so zeigt sein Versuch, daß er dessen Gedanken zur Sprache aufgegriffen und zu einem Teil verarbeitet hat.

c) Sütterlins Wendung zur „Sprache der Gegenwart"

Der Titel von Sütterlins Buch[78] hätte in seinem Erscheinungsjahr 1900 wie ein gegen die Junggrammatik gerichtetes Programm wirken können. Daß das aber nicht die erklärte Absicht Sütterlins war, zeigt ein Satz aus dem Kapitel zur Wesensbestimmung und Aufgabe der Grammatik: „Eine richtige Erklärung sprachlicher Erscheinungen kann nur die geschichtlich-vergleichende Sprachforschung geben", so heißt es noch in der 4. Auflage seiner Deutschen Sprache von 1918.[79] Der Plan seines Buches ist durchaus konventionell: I. Lautlehre, II. Wortlehre, III. Die Wortgruppe. Und doch läßt Sütterlin den historischen Gesichtspunkt in manchen Teilen seines Buches unberücksichtigt, zum Beispiel bei der Bestimmung des Wortes, das als Redeteil gefaßt wird, oder bei der Gliederung der „Hauptwörter", die er nach Bedeutungsgruppen scheidet, wobei bestehende formale Elemente zur Erhellung der Bedeutung mit herangezogen werden: „Die Verstärkung des Begriffs wird bei einer Reihe von Hauptwörtern durch verschiedene Zusammensetzungen ausgedrückt, die je nach der ursprünglichen Bedeutung des verwandten Bildungsmittels der Ableitung einen etwas verschiedenen Nebensinn geben."[80] Deutlicher wird modernes grammatisches Denken, das von der Sprechsituation ausgehen will, bei der Behandlung der Verben. Er sagt zum Beispiel über die verbale Möglichkeit, die Zukunft auszudrücken: „Die Zukunft wird in der Regel jedenfalls von der Umgangssprache und von den Mundarten nicht besonders ausgedrückt. Daß eine Handlung in die Zukunft falle, ergibt sich meist aus dem Zusammenhang, so z. B. in einem Satz wie: *Ich komme morgen*."[81] Zum Konjunktiv heißt es: „Was man gewöhnlich als Wunsch- oder Möglichkeitsform ... bezeichnet, hat kein einheitliches Gebrauchsgebiet. Die betreffende Form bezeichnet zwar häufig einen Wunsch oder Befehl; aber sie drückt oft auch

---

[78] Sütterlin, Die deutsche Sprache der Gegenwart, 1900.
[79] Sütterlin, Die deutsche Sprache der Gegenwart, 4. Aufl. 1918, S. 12.
[80] Sütterlin, Die deutsche Sprache der Gegenwart, 1900, S. 103.
[81] Ebd., S. 183.

nur in milder Form eine Möglichkeit aus ... Bemerkenswert ist, daß bei dieser Aussageweise die Formen der Gegenwart und die der Vergangenheit keinen Zeitunterschied mehr angeben, sondern zeitlos gebraucht werden."[82] Auch bei der Bestimmung von Aktiv und Passiv ist ein D e n k e n  v o n  e i n e r  S p r e c h s i t u a t i o n  h e r spürbar: „Bei einer Tätigkeit kann auch die Richtung in Betracht kommen, in der sie sich bewegt. Eine bestimmte Handlung kann man von dem Punkt aus betrachten, von dem sie ausgeht, aber auch von dem Punkte, dem sie zustrebt."[83] Solche Ansätze bleiben bei Sütterlin vereinzelt. Es scheint, als hätte er sie später in seiner „Neuhochdeutschen Grammatik"[84] zugunsten einer einheitlichen Gesamtlinie wieder aufgegeben. Denn dort bietet er einen weit ausholenden historischen Teil, dann, bei der Behandlung von Deklination und Konjugation, reine Konstatierung des Möglichen und Regelmäßigen. Das Sprachmaterial wird gesichtet und nach historischen Gesichtspunkten klassifiziert.

In seinem Buch „Das Wesen der sprachlichen Gebilde"[85] setzt Sütterlin sich mit Wilhelm Wundts S p r a c h p s y c h o l o g i e auseinander. Er knüpft dabei an Delbrücks „Grundfragen" an[86] und kritisiert Wundt, der als Psychologe zu wenig Historiker sei und aus Einzelerscheinungen Schlüsse ziehe, die der Historiker nicht vertreten könne, so z. B. bei der Darlegung der Ausdruckskraft einzelner Buchstaben. Das Buch hängt aber zu sehr von Wundt ab. Es hat kaum eine eigene, konsequente Konzeption, sondern bemüht sich immer wieder, Wundts Ansichten zu erschüttern oder zu widerlegen. Bemerkenswert ist, daß hier schon der Begriff „innere Sprachform" erscheint: „Der Gesamtheit der Spracherzeugnisse und den Eigenheiten der äußeren Sprachform liegt als Ursache eine bestimmte Art des Denkens zugrunde, eine innere Sprachform."[87]

Es ist schwierig, den Standort Sütterlins in der Entwicklung der deutschen Grammatik genau zu bestimmen. Einerseits will er sich der Gegenwartssprache zuwenden, begreift sie aber auch als Endprodukt einer Entwicklung, der er genau nachgeht, einmal argu-

---

[82] Ebd., S. 184.
[83] Ebd., S. 186.
[84] Sütterlin, Neuhochdeutsche Grammatik, 1. Hälfte 1924.
[85] Sütterlin, Das Wesen der sprachlichen Gebilde, 1902.
[86] S. o. S. 18.
[87] Sütterlin, Das Wesen der sprachl. Gebilde, S. 172.

mentiert er von der Inhaltsseite (Substantive),[88] einmal von der Wortform her, indem er sagt: „Nur ein Wort, das konjugiert wird, ist ein Verb."[89] Ein Passus wie „Durch die Gliederung der sich dem Menschen zuerst aufdrängenden Gesamtvorstellung entstehen die Wortarten"[90] enthält dazu auch noch psychologisches Gedankengut. Man könnte Sütterlin als typischen Vertreter einer Übergangszeit sehen, der viele Gesichtspunkte in sich aufgenommen hat, aber nicht die Kraft besitzt, sie zu einer organischen Gesamtkonzeption zusammenzustellen.

d) Dittrich als Vertreter der Sprachpsychologie und sein Erweis der Wissenschaftlichkeit synchronischer Sprachbetrachtung

Schon bei Delbrück, Finck und Sütterlin, ja auch bei Paul[91] war das Eindringen psychologischer Gedanken nachweisbar. Dadurch wurde die historische Betrachtungsweise aufgelockert, aber nicht grundsätzlich erschüttert. In den „Grundzügen der Sprachpsychologie"[92] erweist nun Ottmar Dittrich, ein Schüler Wilhelm Wundts, grundsätzlich, daß auch eine andere als historische Sicht der Sprache möglich, vor allen Dingen wissenschaftlich möglich ist. Wenn es auch sein Ziel ist, die Sprachpsychologie als einen Teil der Sprachwissenschaft zu erweisen – eine sicherlich in der Zeit notwendige Legitimation für eine noch junge Wissenschaft[93] –, so macht er doch dabei über Sprache und Systematisierbarkeit ihrer Phänomene erstaunlich neue Ausführungen.

Er beginnt mit einer Polemik gegen Paul, den er, um das Extrem seiner eigenen Meinung klar zu fixieren, ausführlich zitiert: Wenn man etwas Charakteristisches über eine Sprache sagen will, „so kann man das nur, indem man auf den Ursprung der Ausdrucksformen und ihre Grundbedeutung zurückgeht".[94] Mit Wundt wendet sich Dittrich gegen diese Identifikation von Sprachwissenschaft und Sprachgeschichte und versucht, auf erkenntnistheoretischer Grundlage eine andere Anschauung von Sprachwissenschaft zu

[88] S. o. S. 28.
[89] Sütterlin, Das Wesen der sprachl. Gebilde, S. 124.
[90] Ebd., S. 152.
[91] S. o. S. 18, 25 ff., 30, 16.
[92] Dittrich, Grundzüge d. Sprachpsychologie, 1. Bd. 1904.
[93] Dazu Paul selbst in den Prinzipien, 4. Aufl., S. 21, Anm. 1: „Sprachpsychologie als eigenes Fach hat weder eine Stellung innerhalb der Sprachwissenschaft noch innerhalb der Psychologie."
[94] Paul, Prinzipien, 2. Aufl., S. 19, zitiert bei Dittrich, Grundzüge, S. 6.

finden. Dazu gibt er zunächst eine Definition von „Wissenschaft" als „gewisse Ordnung" der „Gesamtheit der Erscheinungen", um sie so vollständig und einheitlich wie möglich theoretisch überblicken ... zu können.[95] Objekt der Betrachtung ist dabei die Sprache als „Gesamtheit aller jemals aktuell gewordenen bzw. aktuell werden könnenden Ausdrucksleistungen der menschlichen Individuen ..., soweit sie von mindestens einem anderen Individuum zu verstehen gesucht werden".[96] Diese Ausdrucksleistungen werden beschrieben, und so entsteht „auf die Gesamtheit der Erscheinungen bezogen deren morphologische Systematik, indem zum Zwecke der Klassifikation zunächst möglichst allgemeine und sodann immer speziellere gemeinsame, bei der Beschreibung der Einzelobjekte abstrahierte morphologische Merkmale herausgegriffen werden".[97] Diese morphologische Ordnung ist aber bei Ausschaltung einer chronologischen Betrachtung möglich. Deshalb ist einleuchtend, „daß auch die Sprachwissenschaft ... durchaus nur mit gleichmäßiger Berücksichtigung aller wesentlichen Eigenschaften der Sprache nicht etwa nur ihrer Eigenschaft, Objekt historischer Betrachtung sein zu können, ihrer Aufgabe gerecht zu werden vermag".[98] Dabei bezieht sich die morphologische Betrachtungsweise nicht nur auf die Wörter, sondern auch auf „alle typischen sprachlichen Einzelgebilde".[99]

Vorteilhaft ist eine solche Verfahrensweise auch darum, weil sie die Sprache sichtet, ohne die unmittelbare Beziehung zur vollen Realität der sprachlichen Erscheinung zu verlieren, und dabei ihren Zeichen- und Bedeutungscharakter beachtet. Diese Unmittelbarkeit muß bei rein diachronischer Betrachtung verlorengehen, deshalb kann sie allein der Sprache nicht gerecht werden. Unumgänglich notwendig sind synchronische Schnitte: „Wir gelangen so durch synchronische Behandlung der als autonom angesehenen Erscheinungen zu Querschnitten der Einzelsprachen und Sprachgruppen."[100] Dadurch wird der Blick frei für Eigenheiten etwa auch einer neu entdeckten Sprache. Sie bleibt „vor der Beugung unter das grammatische System einer bestimmten anderen Sprache oder Sprachgruppe

[95] Dittrich, Grundzüge, S. 28.
[96] Ebd., S. 41.
[97] Ebd., S. 29.
[98] Dittrich, Grundzüge, S. 40 f.
[99] Ebd., S. 49.
[100] Ebd., S. 50.

bewahrt".[101] Aber auch Sprache und sprechendes Individuum erscheinen wieder ungetrennt, weil bei synchronischer Betrachtung das Faktum „der Abhängigkeit der sprachlichen Erscheinungen von den sprechenden Individuen mit zur Geltung kommt".[102] Zusammengefaßt ergeben sich folgende Ergebnisse:

1. Die Identifikation von Sprachwissenschaft und Sprachgeschichte ist wissenschaftlich unzulässig,

2. rein diachronische Betrachtung wird der Sprache nicht gerecht,

3. auch morphologisch-synchronische Sprachbetrachtung ist wissenschaftliche Sprachbetrachtung.

Vorteile der synchronischen Sicht sind:

1. Entflechtung eines Sprachzustandes aus einem historischen Prozeß, der ihm zwangsläufig einen Übergangscharakter verleiht,

2. enge Bindung Sprache—sprechendes Individuum.


### 3. Fortschreitende Ausgestaltung dieser Ansätze in der Zeit bis zum zweiten Weltkrieg

a) Überblick

Mit der Zeit der Junggrammatik ist auch die Zeit der festen Systeme vorbei. Die Sprachwissenschaft bekommt zwar Anregungen durch die Psychologie, ihre Methoden und Denkweisen werden durch Dilthey erkenntnistheoretisch grundsätzlich von denen der Naturwissenschaften gelöst, aber es ist zunächst wohl unmöglich, den Grammatiken alten Stiles solche auf dem Fundament der neuen Erkenntnisse entgegenzusetzen.[103] Eine Tendenz ist allerdings bei vielen Arbeiten, die nach der Jahrhundertwende erscheinen, zu beobachten: Von Wilhelm von Humboldt angeregt, versuchen sie, der „inneren Sprachform" des Deutschen näherzukommen.[104] Das tut neben Delbrück, Finck und Sütterlin,[105] bei denen damit aber nichts oder nichts grundsätzlich Neues erreicht wird, auch

---

[101] Ebd., S. 48.

[102] Ebd., S. 54.

[103] S. o. zu Sütterlin, S. 28 ff.

[104] Daß man den Begriff „innere Form" auch völlig mißverstehen konnte, zeigt Stoltenbergs „Neue Sprachgestaltung", 1930; den Begriff in anderem Sinn gebrauchen Schwinger-Nicolai in „Innere Form und dichterische Phantasie", 1935.

[105] S. o. S. 17 f., 25 ff., 28 ff.

Kluge in „Unser Deutsch",[106] obwohl er ausdrücklich auch Hermann Paul als seinen Lehrer nennt. „Nicht im starren Regelzwang zeigt sich die Sprache in ihrer Ganzheit und Göttlichkeit, nicht der tote Buchstabe, nicht die angequälten Formen, nicht ein mühselig erworbener Wortschatz machen den Inhalt einer Sprache aus."[107] 1921 erscheint eine Arbeit von Hans Kirchner,[108] in der es im Vorwort heißt: „Die vorliegende Arbeit hat also die Auseinandersetzungen zum Gegenstand, in denen sich Humboldt die Beantwortung jener Grundfrage nach der Objektivität in Sprache gedachter Inhalte konstruiert. Sie betreffen nicht das Verhältnis der Verstandesbegriffe zu den Dingen der Wirklichkeit, sondern das Verhältnis der in Sprache gedachten ‚Begriffe' zu dem, was ihnen als das ‚Reine' gegenübergestellt wird ... Alles in Sprache Gedachte ist individuell (subjektiv); aber in dieser Individualität (Subjektivität) ist das Reine (Objektive) als das Ideale virtuell enthalten."[109] Wenn auch in etwas spekulativer Weise geht es hier doch schon um das Problem der „Objektivität in Sprache gedachter Inhalte", also um die sprachliche Zwischenwelt.

Eine emphatische Würdigung erfährt Humboldt durch H. F. J. Junker in „Gegenstand und Aufgaben der Sprachwissenschaft" von 1931 und in seiner „Rede auf Wilhelm von Humboldt und die Sprachwissenschaft" von 1935. Sein Wahlspruch ist: „Vorwärts im Sinne Humboldts!" 1938 referiert Richard Woesler die „Ergebnisse ganzheitlicher Sprachforschung" und kann feststellen, daß die Gedanken Humboldts allgemein bekannt und anerkannt sind. Gegenstand der Sprachwissenschaft ist die Nationalsprache, die es in ihrem Bau zu durchschauen gilt. Manche Versuche sind schon unternommen, den deutschen Wortschatz nach sprachinhaltlichen Gesichtspunkten zu gliedern, etwa durch Jost Trier,[110] H. Hüsgen[111] und H. Fischer.[112]

Auch wo in den Arbeiten der zwanziger und dreißiger Jahre Wilhelm von Humboldt nicht ausdrücklich genannt wird, spürt man

---

[106] Kluge, Unser Deutsch, 1914.
[107] Ebd., S. 8.
[108] Kirchner, Erkenntnis und Sprache, Diss. Breslau 1921.
[109] Kirchner, Erkenntnis und Sprache, S. 12.
[110] Trier, Der deutsche Wortschatz im Sinnbezirk des Verstandes, 1931; ders., Deutsche Bedeutungsforschung, 1934; ders., Das sprachliche Feld, 1934.
[111] Hüsgen, Das Intellektualfeld der Arkadia, 1936.
[112] Fischer, Der Intellektualschatz im Deutschen und Französischen des 17. Jahrhunderts, 1938.

etwas vom Einfluß seines Geistes, zum Beispiel wenn Wunderlich-Reis Satz und Sprache als „lebendiges Werden" bezeichnen,[113] oder bei Neumann und Porzig.[114] Man löst die Sprache Stück um Stück immer gründlicher und fundierter von einer ihre Lebendigkeit abtötenden nur-historischen Betrachtung, zugleich aber auch von dem sie einschnürenden und verunstaltenden System einer logisierenden Fremdsprachengrammatik. Vor allem die zwanziger Jahre bringen hier die Wende. Sie sind auch insofern bedeutungsvoll, als in dieser Zeit die drei Hauptrichtungen deutscher Grammatikforschung nebeneinander betrieben werden: die historische, die psychologische und schon die neue, auf die Sprachinhalte bezogene. Die historische Richtung wird etwa vertreten von Sütterlin, von Behaghel und von Paul,[115] dessen Grammatik von 1916 ab erscheint,[116] die psychologische durch Wunderlich-Reis[117] und Kalepky,[118] die bedeutungs- oder inhaltsbezogene 1924 schon durch Ammann.[119] Durchgesetzt hat sich dann die von Ammann, Weisgerber,[120] Trier[121] und Porzig[122] vertretene Richtung. Auf den Erkenntnissen dieser Forscher konnten andere Grammatiker nach dem zweiten Weltkrieg aufbauen. Weisgerber, Trier und Porzig bauten ihren Ansatz selbst weiter aus.

b) Voßler: Grammatik als Dienerin an der Lebendigkeit der Sprache

Vorarbeit für die Sprachinhaltsforschung leistet schon Karl Voßler kurz nach der Jahrhundertwende, etwa in den Aufsätzen „Positivismus und Idealismus in der Sprachwissenschaft" von 1904 und „Grammatik und Sprachgeschichte" im ersten Logos-Band von 1910/11. Voßler mustert zunächst die drei bisher möglichen grammatischen Betrachtungsweisen, die logische, die psychologische und die historische. Ihnen prophezeit er eine baldige Auflösung, denn schon im Augenblick befinde man sich in einem „Zeitalter der Ratlosigkeit und der verzweifelten Wiederbelebungsversuche an unseren

[113] S. u. S. 37.
[114] S. u. S. 40–42.
[115] S. o. S. 13 ff.
[116] Paul, Deutsche Grammatik I–V, 1916 ff.
[117] S. u. S. 36 ff.
[118] S. u. S. 38 ff.
[119] S. u. S. 44 ff.
[120] S. u. S. 45 f.
[121] S. u. S. 47.
[122] S. u. S. 41 f., 45.

34

drei todkranken theoretischen Grammatiken".[123] Der Ausweg ist
die „p r a k t i s c h e  G r a m m a t i k" :[124] „Sie arbeitet im Dienst
der Sprache als Kunst, sie lehrt uns die Technik der sprachlichen
Schönheit."[125] Voßler sieht die Sprache vom S t a n d p u n k t  d e s
Ä s t h e t e n : „Denn dies ist der entscheidende Punkt, alle sprachliche Wandlung und Entwicklung ist, in letzter Instanz, das Werk
des Geschmackes oder Kunstgefühles der Sprechenden. Daß sie das
Werk von abstrakten Lautgesetzen oder Analogien nicht ist, darüber beginnen die meisten Sprachforscher sich nachgerade einig zu
werden."[126] Das Ziel ist ästhetische Sprachbeschreibung, bei der
„der sprachliche Gedanke, die sprachliche Wahrheit, der Sprach-
geschmack, das Sprachgefühl oder wie Wilhelm von Humboldt es
nennt: die innere Sprachform in all ihren physisch-psychischen,
politischen, ökonomischen und überhaupt kulturell bedingten
Wandlungen ersichtlich und verständlich wird".[127]
Das hier ausgesprochene Ziel bleibt wenig plastisch. Es ist eine
niemals zu erreichende Idealforderung. Daß sich Voßler dem
Erreichbaren später aber wieder näherte, zeigt sein Aufsatz „Das
System der Grammatik" von 1913.[128] Hier führt er die Grammatik
auf sechs „letzte Fragen", auf „spezifische grammatische Vorgänge"
zurück: auf Lautwandel – Analogie, Bedeutungswandel – Gram-
matikalisation, Differenzierung – Kontamination. Entscheidend
ist die Einsicht, daß grammatisches Denken der Sprache ihre Lebendigkeit nimmt, indem es uniformiert. Das will Voßler vermeiden,
indem er den gegebenen Sprachzustand systematisiert, ihn aber als
eine „fortlaufende Gegenseitigkeit von Wandlungen und Analogien, Differenzierungen und Uniformierungen" erkennt.[129] „Ein
derartiges System ist ebenso geschlossen als fortwährend beweglich,
ebenso fähig, das gegebene Sprachmaterial zusammenzufassen und
zu ordnen, als seinem Flusse durch alle Zeiten nachzugehen."[130] Die
Sprachgeschichte ist nicht ein für allemal verbannt, weil sie sich
selbst durch Überschätzung ihrer Möglichkeiten in Mißkredit gebracht hat, sondern die Grammatik ist auf sie angewiesen. Sie, die

[123] Voßler, Grammatik und Sprachgeschichte, S. 87 f.
[124] Ebd., S. 91.
[125] Ebd., S. 91.
[126] Ebd., S. 92.
[127] Voßler, Grammatik und Sprachgeschichte, S. 94.
[128] Voßler, Das System der Grammatik, 1913.
[129] Ebd., S. 218 f.
[130] Ebd., S. 219.

Grammatik, läßt „auf alles Lebendige an ihr (der Sprache) ... den Schatten des Systems fallen, damit um so lichtvoller und plastischer die Eigenart dieses Lebendigen wieder hervortrete".[131]

c) Wunderlich-Reis: Versuch, die Sprachbetrachtung von allen einengenden logisch-rhetorischen Kategorien zu lösen[132]

Schon lange war den Grammatikforschern aufgefallen, daß die Kategorien, nach denen deutsche Sätze zergliedert wurden, von einer Fremd-Sprache zwanghaft auf das Deutsche übertragen worden waren und ihrer Eigenart weithin nicht gerecht wurden. So schreibt schon Sütterlin im Jahre 1900: „Eines hat mir die Durcharbeitung des ganzen Stoffes aber mit überraschender Deutlichkeit gezeigt, ... wie sehr die deutsche Sprachlehre auch heute noch von der lateinischen Grammatik abhängt. Alles nämlich, was die l a t e i - n i s c h e  G r a m m a t i k  als merkwürdig bezeichnet und benannt hat, ist auch aus dem Deutschen festgestellt und gewissenhaft benannt; umgekehrt ist das Deutsche, dem im Lateinischen kein Gegenbild entspricht, nicht nur meist nicht benannt, sondern oft noch eigentlich nicht gekannt. Und dabei können das ganz verbreitete urdeutsche Sprachgebilde sein."[133] Auch Delbrück hat diese Misere deutlich erkannt, zeigt sich aber bereits vor Sütterlin optimistischer bezüglich ihrer Überwindung. Schon 1893 lobt er Steinthal besonders, der Herbarts Assoziationspsychologie in die Sprachwissenschaft eingeführt hatte: „Er hat mehr als ein anderer dazu beigetragen, die L o g i k aus der Grammatik zu vertreiben und an ihre Stelle die Psychologie zu setzen."[134] In die Reihe dieser Bekämpfer einer schematisierten Grammatik reihen Wunderlich-Reis sich ein: „Vor allem die Grundeinteilung des Satzes in Subjekt und Prädikat widerspricht aufs Entschiedenste den tatsächlichen Verhältnissen. Diese Kategorien sind seinerzeit von griechischen Denkern erfunden worden, als diese aus logischen und rhetorischen Gründen den Satz in einzelne Teile zerlegen zu müssen glaubten. Dabei gingen sie aber nicht von der Beobachtung der dem Sprechen zugrunde liegenden inneren Vorgänge aus, sondern von dem Satz, wie er nach ihrer

---

131 Ebd., S. 219.
132 Wunderlich-Reis, Der deutsche Satzbau, 1924 f.
133 Sütterlin, Die deutsche Sprache der Gegenwart, S. X; zu Sütterlin s. auch o. S. 28 ff.
134 Delbrück, Vergleichende Syntax I, S. 58; zu Delbrück s. auch o. S. 17 f.

Ansicht zum Zweck einer klaren und vollständigen Mitteilung sein sollte; also logische und rhetorische, nicht psychologische Sprachbetrachtung gaben den Ausschlag. Unsere heutige psychologische Sprachbetrachtung tut gut, diese zwei grammatischen Kategorien, wenigstens in ihrer Eigenschaft als Grundbestandteile des Satzes, gänzlich auszuschalten."[135]

Wie aber wird man nun wirklich den Phänomenen „Sprache" und „Satz" gerecht?

Beide gehören untrennbar zusammen. Denn Grundvoraussetzung der Grammatik ist die Erkenntnis, „daß S p r a c h e  e i n  L e b e n s - v o r g a n g  ist und daß unsere Aufgabe hier ist, die verschiedenen Arten dieser Erscheinung des geistigen Lebens möglichst umfassend kennen zu lernen. Satz und Sprache sind lebendiges Werden, kein totes Sein."[136] Hier sind die Humboldtschen Gedanken vom energeia-Charakter der Sprache[137] schon gegenwärtig, wenn auch Humboldt nicht ausdrücklich zitiert wird.

Was aber konstituiert den Satz als lebendige Erscheinung des geistigen Lebens?

Paul hatte gemeint, es müßten mindestens zwei Bestandteile sein,[138] doch für Wunderlich-Reis sind es drei. Dabei kommt es vor allem auf das „a b s c h l i e ß e n d e  D r i t t e" an, das durch Ton und Sprechgeschwindigkeit angedeutet wird, „in schriftlicher Darstellung muß es oft aus dem Zusammenhang erraten werden".[139] Dieser durch die Sprechabsicht und den Redezusammenhang bestimmte Gesamtentwurf des Satzes schließt als geistiges Band Wortklassen und Wortformen zu einem verständlichen Bedeutungsganzen zusammen. Wendet man seine Aufmerksamkeit den Wörtern zu, so bleiben sie bei solcher Anschauung vom Satz gleichsam in der Sprechebene. Man braucht das Wort nicht historisch zu sehen, um etwas über sein Wesen aussagen zu können, sondern es wird als „abgeschlossene Einheit" gefühlt, „während die Tatsache, daß es aus einzelnen Teilen aufgebaut wurde, dem Gedächtnis völlig entschwunden ist".[140] Wie der Satz als lebendige Sprecheinheit gesehen wird, so werden damit auch die Wörter aus einem logischen Schema

---

[135] Wunderlich-Reis, Satzbau I, S. 35.
[136] Wunderlich-Reis, Satzbau I, S. 73, s. o. S. 34.
[137] S. auch zu Weisgerber, o. S. 34.
[138] S. o. S. 15.
[139] Wunderlich-Reis, Satzbau I, S. 6.
[140] Ebd., S. 25.

von Ordnung und Unterordnung entlassen: „Ein besonders verhängnisvoller Irrtum, der zu ganz unnatürlichen Einteilungen der Sprachlehre geführt hat, ist die Meinung, daß bei Verbindungen der eine Bestandteil in einem ständigen Abhängigkeitsverhältnis zu dem anderen stünde, wobei man zwischen Leitglied und Bestimmungsglied unterschied."[141]

d) Kalepkys Versuch, die Lücke zwischen historischer
und psychologischer Grammatik zu schließen

Kalepkys Darstellung[142] erinnert in manchem, vor allem in der Hochschätzung der Psychologie für die Sprachwissenschaft, an Wunderlich-Reis.[143] Er wird aus dem Grunde unter einem besonderen Abschnitt behandelt, weil er sich ganz an Wundt anschließt, sich gleichsam als dessen verlängerten Arm betrachtet, zum anderen, weil er bewußt die seit der Jahrhundertwende klaffende Lücke zwischen historischer und psychologischer Betrachtung schließen will. Dieser Versuch schlägt allerdings fehl. Kalepky läßt sich nämlich von der psychologischen Seite so sehr bestimmen, daß ihm die historische völlig aus dem Blick gerät. Die drei Begriffe, mit denen sein System gekennzeichnet ist, sind Analyse (eines dem Sprechenden vorschwebenden Vorstellungsinhaltes), Subsumption (Fassung seiner Teile unter Begriffe) und Elokution (sprachliche Verwirklichung). Von vornherein wird der historische Standpunkt als zweitrangig ausgeklammert und die Lebendigkeit des Sprachganzen herausgestellt: Jede S p r a c h e stellt „in jedem beliebigen Zeitpunkt ihres Bestehens, ganz unabhängig von ihrem Werden und Wandeln, einen in sich fest geschlossenen, in den Wechselbeziehungen seiner Teile zueinander sowie zum Ganzen dem des menschlichen Körpers und Geistes ähnlichen O r g a n i s m u s dar".[144] Folgende Einzelergebnisse werden ermittelt: Der „S a t z ist das kleinste Mitteilungsganze".[145] Geht man vom Mitteilungscharakter aus, ist eine Scheidung in Haupt- und Nebensatz unsinnig. Die statt dessen vorgeschlagenen Bezeichnungen „Reichsatz" und „Knappsatz" oder „Satz" und „Satzteilauflösung"[146] sind allerdings wenig befriedi-

[141] Ebd., S. 36.
[142] Kalepky: Neuaufbau der Grammatik, 1928.
[143] S. o. S. 37.
[144] Kalepky, Neuaufbau, S. VIII.
[145] Ebd., S. 8.
[146] Ebd., S. 17.

gend. Bei der Analyse des vorschwebenden Gedankenkomplexes tritt das Verlaufselement in den Vordergrund, wobei „alle anderen Glieder ... ihre Rolle je nach ihrer Beziehung zum Verlauf (als Träger, Erleider, Ziel, Herkunft, Werkzeug, Weise, Grund, Ort, Zeit) zugewiesen erhalten".[147] Mit der herkömmlichen Wortartentheorie räumt Kalepky gründlich auf, indem er die Willkürlichkeit und Uneinheitlichkeit der Gliederung nach verschiedenen Gesichtspunkten (nach Bedeutung, Verhältnis, Funktion, Stellung) zeigt. Gemäß dem von ihm ermittelten ontologischen Befund, der sich als Seiendes (Gegenstände), Verläufe (Zustände, Vorgänge) und Verhältnisse (Beziehungen) darbietet, gibt es auch nur d r e i W o r t - a r t e n : Gegenstandsangaben, Verlaufsangaben und Verhältnisangaben. Wichtig an dieser Darstellung ist vor allen Dingen, daß Kalepky vom Satz her denkt. Das taten auch Wunderlich-Reis schon, aber doch mehr im Sinne der alten Grammatik, die das Hauptgewicht auf die Wörter und ihre Formen legte und von da den Bedeutungszusammenhang erschloß. Kalepky sieht den Satz von seiner Mitte her: Das Verb, der Verlauf konstituiert den Satz und weist auf Grund seiner Fähigkeit, Stellen besetzen zu lassen, den übrigen Gliedern ihre Rollen zu. Eine Rangfolge der Wichtigkeit gibt es dabei nicht mehr. Die Konjunktion, das „Markierwort", hat etwa im Satz die Funktion, „die Wortgruppe, vor der es steht, als eine einheitliche zu kennzeichnen".[148] Kalepky faßt die Sprache grundsätzlich als Ausfluß und Spiegelung psychologischer Gegebenheiten. Er entbindet sie völlig von jeder Historisierung und jeder sprachfremden Logik. Seine Ergebnisse sind selbständig, zum Teil wenig befriedigend, zum anderen Teil aber auch weiterführend. Neu ist vor allen Dingen die E r s c h l i e ß u n g  d e r  S a t z s t r u k - t u r  v o m  V e r b  a u s . Auch Glinz hat später diesen methodischen Ansatz.[149]

Im Anschluß an Kalepky sollen kurz noch zwei andere Versuche erwähnt werden, die sich eine Synthese zwischen einzelnen Arten der Sprachbetrachtung zum Ziel gesetzt haben.

Walther von Wartburg untersucht 1931 in einem Aufsatz „Das Ineinandergreifen von deskriptiver und historischer Sprachwissen-

[147] Ebd., S. 26.
[148] Kalepky, Neuaufbau, S. 55.
[149] S. u. S. 63.

schaft"[150] die Vereinbarkeit beider Sprachbetrachtungsmethoden. Dabei will er den Umschlag von Synchronie zur Diachronie aufzeigen: Die Ursachen zu Sprachveränderungen liegen zum Teil „in gewissen Unzulänglichkeiten eines bestimmten sprachlichen Systems. Diese Unzulänglichkeiten sind selbstverständlich synchronischen Charakters. Ihre Behebung aber ... vollzieht sich in der Diachronie und führt nun hinüber in einen neuen Zustand."[151]

Antal K l e m m [152] geht es 1935 um die S y n t h e s e  z w i s c h e n  P s y c h o l o g i e  u n d  B e d e u t u n g s l e h r e. Beide Momente treffen sich im Satz, denn „in Wirklichkeit bildet das Bedeutungsmoment immer mit dem psychologischen Vorgang den Satz".[153] Wie Kalepky läßt er sich aber vollkommen von der Psychologie bestimmen. Kalepky verlor dadurch den Blick auf die Sprachhistorie, blieb aber bei der Sprache.[154] Bei Klemm wird das Übergewicht der Psychologie so groß, daß er schließlich die Wortarten aus psychologischen Gegebenheiten ableitet, die sich im Sprachbildungsprozeß auswirken: „Nur im Verlaufe der Satzbildung konnten jene psychologischen Vorgänge wirken, als deren Ergebnis die Satzteile und Wortarten entstanden."[155]

Beide Versuche, verschiedene Grundrichtungen der Sprachbetrachtung miteinander zu kombinieren, bleiben vage und wenig befriedigend.

e) Einzelarbeiten zur Herausarbeitung der „inneren Form" des Deutschen, die zugleich die leistungsbezogene Methode der neuen Grammatik demonstrieren

1929 befaßt sich Friedrich N e u m a n n mit der Funktion des Verbs im Deutschen und seiner Stellung im Satz.[156] Er geht vom S a t z a l s  e i n e r  I n h a l t s e i n h e i t aus, der durch den Stoß einer sprachlichen Hinsetzung entsteht, bei dem Wörter und Wortgruppen „darstellende Glieder" sind.[157] Alle Satzglieder sind von hier aus zunächst gleich wichtig. Doch das im Satz gefaßte „bedeutungs-

---

[150] v. Wartburg, Das Ineinandergreifen von deskriptiver und historischer Sprachwissenschaft, 1931.
[151] v. Wartburg, Das Ineinandergreifen, S. 12.
[152] Klemm, Der Satz und seine Teile, 1935.
[153] Ebd., S. 474.
[154] S. o. S. 38 f.
[155] Klemm, Der Satz, S. 478.
[156] Neumann, Die Sinneinheit d. Satzes u. d. idg. Verbum, 1929.
[157] Ebd., S. 299.

mäßige Irgendwiesein"[158] wird nie statisch, sondern immer als Ablauf, als Seinsablauf von bestimmter Art und Weise gefaßt, es konkretisiert sich also an erster Stelle an und mit dem Verb: „Im Verbum ist das satzmäßige Sein als solches, das sich in der Verbalform ausprägt, zu einem bewegten Sein von sachlichem Gehalt ausgewachsen. Das satzmäßige Sein als solches findet also im Verbalkern eine erste sachliche Bestimmung."[159] Damit erweist sich das V e r b a l s e i g e n t l i c h e s S a t z w o r t. Der Regelfall ist dabei, daß dieses Satzwort noch eine oder mehrere Ergänzungen verlangt, meistens einen Subjektskern, „der mit dem eigentlichen Grundgehalt zusammen den Grundgehalt des Satzes bildet",[160] doch diese normale Zweigliedrigkeit leitet sich nicht aus der Regel der logischen Grammatik her, ein Satz müsse notwendig aus Subjekt und Prädikat bestehen, sondern aus der Eigentümlichkeit des germanischen Verbs.

Wenn Neumann auch nicht ausdrücklich auf das gegenwärtige Deutsch Bezug nimmt, so ist sein Aufsatz doch ein Beweis dafür, wie man in der Zeit um 1930 der Regelgrammatik von den Eigengesetzlichkeiten und den Eigentümlichkeiten der Sprache her begegnete, und wie man diese Sprache im ganzen immer mehr als etwas Dynamisches begriff. Hand in Hand mit dieser Erkenntnis von der Sprache geht das Ausbilden einer neuen Form zu ihrer Betrachtung. Sie geschieht nicht mehr aufzählend, feststellend, wie zum Beispiel bei Sütterlin,[161] sondern leistungsbezogen.

Dasselbe Bemühen, die sprachlichen Einzelphänomene auf ihre Leistungen innerhalb eines größeren Ganzen abzuhorchen, zeigt sich in der Untersuchung von Walter P o r z i g über die L e i s t u n g d e r A b s t r a k t a in der Sprache.[162] In der vierten Auflage seiner „deutschen Sprache der Gegenwart" hatte sich Sütterlin noch 1918 folgendermaßen zu den Abstrakta geäußert: Abstraktbildungen sind „Bezeichnungen für Verkörperungen nicht-gegenständlicher Begriffe".[163] Er geht über das Konstatieren des Vorhandenen nicht hinaus, wenn er etwa die Ableitungen untersucht: „Ableitungen von Zeitwörtern, Vorgangsbezeichnungen ... Sie bezeichnen bald einen

[158] Ebd., S. 300.
[159] Ebd., S. 301.
[160] Neumann, Die Sinneinheit, S. 301.
[161] S. o. S. 28 ff.
[162] Porzig, Die Leistung d. Abstrakta in d. Sprache, 1930/31.
[163] Sütterlin, Die deutsche Sprache der Gegenwart, 4. Aufl. 1918, S. 136.

bestimmt abgeschlossenen Vorgang, wie Krach, Beginn ... bald ein fortlaufendes Geschehen, das sich aus der Wiederholung solcher einzelnen Vorgänge zusammengesetzt, wie Gelauf, Gang."[164] Die Betrachtung bleibt beim Einzelwort.

Anders bei Porzig.

Auch in seinem Aufsatz geht es um Einzelwörter, aber er sieht sie von der Rede her. Jedes Wort gehört zu einer bestimmten etymologischen Gruppe. Aber auch die Etymologie rückt hier aus der Sicht statischer Historizität: Denn es hat „jede etymologische Beziehung, ebenso wie Wörter selbst, ihre Wirklichkeit nur in der Rede ... In den etymologischen Gruppen ist der Sinn verklungener Reden aufbewahrt. Das heißt aber, daß die Bedeutung eines jeden Wortes sehr komplex und ganz individuell ist, denn jedes Wort gehört entweder von Hause aus in eine etymologische Gruppe, oder es wird, wenn es fremd war, in eine solche eingedeutet. Man muß also versuchen, eine Wortbildung auch bedeutungsmäßig als Glied einer Rede zu verstehen."[165] Tut man das bezüglich der Abstrakta, so ergibt sich: Es „gehört offenbar zum Wesen dieser Substantive, daß die Art der Gegenständlichkeit, die sie bezeichnen, erst durch den Zusammenhang der Rede bestimmt wird",[166] oder prägnanter: „Das echte Abstraktum stellt sich sprachlich-deskriptiv immer dar als Vergegenständlichung eines Satzinhaltes vom Prädikat aus."[167] Das heißt doch wohl, daß die Leistung des Abstraktums darin besteht, das im Satz mit Hilfe des Verbs vorganghaft Gefaßte gleichsam in den anderen Aggregatzustand des überindividuell Bestehenden zu überführen.

1932 untersucht Heinrich Hempel Bedeutung und Ausdruckswert der deutschen Vergangenheitstempora.[168] Auch hier deutet schon der Titel wie bei Porzig und Neumann auf die angewandte Methode. Denn wie anders könnte man zu dieser Problemstellung etwas sagen als durch Abhorchen der lebendigen Sprache und ihrer Formmöglichkeiten?

[164] Ebd., S. 136.
[165] Porzig, Die Leistung der Abstrakta, S. 262.
[166] Ebd., S. 267.
[167] Ebd., S. 263.
[168] Hempel, Über Bedeutung und Ausdruckswert der deutschen Vergangenheitstempora, 1932; zum Wert dieser Arbeit äußert sich Brinkmann: „Am meisten haben die Forschung die ‚Vergangenheitstempora' beschäftigt. Unter ihnen ist am bedeutsamsten die (Arbeit) von Heinrich Hempel ..." (Brinkmann: Die deutsche Sprache, S. 318, Anm. 2).

Schon nach kurzer Musterung der Möglichkeiten präteritaler Darstellung (im Präteritum, durch präsentische Form, im Perfekt) kommt Hempel zu dem grundsätzlichen Ergebnis: „Unsere sogenannten Tempora bezeichnen also keineswegs objektiv verschiedene Zeitstufen."[169] Vielmehr sieht Hempel die drei Möglichkeiten, Vergangenes darzustellen, in Verbindung zu den drei dichterischen Gattungen, zu epischer und dramatischer Darstellung und zu lyrischer Kundgabe. „Das Präteritum ist das natürliche Tempus des Erzählens und der erzählenden Dichtung, es bedeutet objektive und imaginative Hingabe ans Vergangene, das in seinem Ablauf und in seiner Eigengesetzlichkeit schauend, ‚einfühlend' erlebt wird."[170] Bei der präsentischen Darstellung wird „das phantasiemäßige Erlebnis ... bis zu voller Gegenwartsillusion gesteigert, an Stelle des Vergangenheitszeichens trägt das Verb jedes Satzes ausdrücklich das Gegenwartszeichen".[171] Das Perfekt schließlich „trägt die Kundgabe des Subjekts, es besagt gefühlsmäßige, wertende, urteilende Stellungnahme zum Vergangenen".[172] An dieser Stelle versucht Hempel eine Synthese zwischen leistungsbezogener und historischer Betrachtung, wenn er die Genese des Perfekts untersucht und seine ursprüngliche Bedeutung als Verbform mit Gegenwartssinn erwähnt (ich bin gefallen = ich bin ein Gefallener).

Schließlich sollen noch kurz zwei Aufsätze von A d m o n i erwähnt werden.[173]

Das Stichwort im Aufsatz über die deutsche Wortstellung ist „D i s t a n z s t e l l u n g": „Für das Deutsche ist aber gerade die Auffassung der Distanzstellung als Norm und ihre konsequente Durchführung charakteristisch."[174] Wiederum wird von der Funktion, hier von der Strukturfunktion her, argumentiert: „Diese Strukturfunktion besteht darin, daß die Wortstellung an der Bildung des Satzes als Ganzes, an der Gestaltung seiner Einheit teilnimmt."[175] Und abschließend: „Wir haben also einen festen Rahmen, der fast den ganzen Satz vom zweiten bis zum letzten Glied

[169] Hempel, Über Bedeutung und Ausdruckswert, S. 3.
[170] Hempel, Über Bedeutung und Ausdruckswert, S. 9.
[171] Ebd., S. 3.
[172] Ebd., S. 10.
[173] Admoni, Über die Wortstellung im Deutschen, 1934; Die Struktur des Satzes, 1935.
[174] Admoni, Über die Wortstellung, S. 376.
[175] Ebd., S. 378.

umfaßt. Das erste Satzglied aber, das vor diesem ‚Satzrahmen‘ steht, ist in der Regel dasjenige, das als Hinweis auf etwas schon Bekanntes den Satz einleitet und mit dem vorhergehenden verbindet oder bei der gefühlsmäßigen Rede emotional hervorgehoben wird."[176]

In seiner Untersuchung über die Struktur des deutschen Satzes endlich befaßt sich Admoni mit diesen Sätzen nach einer Hierarchie von Aspekten. Diese sind: Logischer Gehalt (Gehalt des menschlichen Denkens, Widerspiegelung der objektiven Welt), Realität, Erkenntniseinstellung des Redenden, Stellung eines Satzes im Redeganzen, situationsbezogene Vollständigkeit und Unvollständigkeit, Satzaufgabe (Aussage, Frage, Befehl) und schließlich Gefühlswert. Diese Vielfältigkeit der Aspekte, die an den Satz heranführt, „wie er tatsächlich besteht und in seiner wirklichen Existenz gestaltet wird, wie er in seiner konkreten Situation in Erscheinung tritt",[177] könnte vermuten lassen, daß es tatsächlich nichts Festes und Genaues, nichts Überindividuelles über den Satz zu sagen gibt. Admoni behandelt jedoch diese Aspekte auf dem Hintergrund der Fixierung von fünf Haupttypen deutscher Sätze, die durch die Sprache einfach vorgegeben sind. Sie gelten als Normen, aber nur als bedingte Normen, die immer wieder umgestaltet werden, historisch als auch individuell. Diese Umgestaltungen schließlich haben ihren Ursprung „in den Widersprüchen und Zusammenstößen zwischen dem Satz als einem allgemeinen Schema der Erkenntnisform und der individuellen Erkenntniseinteilung".[178] Das heißt aber: Die „Struktur des Satzes" ist der Schnittpunkt zwischen Typischem und Individuellem.

## f) Ammann und der Neuansatz der zwanziger Jahre

1924 und 1928 erscheinen die beiden Teile „Die menschliche Rede" von Hermann Ammann.[179] Es ist methodisch zu rechtfertigen, Ammann erst an dieser Stelle zu erwähnen, obwohl sein Buch chronologisch an anderer Stelle eingeordnet werden müßte. Es ist sicherlich förderlich, zu sehen, daß schon zu Beginn der zwanziger Jahre ein Entwurf einer neuen Sprachauffassung vorliegt, an dem sich andere

[176] Ebd., S. 379.
[177] Admoni, Die Struktur des Satzes, S. 397.
[178] Ebd., S. 394.
[179] Ammann, Die menschliche Rede, 1924 und 1928.

hätten orientieren können. Nach 1924 sind psychologische Grammatiken eigentlich ein Anachronismus. In bezug auf die besprochenen Einzelarbeiten wird von Ammann her deutlich, wie die allgemeine Richtung der Sprachwissenschaft sich entwickelte, die sie an speziellen Punkten wesentlich förderten.

Schon an diesen Einzelarbeiten war das Neue dieser Richtung der Sprachwissenschaft abzulesen: Sie zeichnet sich aus durch die Wendung zur Sprache. Die Junggrammatik hatte sich ihr Forschungsgebiet selbst eingeengt. Ihr Objekt war die Sprache als Repräsentantin eines historischen Werdeprozesses, dessen Phasen es im einzelnen aufzuzeigen galt.[180] So war im wesentlichen noch Sütterlin verfahren, dessen „Deutsche Sprache der Gegenwart" in vierter Auflage 1918 und dessen „Neuhochdeutsche Grammatik" 1924 erscheinen.[181] Historisch denkt auch Otto Behaghel, dessen Syntaxbände im Laufe der zwanziger Jahre bis 1932 herauskommen.[182] Wendung zur Sprache heißt für Ammann, Porzig[183] und Weisgerber[184] zu Beginn der zwanziger Jahre ganz etwas anderes: Sie sehen auf der einen Seite die Sprache als „Rede", also als immer wieder neu realisierbare Ausdrucksmöglichkeit, auf der anderen Seite aber auch, und das ist das radikal Neue, ihre überindividuelle Selbständigkeit. Scheinbar wird durch diese Doppelheit von sinnlich-hörbarem Redecharakter und überindividuellem Geistcharakter die Sprache kompliziert, diese Schwierigkeit löst sich aber, wenn man erkennt, daß beide Seiten nur die volle Realität der Sprache ausmachen, indem der Mensch die ihm vorgegebene überindividuelle Sprache in lebendiger Rede aktualisiert.

In dieser Zeit beginnt W e i s g e r b e r mit seiner sprachwissenschaftlichen Arbeit. 1925 hält er seine 1926 gedruckte Antrittsvorlesung über „Das Problem der inneren Sprachform und seine Bedeutung für die deutsche Sprache",[185] und 1927 erläutert er in dem Aufsatz „Die Bedeutungslehre – ein Irrweg der Sprachwissenschaft?"[186] das Ziel der neuen Richtung genauer, indem er es von einer falsch verstandenen Bedeutungsforschung absetzt und eine die innere Form

[180] S. o. S. 20.
[181] S. o. S. 17 f.; Sütterlin: Neuhochdeutsche Grammatik, 1924.
[182] S. o. S. 18.
[183] S. o. S. 42.
[184] S. u. S. 46 f.
[185] Weisgerber, Das Problem . . ., 1926.
[186] Weisgerber, Die Bedeutungslehre . . ., 1927.

aufdeckende Begriffslehre postuliert. Bezeichnend sind hier Sätze, die in ihrem Grundinhalt in allen späteren Arbeiten Weisgerbers wieder auftauchen: „Der einzelne formt sich seine intellektuelle Weltanschauung nicht auf Grund selbständiger Verarbeitung eigenen Erlebens, sondern im Banne der in den Begriffen der Sprache niedergelegten Erfahrungen seiner sprachlichen Vorfahren."[187] „Die Untersuchung der inneren Form einer Sprache, das heißt, ihres begrifflichen Aufbaus und ihrer syntaktischen Formungsmöglichkeiten, bietet uns den Schlüssel alles dessen, was in dieser Sprache gedacht und geredet, was auf Grund intellektueller Arbeit von ihren Trägern getan wird."[188]

An dieser Stelle läßt sich das Neue auch von jeder psychologisierenden Sprachforschung absetzen.

Ihr Verdienst war eine Enthistorisierung und Entlogisierung der Sprachforschung. Von einer Neufassung des Wissenschaftsbegriffes her hatte Dittrich[189] versucht, auch synchronische Sprachwissenschaft wissenschaftlich vertretbar zu machen. Insofern war diese Richtung bahnbrechend für das Neue der zwanziger Jahre, im ursprünglichen Sinne vor-läufig. Aber die Psychologen interessierte die Sprache letztlich doch nur als Äußerung des menschlichen Bewußtseins. Bewußtseinskonstellationen wollten sie auch in der Sprache wiederfinden. Über den Umweg der Bewußtseinsstruktur kamen sie zur Sprache. An Kalepky[190] wird deutlich, wie dadurch Ansatzpunkt und Methode fremdbestimmt sind. Ganz anders Weisgerber. Nicht bei der menschlichen Psyche, sondern bei der Sprache muß man anfangen, um etwas über das menschliche Bewußtsein und seine Inhalte, über menschlichen Intellekt und seine Denkstrukturen zu erfahren: Die innere Form der Sprache bildet den Schlüssel zur Erkenntnis des Menschen. Die Blickrichtung hat sich genau umgekehrt: Wunderlich-Reis[191] und Kalepky gingen aus von „inneren Vorgängen" beim Menschen, von ihrer Analyse und Subsumption, Weisgerber setzt bei der Sprache an und deckt von da aus Bewußtseinsinhalte und Strukturen auf. Es scheint fast, als nähme Weisgerber später ausdrücklich zu Wunderlich-Reis und Kalepky Stellung, wenn er sagt: „Mit psychologischen Definitionen und Denk-

[187] Weisgerber, innere Sprachform, S. 250.
[188] Ebd., 251.
[189] S. o. S. 30 ff.
[190] S. o. S. 38 ff.
[191] S. o. S. 36 ff.

weisen kommt man nicht voran. Und als sprachlicher Einheit muß
dem Satz der Grundcharakter einer sinnlich-geistigen Ganzheit zu-
kommen; diese aufzuweisen ist die wesentliche Aufgabe der Satzlehre."[192]
Genau wie Weisgerber will Trier[193] später eine inhaltliche Erhellung der Sprache, wobei er sich ausdrücklich zu Weisgerber bekennt.[194] Trier ist wiederum von Ipsen beeinflußt, der als erster
den Begriff des „Bedeutungsfeldes" entwickelt hat, in dem sich jedes
Wort wie ein Mosaiksteinchen an das andere fügt.[195]
Schon einmal war jemand den Weg von der Sprache aus gegangen:
Franz Nikolaus Finck um die Jahrhundertwende,[196] aber mit
anderem Ergebnis und wohl von vornherein auch mit anderer Absicht. Jaberg kritisiert Finck auf folgende Weise: Es „lauert bei
seiner Anschauung ... immer im Hintergrund die Auffassung ...,
es sei mit eine Aufgabe der Sprachwissenschaft, aus dem Sprachlichen psychologische oder kulturelle Rückschlüsse zu ziehen, es sei
also etwa ... aus dem deutschen Sprachbau auf ‚die ungewöhnliche
Willensstärke' und ‚ungewöhnliche Geisteskraft' des Deutschen zu
schließen".[197]
Hermann Ammann ist Vertreter der oben skizzierten neuen
Richtung, und er formuliert als Ziel des 1924 erscheinenden Teiles
der „Menschlichen Rede" ausdrücklich „Besinnung auf das
Wesen der Sprache".[198] „Es gilt, die Sprachwissenschaft im
vollen Ernste zur Wissenschaft von der Sprache als einem Teil des
Lebens zu machen und das Wort vom ‚Leben der Sprache', worunter
man heute vielfach nur die Entwicklung – oder gar die Veränderung – der Laute und Formen versteht, mit neuem Sinn zu erfüllen.
Die eigene Sprache, als Teil unseres eigenen Lebens, ist der gewiesene Ausgangspunkt einer solchen Untersuchung; von hier wird
sie zu vergleichender Betrachtung aufsteigen müssen. Ziel der Vergleichung ist hier nicht in erster Linie die Herausstellung des Über-
einstimmenden und die Klärung der Verwandtschaftsverhältnisse,
sondern die Scheidung der verschiedenen sprachlichen Ausdrucks-

[192] Weisgerber, Die vier Stufen ..., S. 51.
[193] S. o. S. 33.
[194] Trier, Deutsche Bedeutungsforschung, 1934.
[195] Vgl. Woesler, Ergebnisse (s. o. S. 33), S. 673 und Trier, Bedeutungsforschung, S. 189.
[196] S. o. S. 25 ff.
[197] Jaberg. Sprachwiss. Forschungen, S. 128.
[198] Ammann, Die menschliche Rede I, S. 5.

welten und die Erkenntnis der verschiedenen sie beherrschenden Grundideen."[199] Die Abhängigkeit von Wilhelm von Humboldt, zu dem Ammann sich im Vorwort auch ausdrücklich bekennt, ist offensichtlich. Mit Sprache kann hier nur die Muttersprache gemeint sein: „Wer überhaupt Sprache hat, der hat notwendig eine bestimmte Sprache. Wer spricht, äußert Worte, das heißt er bedient sich lautlicher Gebilde, die für die Sprachgenossen eine bestimmte Bedeutung haben, deren Kenntnis das Verstehen des Gesprochenen ermöglicht."[200] Damit ist schon gesagt, daß Sprache neben Rede wesentlich etwas Überindividuelles ist. Genauer geht Ammann im Zusammenhang der Bedeutung der Wörter auf diese Seite der Sprache ein: „Der ideelle Gegenstand der Wortbedeutung liegt weder in der Ebene der subjektiven Vorstellung noch in der der realen Außenwelt. Seine Ebene ist die besondere Wirklichkeit der Sprache."[201] Jedes Einzelwort hat zwar seine individuelle Realität, aber trotzdem geht die Kontinuität des Bedeutens nicht in punktuell verstreuten Vorstellungen der einzelnen Menschen verloren, weil es aufgehoben ist in der Realität der Sprache, der fixierten „Erlebnisweise der Gemeinschaft, die das Wort geprägt hat und für die allein es Bedeutung hat".[202]

Für die Gliederung der Wortarten ist „Bedeutung" das Stichwort, wobei „Bedeutung" hier vielleicht mit „Inhalt" gleichzusetzen ist. Im Substantiv steckt Bedeutung als „begrifflicher" und „anschaulicher" Gehalt, im Verbum als „Lebensgehalt", in den Adjektiven schließlich als „Erlebniswert". Bemerkenswert ist, daß Ammann von den Wortarten aus zu der Einheit Satz findet. Er wirft allen psychologischen Ballast über Bord und definiert ihn als „gegliederte Ausdruckseinheit",[203] die „der ihn tragenden Intention" entspringt.[204] Er ist ein polar aufgebautes dynamisches Gebilde, das ganz aus der Substantiv–Verb- bzw. Subjekt–Prädikat-Spannung lebt. „Diese Polarität entspringt ... dem Urphänomen der Auffassung eines wahrgenommenen Vorgangs als Lebensregung eines Lebendigen, das im Satz zu Wort kommt, dessen in den Namen (Substantiven) gebannte Lebenskraft sich in der Lebensäußerung entlädt,

---

[199] Ebd., S. 134.
[200] Ebd., S. 36.
[201] Ebd., S. 110.
[202] Ebd., S. 109.
[203] Ebd., S. 191.
[204] Ebd., S. 240.

48

entspringt also einem dynamischen Urrhythmus von Spannung und Entspannung."[205] Der Einzelsatz ist lebendig. Er gehört aber auch in einen lebendigen Zusammenhang der Rede: „Wenn wir also den Satz als Gebilde des sprachlichen Verkehrs ins Auge fassen, so müssen wir unsere Beispiele dem sprachlichen Verkehr entnehmen und seine Struktur auf dem Hintergrund der Bedingungen dieses Verkehrs entwickeln. Wir müssen mit motivierten sprachlichen Äußerungen arbeiten und nicht mit Sätzen, die lediglich gelten wollen. Wir müssen also Schluß machen mit jenen Beispielsätzen, in denen man nur zu deutlich die antiken Musterschemata ... durchschimmern sieht."[206]
Was Ammann hier sagt, bleibt weithin für ihn selbst noch Programm, denn die Untersuchungen zum Satz mit der Scheidung Ausdruckseinheit (phrase) und geschlossener gedanklicher Inhalt (thèse) als „Grenzmarken des grammatischen Satzbegriffes"[207] bleiben zu theoretisch. Aber auch wenn die Einzelergebnisse nur zum Teil noch heute vertretbar sind, Ammanns Verdienst bleibt es, schon 1924 im Anschluß an Wilhelm von Humboldt die Sprache in ihrem ergon- und energeia-Charakter erkannt und umfassend dazu Stellung genommen zu haben.

g) Grammatik im Dienst der „inneren Form des Deutschen":
Erich Drach: Grundgedanken der deutschen Satzlehre[208]

Drach bezieht sich weder auf Wilhelm von Humboldt noch auf die Versuche der zwanziger und dreißiger Jahre, Grammatik neu zu verstehen. Und doch müssen seine „Grundgedanken" als Realisierung und Explizierung dessen, was Humboldt wollte, und als Zusammenfassung und Systematisierung aller Einzeluntersuchungen und Einzelbetrachtungen mit neuen Ergebnissen betrachtet werden, die seit Voßler[209] erschienen sind. Dittrich hatte die Wissenschaftlichkeit synchronischer Sprachbetrachtung erwiesen,[210] schon Voßler hatte eine „praktische Grammatik" gefordert,[211] Neumann, Porzig und Hempel hatten in Einzeluntersuchungen eine dynamische Be-

[205] Ebd., S. 241.
[206] Ebd., S. 143 f.
[207] Ebd., S. 199.
[208] Drach, Grundgedanken der deutschen Satzlehre, 1937.
[209] S. o. S. 34 ff.
[210] S. o. S. 30 ff.
[211] S. o. S. 35.

trachtung und „deutsche" Grammatik demonstriert,[212] und schließlich hatte schon Ammann programmatisch gefordert, daß man von
der lebendigen Rede, von der „eigenen Sprache als Teil unseres
eigenen Lebens" ausgehen müsse, wenn man zu brauchbaren Ergebnissen über sie kommen wolle.[213] Das vorläufige Endergebnis dieses
langen Weges, dessen Ausgangspunkt schon in die Zeit um 1900
fällt, sind Drachs „Grundgedanken" zum deutschen Satz. Auch das
ist bezeichnend, daß Drach den Z e n t r a l p u n k t herausgreift, an
dem sich Grammatik als eigenständig deutsche Grammatik erweisen
muß: die S a t z l e h r e . Es ist oben dargestellt, wie wenig die historische Schule, etwa Paul,[214] Delbrück, Erdmann oder Behaghel[215]
mit dem deutschen Satz anzufangen wußten, auch wenn sie ihren
Grammatiken den Titel „Syntax" gaben. Von Behaghels deutscher
Syntax, die erst 1923–32 erschien, trennen Drach nur wenige Jahre.
Und doch sind die Konzeptionen grundverschieden: Behaghels Betrachtungsobjekt „sind ... grundsätzlich alle Äußerungen in deutscher Sprache, vom 8. Jahrhundert herab bis auf die lebendige Rede
der Gegenwart".[216] Drach bezieht sich nur auf diese „lebendige
Rede". Das Pendel, das die Begeisterung der Junggrammatik zur
nur-historischen Seite hatte ausschlagen lassen, ist nach mehreren
Zwischenstufen wieder in die Ruhelage zurückgekehrt: Sprache ist
wieder gesprochene Sprache der Gegenwart, eigenes Sprachhandeln
ist verständlich ohne den Hintergrund des Gotischen, Althoch-
deutschen und Mittelhochdeutschen. Darin liegt eine Verkürzung
und ein Verzicht, der der Junggrammatik wie eine Amputation
erschienen wäre. Darin liegt zugleich das Eingeständnis, daß sich
tatsächlich von der historischen Linie her keine wirkliche Einsicht
in die lebendige Sprache gewinnen läßt, darin liegt schließlich eine
Historisierung eines Zweiges und einer Methode deutscher Grammatikforschung, die wenige Jahre zuvor noch optimistisch und
zukunftsträchtig arbeitete.
Zugleich bringt dieser Schnitt aber auch ungeheuren Gewinn. Denn
jetzt endlich ist man unbehindert und variabel, neue Methoden der
Spracheinsicht zu konzipieren, neue Ergebnisse zu systematisieren,
ohne sie linienhaft in die Vergangenheit zurückverfolgen oder sie

[212] S. o. S. 40 ff.
[213] S. o. S. 47.
[214] S. o. S. 15 f.
[215] S. o. S. 18 f.
[216] S. o. S. 19.

aus ihr herleiten zu müssen. Sicherlich muß man auch jetzt wieder Opfer bringen, denn ohne Sprachhistorie läßt sich keine Mundartenforschung betreiben. Trotzdem ist das Jahr 1937 denkwürdig für die deutsche Grammatikforschung.

Bei der Betrachtung der Schulgrammatiken aus der Zeit nach dem zweiten Weltkrieg wird deutlich, daß auch die Schüler Drach einiges zu verdanken haben. Das liegt an der eigenartigen Zwischenstellung, die seine Grammatik einnimmt: Einerseits hat sie ein selbständiges und für die Zeit neues wissenschaftliches Gesamtbild, zum anderen versucht sie, dieses Bild didaktisch-methodisch für den Unterricht fruchtbar zu machen.

Drach geht von drei „Notwendigkeiten" aus: „Für den mutterpsrachlichen gleichwie für den fremdsprachlichen Deutschunterricht ist heute die erste Notwendigkeit: Loslösung von den Denkweisen der lateinischen Grammatik; Aufbau der im Wesen der deutschen Sprache begründeten Darstellung und Regelfassung."[217] Die zweite Notwendigkeit ist: „Begründung der Satzlehre auf die Beobachtung des lebenswirklichen Sprechdenkens",[218] die dritte schließlich die Erkenntnis, „daß die Lehre von der Schallform des Satzes ein wesentlicher Teilbestand der Satzlehre ist".[219] Damit ist auch das didaktische Ziel für die Schule festgelegt: „Die deutsche Sprachlehre muß über die einzelnen grammatischen Regeln hinaufsteigen zur Einsicht in den wesenhaften Bauplan deutscher Sätze. Der Schüler soll nicht nur nebelhaft ahnen, sondern sich deutlich Rechenschaft geben können, warum in seiner Muttersprache dieser oder jener Wortlaut gut oder schlecht ‚klingt'. Erst damit hat die Satzlehre für ihn Bildungswert, daß sie zugleich Stillehre ist."[220] Schon Wunderlich-Reis hatten für den Satz das „abschließende Dritte", das umgreifende geistige Band, das sich mit in der Intonation äußert, als konstitutiv angesehen.[221] Hier wird es genauer als „Schallform", an anderer Stelle als Komplex von Betonung, Intonation und Einschnitten [222] gekennzeichnet.

Der Satz ist als „Schallform" Redeeinheit, zugleich aber auch in sich selbst gefügt. Drach untersucht deutsche Aussagesätze und

---

217 Drach: Grundgedanken, S. 6, 4.
218 Ebd., S. 7, 7.
219 Ebd., S. 10, 11.
220 Ebd., S. 10, 12.
221 S. o. S. 37.
222 Drach, Grundgedanken, S. 8, 9.

kommt zu einem ersten Ergebnis: „Das ist nun der erste entscheidende Schritt in der deutschen Satzlehre: Die Erkenntnis, daß im Aussage-Hauptsatz überall das Geschehen in Mittelstellung gesetzt wird. Das Verbum finitum ist der standfeste Angelpunkt, um den herum der Satz sich aufbaut und gliedert."[223] Wenn aber das Verb allein in solchen Sätzen platzfest ist, ist die Reihenfolge Subjekt–Prädikat nicht mehr die Regel. Die Beobachtung der lebendigen Sprache führt also zwangsläufig zur Ablehnung regulativer Grammatik: „Die Reihenfolge Subjekt–Prädikat festzulegen, wie die herkömmliche Schulbetrachtung versuchte, ist möglich im modernen Französisch, aber nicht im Deutschen. Weder das Subjekt noch die Objekte und Bestimmungen haben hier eine feste, regelgebundene Stellung.[224] Nicht das Schema bestimmt somit die Satzfüllung um das Verb herum, sondern etwas vor dem Sprechen Liegendes: die Rede- oder Sprechabsicht, die sich im Satz Gehör schaffen will. Und von hierher kommt Drach zur Fixierung von Satzbauplänen: „Je nach der Redeabsicht kommt demnach der einfache Plan in zwei Gestalten vor:

| I | Vorfeld | Mitte | Nachfeld |
|---|---|---|---|
| | Ausdrucksstelle | Geschehen, | Ergänzungen |
| | (gefühls- oder | Personalform | und Erläuterungen |
| | willenswertiges | des Verbs | |
| | Sinnwort) | | |
| | | | |
| II | Vorfeld | Mitte | Nachfeld |
| | Anschluß nach | Geschehen, | Eindrucksstelle |
| | vorher, | Personalform | (Sinnwort als |
| | Gegebenes, | des Verbs | Denkergebnis oder |
| | Beiläufiges | | Belehrungsmittel)[225] |

Damit ist hier das Zusammenspiel von Sprechabsicht und Satzbauplan oder Baugesetz und Redeabsicht aufgezeigt, das seither in den Grammatiken der Nachkriegszeit den Schülern immer wieder vor Augen geführt wird.[226]

[223] Drach, Grundgedanken, S. 16, 30.
[224] Ebd., S. 17, 31.
[225] Ebd., S. 18, 32., 33.
[226] S. u. z. B. bei Rahn-Pfleiderer B, S. 175.

Die Ausführungen zum „Nebensatz" beginnen mit der Sprachhistorie, um von ihr her die Unhaltbarkeit dieses Terminus' zu demonstrieren. Der „Nebensatz" ist entstanden „aus dem Nacheinander zweier Sätze (Koordination), zwischen denen eine engere Denkbeziehung empfunden wird".[227] Die Grammatikerbegriffe „Nebensatz", „subordiniert" führen irre. Gerade die Nebenstellung (Parataxe) wird aufgegeben und durch eine engere Beziehung ersetzt.[228] Drach ersetzt „Nebensatz" durch „Gliedsatz", und diese Bezeichnung ist in heutigen Grammatiken dabei, sich gegen „Nebensatz" durchzusetzen.[229]
Der Plan des Gliedsatzes wird nach seiner inhaltlich-grammatischen Struktur gefunden. „Vorne steht, in Anschlußstelle, die Satzeinleitung (Konjunktion), welche die logische Beziehung des Gliedsatzes zum Hauptsatz darstellt. Am Ende steht, in Eindrucksstelle, das Geschehen, welches diese logische Beziehung als wirklich bestehend feststellt. Satzeinleitung und Verb, als Vorgangs- und Zielpol, bilden eine Klammer um den Satzinhalt. Die Klammer wird durch eine unverkennbar eigenartige Stimmführungslinie ausgesprochen."[230] Auch hier wird das Ineinander von festgelegt-vorgegebenem Bau und Intonation aufgezeigt. Schematisch ist der Plan des Gliedsatzes folgendermaßen verdeutlicht:

| Ausgangspol | x/xx/xxx | Zielpol |
|---|---|---|
| Satzeinleitung | beliebige Gliederung | Geschehen[231] |

Und weiter heißt es zum Klammerbau: „Durch Umklammerung und Stimmführung wird die Sinneinheit des Denkschrittes zu Gehör gebracht. Diese Gestaltungsweise ist ein wesentliches Baumerkmal der deutschen Sprache."[232]
Auch die Einsicht in dieses Baugesetz vermitteln die neueren Schulgrammatiken nach Drach.[233]
Im folgenden bringen die „Grundgedanken" noch weitere Einzelheiten über die je nach der Sprechabsicht andere Gestaltung des Vor- oder Nachfeldes, die nicht mehr referiert zu werden brauchen.

[227] Drach, Grundgedanken, S. 28, 55.
[228] Ebd., S. 28, 56.
[229] S. u. Sprachspiegel, S. 200 ff., z. B. S. 207.
[230] Drach, Grundgedanken, S. 29, 57.
[231] Ebd., S. 29, 57.
[232] Ebd., S. 44, 92.
[233] S. u. z. B. bei Schmitt-Martens, S. 197.

Am Schluß steht eine Folgerung für die Schule, die schon 1937 den Zusammenhang zwischen Grammatikunterricht und Interpretation aufweist, der jetzt in neueren Grammatiken, vor allem im Sprachspiegel,[234] systematisch erarbeitet wird: „Satzlehre ist dazu da, das Verständnis eines vorliegenden wirklichen Sprachwerkes zu vertiefen."[235] „Die syntaktischen Begriffe haben um ihrer selbst willen nicht den geringsten sprachbildnerischen Wert. Nutzbar werden sie erst als Werkzeuge der Ausdrucksbeobachtung."[236] Was Drach schreibt, scheint, gemessen am Umfang und dem Material der Werke etwa von Delbrück, Erdmann oder Behaghel,[237] gering. In diesem Wenigen steckt jedoch so viel fundamentale Substanz, daß sich auch nach 30 Jahren Herausgeber einer modernen Schulgrammatik noch ausdrücklich auf Drach und seine Grundgedanken zur Satzlehre berufen können.[238]

## 4. Wissenschaftliche Grammatiken, die in der Zeit nach dem zweiten Weltkrieg entstanden sind

a) Überblick

Die Kriegszeit hat die wissenschaftliche Arbeit der Sprachforschung für längere Zeit unterbrochen. Erst 15 Jahre nach Drachs „Grundgedanken"[239] erscheint 1952 „Die innere Form des Deutschen" von Hans Glinz.[240] Drei weitere große Grammatiken von Erben (1958),[241] Grebe (1959)[242] und Brinkmann (1962)[243] folgen. Ein Blick in die Zeitschriften, die Probleme des Deutschunterrichtes und Probleme der wissenschaftlichen Grammatik offenstehen, zeigt eine Fülle von Aufsätzen der oben genannten Verfasser, dazu von Weisgerber, Grosse, Frey, Hartmann, Essen und anderen, die zum

---

[234] S. u. S. 200 f.
[235] Drach, Grundgedanken, S. 79, 160.
[236] Ebd., S. 79, 161.
[237] S. o. S. 17 ff.
[238] S. u. Schmitt-Martens, S. 197.
[239] S. o. S. 49 ff.
[240] Glinz, Die innere Form des Deutschen, 1952, s. u. S. 60 ff.
[241] Erben, Abriß der deutschen Grammatik, 1958, s. u. S. 67 ff.
[242] Grebe, Der große Duden, Bd. 4, Die Grammatik d. dt. Gegenwartssprache, 1959, s. u. S. 89 ff.
[243] Brinkmann, Die deutsche Sprache, 1962, s. u. S. 78 ff.
[244] Als Beispiele nur: Glinz, Sprache, Sein und Denken, DU 1954; Erben, Zum Neubau der dt. Grammatik, DU 1964; Brinkmann, Die Wortarten im Deutschen . . ., WW 1950/51; Weisgerber, Die wirkungsbezogene Sprachbetrachtung,

Teil synchron mit diesen großen Grammatiken entstanden, sie vorbereiten, ergänzen, einschränken oder diskutieren.[244] Bei einer Überschau über die letzten 70 Jahre deutscher Grammatikforschung läßt sich feststellen, daß die Epochen besonders fruchtbarer Arbeit und besonders wichtiger Neuanstöße ungefähr in einem Abstand von 25 Jahren aufeinander folgen. Um 1900 erweist Dittrich die Wissenschaftlichkeit synchronischer Sprachbetrachtung,[245] vollzieht Sütterlin die Wendung zur „Sprache der Gegenwart",[246] treibt Finck schon synchronische Sprachbetrachtung[247] und prophezeit Voßler der historischen, logischen und sogar schon der psychologischen Grammatik ein baldiges Ende.[248] Diese Ansätze finden zunächst noch wenig Widerhall. Noch dominiert die historische Betrachtungsweise, und der erste Weltkrieg unterbricht die Kontinuität der Forschung. Erst nach 25 Jahren wird die Wendung zur Synchronie vollständig und fast abrupt vollzogen.[249] Wieder 25 Jahre später und wieder nach einer durch einen Krieg erzwungenen Pause wird die Arbeit der zwanziger und dreißiger Jahre aufgenommen, fortgeführt, systematisiert,[250] wieder aber fängt man wie 1925 neu an.[251] Seit 1958 besteht in Westdeutschland der Arbeitskreis „Sprache und Gemeinschaft" (Brinkmann, Erben, Gipper, Glinz, Grebe, Weisgerber u. a.),[252] wobei dieser Name zugleich ein Forschungsprogramm darstellt. Seit 1963 erscheinen unter dem Titel „Studia grammatica" Veröffentlichungen der Ost-Berliner Arbeitstelle für strukturelle Grammatik.[253] Die deutsche Philologie unserer Zeit bemüht sich auf sehr vielfältige Weise, dem Phänomen „deutsche Sprache" und Sprache überhaupt näherzukommen.

Aus dieser Vielfalt von Literatur können im Rahmen dieser Arbeit nur die wichtigsten Werke genannt und kurz dargestellt werden, um zu zeigen, woran sich die deutsche Schulgrammatik seit dem

1963; Grosse, Methoden inhaltsbezogener Sprachforschung, WW 1964; Frey, Lage und Möglichkeiten ..., DU 1966; Essen, Aufbau der Grammatik ..., DU 1959.

[245] S. o. S. 30 ff.
[246] S. o. S. 28 ff.
[247] S. o. S. 25 ff.
[248] S. o. S. 34.
[249] S. o. das Kapitel: Ammann u. d. Neuansatz d. 20er Jahre, S. 44 ff.
[250] Weisgerber, s. u. S. 92 ff.; Grebe, s. u. S. 89 ff.
[251] Glinz, s. u. S. 62 f.; Erben, s. u. S. 67 ff.
[252] Frey, Lage und Möglichkeiten, S. 7.
[253] Ebd., S. 6; aus Mitteldeutschland stammt auch die Grammatik von Jung, Grammatik d. dt. Sprache, 1966.

zweiten Weltkrieg orientieren kann. Dabei lassen sich bei großer Allgemeinheit der Charakterisierung vier Grammatiken zu einer Gruppe zusammenfassen: die von Glinz, Erben, Brinkmann und Grebe.

Siegfried Grosse hat summarisch zusammengefaßt, was diesen vier Grammatiken im grundsätzlichen gemeinsam ist.[254] Alle betrachten die Sprache und ihre Erscheinungsformen synchronisch, alle haben sich von einer laut- und gestaltbezogenen Betrachtung gelöst, alle sind darauf ausgerichtet, Inhalt, Leistung und Wirkung der sprachlichen Formen aufzudecken, alle bleiben in Verbindung mit der Schriftsprache, indem sie von Texten ausgehen oder dauernd auf sie Bezug nehmen. Allen gemeinsam ist ferner, daß sie „an der Grenze zwischen den bisher streng geschiedenen Gebieten der Flexions- und Satzlehre" einsetzen.[255] Das Wort wird immer aus seinem größeren Sprachzusammenhang verstanden, „aus dem heraus es seinen Sinn empfängt, ... weil man die Sprache, die man beherrscht, von ihrer inneren Mitte her verstehen will".[256]

Synchronische Forschung ist also das neue Programm, bei dem man sich auf Vorarbeiten in Deutschland seit der Jahrhundertwende berufen kann. Die Legitimation für dieses Verfahren kommt aber wohl in noch größerem Maße von einer anderen Seite her: von Ferdinand de Saussure. Von seiner Sprachbetrachtung soll deshalb vor der Besprechung der genannten Grammatiken die Rede sein.

## b) Ferdinand de Saussure

Der Chronologie folgend hätte Saussures Sprachauffassung an anderer Stelle dargestellt werden müssen, denn sein Buch Cours de Linguistique Générale[257] ist 1916 postum erschienen. Seine Schüler haben hier den sprachwissenschaftlichen Stoff von Vorlesungen aus den Jahren 1906 bis 1911 zusammengestellt.[258] Schon bevor Ammann, Weisgerber, Trier und Porzig in den zwanziger Jahren sprachwissenschaftlich neu ansetzen und die Wendung zur Sprache der Gegenwart vollziehen,[259] liegt Saussures theoretische Fundierung synchronischer Sprachbetrachtung vor.

---

[254] Grosse, Methoden inhaltbezogener Sprachforschung, WW 1964.
[255] Ebd., S. 74.
[256] Ebd., S. 74.
[257] Saussure, Cours ... 1916, 2. Aufl. 1922.
[258] Saussure-Lommel, S. VII f.
[259] S. o. S. 44 ff.

Wieweit diese Grundlegung die deutsche Sprachforschung der zwanziger und dreißiger Jahre beeinflußt hat, ist schwer festzustellen. Formulierungen bei Ammann,[260] Weisgerber[261] und Drach[262] erinnern zwar an Saussures Erkenntnisse, wenn man hier Rede und Sprache unterscheidet (Ammann),[263] die innere Form der überindividuellen Sprache erarbeiten will (Weisgerber)[264] oder eine Bezogenheit von individueller Redeabsicht und vorgegebenem Satzbauplan erkennt (Drach).[265] Weisgerber fühlt sich dabei aber ganz Wilhelm von Humboldt verpflichtet,[266] und Trier und Porzig scheinen ihm hierbei zu folgen, jedenfalls weist das Vorhaben Triers, den Wortschatz „ergologisch" zu betrachten und die sprachliche Fassung der „Naturdinge" zu untersuchen, in diese Richtung.[267] Ammann schließlich sagt von sich selbst, er habe es bewußt „durchweg unterlassen ..., auf Vorgänger hinzuweisen ... oder Parallelen in der zeitgenössischen Forschung zu verfolgen".[268] Wohl bekam schon 1916 „mit dem Erscheinen von F. de Saussures ‚Cour de linguistique générale' ... die ‚synchronische' (beschreibende) Sprachbetrachtung ihren Platz neben der ‚diachronischen' (geschichtlichen) im Ganzen der Sprachwissenschaft",[269] die ganze Fülle der dadurch für die deutsche Sprachwissenschaft eröffneten Möglichkeiten ist aber erst nach dem zweiten Weltkrieg evident geworden.

Das System Saussures hat zusammen mit den übrigen erwähnten Impulsen seit 1900[270] der deutschen Grammatik der Gegenwart den Existenzraum eröffnet. Es wird sich zeigen, wie stark die einzelnen Konzeptionen, bewußt oder unbewußt, in der theoretischen Grundsubstanz von Saussure abhängen. Deshalb wird der Cours de linguistique générale erst hier besprochen und nicht schon vor dem Kapitel „Ammann und der Neuansatz der zwanziger Jahre".[271]

---

[260] S. o. S. 47 f.
[261] S. o. S. 45 f.
[262] S. o. S. 49 ff.
[263] S. o. S. 48.
[264] S. o. S. 45 f.
[265] S. o. S. 52.
[266] Weisgerber, Grundzüge, S. 11–17.
[267] Vgl. Trier-Festschrift, Laudatio S. VIII.
[268] Ammann, Die menschliche Rede I, Vorwort S. VII f.
[269] Porzig, Wunder, S. 372.
[270] S. o. z. B. S. 45, 49 f., 54 f.
[271] S. o. S. 44 ff.

Folgende Hauptgesichtspunkte sind für Saussure charakteristisch:
In der Einleitung seines Buches unterscheidet er Sprache und Sprechen (langue und parole). Ohne diese Scheidung ist eine Erforschung
der Sprache nicht möglich. Langue und parole sind folgendermaßen
aufeinanderbezogen: „Die menschliche Rede, als ganzes genommen,
ist vielförmig und ungleichartig ... Die Sprache dagegen ist ein
Ganzes in sich und ein Prinzip der Klassifikation. In dem Augenblick, da wir ihr den ersten Platz unter den Tatsachen der menschlichen Rede einräumen, bringen wir eine natürliche Ordnung in
eine Gesamtheit, die keine andere Klassifikation gestattet."[272] An
anderer Stelle heißt es: „Während die menschliche Rede in sich ver-
schiedenartig ist, ist die Sprache ... ihrer Natur nach in sich gleich-
artig: sie bildet ein System von Zeichen, in dem einzig die Verbindung von Sinn und Lautzeichen wesentlich ist ..."[273] Sie ist „die
Gesamtheit der sprachlichen Gewohnheiten, welche es dem Individuum gestatten, zu verstehen und sich verständlich zu machen".[274]
Sprachwissenschaft hat es nun primär mit diesem System von Zeichen zu tun, dessen „eigene Ordnung" sie aufdeckt.[275] Dabei ist eine
synchronische Betrachtung vorrangig, denn nur sie gewährt vollen
Einblick in die Realität der Sprache als Sprachzustand, der „für
die Masse der Sprechenden die wahre und einzige Realität ist".[276]
Auch diachronische Betrachtung hat ihr Recht, aber nicht um ihrer
selbst willen: „Sie führt auf sehr vieles, ja geradezu auf alles, wenn
man nur nicht bei ihr stehen bleibt, sondern darüber hinaus geht."[277]
Die Aufgaben für Synchronie und Diachronie werden folgendermaßen beschrieben: „Die synchronische Sprachwissenschaft befaßt
sich mit logischen und psychologischen Verhältnissen, welche zwischen gleichzeitigen Gliedern, die ein System bilden, bestehen, so
wie sie von einem und demselben Kollektivbewußtsein wahrgenommen werden.
Die diachronische Sprachwissenschaft untersucht dagegen die Beziehungen, die zwischen aufeinanderfolgenden Gliedern obwalten,
die von einem in sich gleichen Kollektivbewußtsein nicht wahr-

---

[272] Saussure-Lommel, S. 11.
[273] Ebd., S. 17 f.
[274] Ebd., S. 91.
[275] Ebd., S. 27.
[276] Ebd., S. 107.
[277] Ebd., S. 107.

genommen werden, und von denen die einen an die Stelle der andern treten, ohne daß sie unter sich ein System bilden."[278] Wenn Saussure als spezielle Aufgabe der synchronischen Sprachbetrachtung die Erhellung der „gestaltenden Grundfaktoren" oder Grundprinzipien eines jeweiligen Sprachzustandes angibt,[279] wird sein Einfluß auf die moderne deutsche Grammatikforschung evident. So formuliert etwa Glinz als seine Aufgabe in ausdrücklicher Übereinstimmung mit Saussure: „Diese (deutsche) Sprache studieren wir nun als ein System", als „zusammenexistierende Zeichenwelt" mit mehr oder weniger „systematisierten Teilen".[280] Erben sieht – ohne dabei auf Saussure einzugehen – seine Aufgabe folgendermaßen: „Wenn Sprechen (Rede) partielle Aktualisierung des Sprachsystems ist, so muß es Aufgabe der Sprach-Beschreibung sein, nicht nur das unmittelbar zugängliche Beobachtungsmaterial einzelner Sprechakte (Reden) mit all ihren Zufälligkeiten zu registrieren, sondern zu den Gesetzmäßigkeiten des Systems der Sprache vorzudringen, welche das Sprechen ... bestimmen und steuern. Zu achten gilt es dabei auf das bei jeder Wiederholung ... konstitutiv Gleichbleibende, die gleichbleibenden und immer wiederkehrenden (rekurrenten) Grundzüge, in denen sich die Struktur (der Systembau) der Sprache manifestiert."[281] Wenn sich Paul Grebe in der Dudengrammatik auf Glinz beruft,[282] so beruft er sich damit gleichzeitig auch auf Saussure, dessen Ergebnisse Glinz aufnimmt und verarbeitet.[283] Brinkmann schließlich unternimmt es, das Zusammenspiel sprachlicher Möglichkeiten in ihrer gegenseitigen inhaltlichen Abgrenzung bewußt zu machen.[284] Zum Teil ist seine Grammatik eine Explikation des folgenden Passus bei Saussure: Den Wert eines Wortes innerhalb des Systems der Sprache muß man „vergleichen mit anderen Werten, mit anderen Wörtern, die man daneben setzen kann; sein Inhalt ist richtig bestimmt nur durch die Mitwirkung dessen, was außerhalb seiner vorhanden ist. Da es Teil eines Systems ist, hat es nicht nur eine Bedeutung, sondern zugleich und hauptsächlich einen Wert, und das ist etwas ganz anderes."[285]

[278] Ebd., S. 119.
[279] Ebd., S. 120.
[280] Glinz, Innere Form, S. 35.
[281] Erben, Deutsche Grammatik, S. 19.
[282] Dudengrammatik, S. 6 f.
[283] Vgl. Glinz: „Vorbereitender Teil" zur Inneren Form d. Dt., S. 17 ff.
[284] S. u. S. 82.
[285] Saussure-Lommel, S. 138.

Die grundsätzliche Verschmelzung von Wortlehre und Syntax, die in allen genannten deutschen Grammatiken der Gegenwart vollzogen ist, rechtfertigt sich natürlich durch ihre Ergebnisse selbst, kann sich aber ebenfalls auf Saussure berufen: „Eine Deklination ist weder eine Liste von Formen noch eine Reihe von logischen Abstraktionen, ... Formen und Funktionen stehen in gegenseitiger Abhängigkeit, und es ist sehr schwer, um nicht zu sagen unmöglich, sie voneinander zu trennen. Streng wissenschaftlich genommen hat die Formenlehre kein wirkliches und selbständiges Objekt; sie kann keine von der Syntax verschiedene Disziplin bilden."[286]
Offenbar stimmen die Grammatiken von Glinz, Erben, Brinkmann und Grebe in ihren sprachtheoretischen Grundlinien mit Saussures Erkenntnissen überein. Ich will im folgenden versuchen, die trotz dieser Gemeinsamkeiten im Grundsätzlichen doch bestehenden Verschiedenheiten in der jeweiligen spezifischen Ausformung in den einzelnen Grammatiken aufzuweisen.

c) Glinz: Die innere Form des Deutschen[287]

Die Voraussetzungen, von denen Glinz ausgeht, sind folgende: Das Deutsche gehört in den großen Zusammenhang der indo-europäischen Sprachen, denen eine Dreieinteilung aller sprachlichen Mittel eigentümlich ist: eine Gliederung in „verlaufsgeprägte", „umriß- oder größengeprägte" und „prägungsfreie" Aussagemomente.[288] Nun ist Sprache Sammlung von „geistigen Zeichen, mit denen wir Dinge, Menschen und Mächte durch Nennen herbeirufen und festhalten",[289] und diese geistigen Zeichen sind Sprachkörper mit bestimmten Sprachinhalten, wobei man aber nicht von einer Apriorität des einen oder anderen sprechen kann, denn beide entstehen miteinander. „Die sprachlichen Zeichen – als Miteinander, ja Ineinander von Sprachinhalten und Sprachkörpern – sind das Ergebnis des Zusammentreffens und der Auseinandersetzung des Menschen mit den Mächten."[290] Weil aber menschliche Existenz als historisch nie endender Prozeß solcher Auseinandersetzungen mit den Mächten aufgefaßt werden kann, ist es einleuchtend, daß auch die Sprache

[286] Ebd., S. 161.
[287] Glinz, Die innere Form des Deutschen, 4. Aufl. 1965.
[288] Glinz, Sprachl. Bildung in der höheren Schule, S. 21.
[289] Glinz, Sprache, Sein und Denken, S. 59.
[290] Glinz, Sprache und Welt, S. 24 f.

als deren Ergebnis nicht ein ein für allemal bestehendes Sinngefüge darstellt; und wie es verschiedene Weisen gibt, menschliche Existenz zu führen und aufzufassen, so gibt es auch verschiedene sprachliche Manifestationen solcher Auffassungen. Entwicklung einer Sprache ist somit verständlich „als eine Folge unzählbarer, immer wiederholter derartiger Fassungs-, Gestaltungs-, Bannakte, die die Menschen in ihrem Zusammentreffen und in ihrer Auseinandersetzung mit den Mächten vollzogen haben".[291] Entstehen verschiedener Sprachen ist denkbar als Auseinanderentwicklung dieser Gestaltungsakte innerhalb eines Sprachraumes (etwa dem, den heute die indo-europäischen Sprachen ausfüllen) in verschiedenen Regionen und unter verschiedenen Bedingungen. Für eben die indo-europäischen Sprachen bedeutet das, daß sie in der grundlegenden Drei-Einteilung ihrer sprachlichen Mittel übereinstimmen, daß aber an diese Mittel neue Aufgaben gestellt wurden, die sie veränderten. Daraus ergeben sich z. B. die Verschiedenheiten der Schulsprachen bei einer zugleich feststellbaren Sprachverwandtschaft. Glinz folgert: „Wir können die Unterschiede in der ‚inneren Form' auch unserer Schulsprachen zu einem nicht unbeträchtlichen Teil begreifen als verschiedene Lösungen dieser ihnen allen gestellten Aufgabe – verwandte Lösungen, weil von ähnlichem oder verwandtem Grundbestand ausgehend, aber verschiedene Lösungen, weil zu verschiedenen Zeiten und zu verschiedenen Bedingungen entwickelt."[292] Somit hat jede Einzelsprache ihre „innere Form". Die Aufgabe der Grammatik ist dabei, „den Bau und Charakter des ganzen Zeichensystems ‚Sprache' und der in ihm steckenden Denkgehalte" herauszuarbeiten und ins Licht des Bewußtseins zu heben,[293] oder, nach einer anderen Definition, „das Spiel der sinntragenden Einheiten zu beschreiben und zu deuten".[294] Sie wird dieser Aufgabe nur gerecht, indem sie zuerst nach dem „Gemeinten" fragt, das die „auf den erkennenden Menschen bezogene geistige, erkenntnismäßige Seite" von Verläufen, Sachverhalten und Lebenszusammenhängen darstellt, ohne mit ihnen identisch zu sein.[295] Damit ist das, was oben über das Verhältnis zwischen menschlicher Existenz und

[291] Ebd., S. 25.
[292] Glinz, Sprachliche Bildg. i. d. Höheren Schule, S. 22.
[293] Glinz, Sprache, Sein und Denken, S. 67.
[294] Glinz, Innere Form 83 f.
[295] Glinz, Ansätze zu einer Sprachtheorie, S. 42.

Sprache gesagt ist,[296] sprachtheoretisch noch einmal untermauert: Sprachliche Äußerungen sind „wesensmäßig menschliche Erlebnisgestalten", die „Erlebnisfassung und Wiedererlebbarkeit (und damit Dauer)" gewähren.[297] Daraus ergibt sich die methodische Konsequenz, daß „sprachwissenschaftliche, sprachtheoretische Arbeit immer mit dem Gemeinten anzufangen, mit der im sprachlichen Handeln gesetzten Gestalt als Primärgestalt" zu beginnen hat, um „von hier aus zu den zu Grunde liegenden einfachsten oder ‚absoluten' Primärgestalten (Primärwerten) vorzudringen, zu den ‚vorgeprägten Bildmustern' und den ‚kleinsten vorgeprägten Bildzügen und Bildelementen'".[298] Allgemeiner formuliert Glinz an anderer Stelle: „Wir müssen grundsätzlich von ganzen Texten als ‚Wirkungsganzen' ausgehen ..., wir müssen uns ... zwingen, den Text ... bis zum letzten Wort durchsichtig zu machen."[299]

Seine grammatischen Erkenntnisse gewinnt Glinz also folgerichtig aus einer Durchleuchtung eines zusammenhängenden Textes, in dem er die sprachlichen Zeichen nach ihrer Zugehörigkeit zu gewissen Kategorien untersucht und ihre Funktionen in Zeichenverbindungen erarbeitet.[300] Er findet dabei als erste Sprecheinheit oder als kleinste „Hervorbringungseinheit" den Satz, eine „Einheit des stimmlichen Hinsetzens", eine „Atemeinheit", definiert ihn also zunächst nicht inhaltlich, sondern von seiner „Klangbildseite",[301] faßt ihn dann aber doch als „Einheit des Bezeichneten, des Inhalts, der Bedeutung".[302] Konstituiert wird diese Sprecheinheit als Inhaltseinheit durch einen gruppenweisen Zusammenschluß von „untersten auswechselbaren Inhaltseinheiten oder -momenten, die auch für sich Sprecheinheiten werden können".[303] Damit ist von der übergeordneten „Hervorbringungseinheit" Satz her eine Definition der „Inhaltseinheit" Wort gefunden, wobei beider Verhältnis zueinander nicht statisch gesehen werden darf, denn der Satz als lebendige Hervorbringungseinheit eines Bezeich-

---

[296] S. o. S. 60 f.
[297] Glinz, Ansätze ..., S. 45.
[298] Ebd., S. 46.
[299] Glinz, Grammatik und Sprache, S. 131.
[300] Ähnlich sieht Maurer die Aufgabenstellung. Vgl. Archiv f. d. Studium ..., 105. Jg., 190. Bd., 1954, S. 97.
[301] Glinz, Innere Form, S. 74.
[302] Ebd., S. 76.
[303] Ebd., S. 80.

nenden wird durch Wörter als „primäre Einheiten des Bezeichneten"
erst aufgebaut.[304]

In der weiteren Untersuchung findet Glinz in seinem Probetext
durch Ersatz- und Verschiebeprobe zunächst das L e i t g l i e d
(= einfaches, finites Verb in Personalform), das „nur durch seines-
gleichen ersetzbar ist und das einen festen Pol im Satzbau bildet,
indem es stets an zweiter, letzter oder erster Stelle auftritt".[305]
Methodisch wird also nicht eine schon bekannte Leistung des Verbs
an Sätzen demonstriert, sondern sie wird von der Erscheinungsform
beliebiger Sätze her gewonnen. Dabei ist der Terminus „Leitglied"
so gewählt, daß zugleich die größere Einheit „Satz" in Erinnerung
bleibt. Hier ist schon im einzelnen Terminus verwirklicht, was als
Ziel der Grammatik überhaupt angegeben worden war, nämlich
„das Spiel der sinntragenden Einheiten zu beschreiben und zu
deuten".[306]

Nach der Bestimmung dreier formaler Satztypen (Kernform,
Spannform, Stirnform), die sich aus der Stellung des in ihnen vorkommenden Verbs ergeben, wird die verbale Aussagefähigkeit hinsichtlich der Zeitlichkeit und der Modalität untersucht. Die Bindung
bestimmter Verbformen an das alte Schema Gegenwart–Vergangenheit–Zukunft wird aufgegeben, muß aufgegeben werden, wenn man
nach dem Inhalt der an eine bestimmte Form (hier Verbform) ge-
bundenen Aussage fragt und nicht von einem die Sprache überfremdenden Schematismus ausgeht. In der Gliederung „allgemein – vergangen", die Glinz als verbale „Situierung in der Zeit" für Präsens
und Präteritum anbietet,[307] vermischen sich allerdings Aspekte der
Zeitlichkeit und solche der Geltung. Es scheint so, als würde das
„Präsens" ganz aus dem Zusammenhang der Möglichkeiten, die
Zeit zu gliedern, entlassen und ganz von seiner Aussagesicherheit
und vor allem Aussagegeltung her gesehen. Weitere Zeitaspekte
sind „vollzogen" (Perfekt, Vorgegenwart),[308] „vorvollzogen" (Plusquamperfekt, Vorvergangenheit)[309] und „ausstehend" (Futurum
und Futurum exaktum, Zukunft und Vorzukunft),[310] wobei „aus-

---

[304] Ebd., S. 80 f.
[305] Ebd., S. 96.
[306] S. o. S. 61.
[307] Glinz, Innere Form, S. 102.
[308] Ebd., S. 360 ff.
[309] Ebd., S. 360 ff.
[310] Ebd., S. 340.

stehend" „ebenso nach der Seite der Sagweise (Modalität) wie nach der Seite der Zeit begriffen werden kann".[311] Eine Gliederung der einfachen Verbformen ergibt sich weiterhin durch Untersuchung der Modalitätsverhältnisse. Dabei ergibt sich die Reihe fest – anzunehmen – nur zu denken. Die beiden Konjunktive sind auf keinen Fall als Möglichkeitsformen zu fassen – die könnte auch der Indikativ ausdrücken, sondern sie drücken „geringere Sicherheitsgrade der Aussage aus".[312]

Bei der weiteren Untersuchung geht es darum, in den vorgegebenen Sätzen eines zusammenhängenden Textes „Wortarten" zu entdecken. Nach ihrem Satzrang, das heißt nach ihrer Nähe und Beziehung zur Leitgliedform des Verbs, werden zum Beispiel die polaren „Leerstellen-Hinweis-Wörter" (w- und d-Wörter)[313] oder die „Spannfügteile" (Konjunktionen) als eine reine „Funktionswortart" gefunden.[314]

Bis hierher war die Arbeit darauf konzentriert, vom Satz her über einzelne Bestandteile Aussagen zu machen. In der weiteren Untersuchung geht Glinz einen anderen Weg: Er geht vom Formengebiet, der D e k l i n a t i o n aus. Die Grundprägung der in diesen Bereich fallenden Wörter ist ihr „Einheits- oder Größencharakter".[315] Die Definition der „Grundgröße" (= Subjekt) als einer Größe, „welche als dem Vorgang zu Grunde liegend, als sein Quellpunkt oder erster Ansatzpunkt gedacht wird",[316] zeigt nun methodisch, daß der Ansatz bei den Deklinationsformen keineswegs zu einer Charakterisierung einer Wortart oder Wortartengruppe allein nach schematisch-äußerlichen Merkmalen geführt hat,[317] sondern sie läßt das alleinige Interesse erkennen, so erschlossene Sprachbestandteile an das schon in seiner funktionalen Bedeutung Erkannte anzugliedern. „Größen" gibt es nur als „Grundgröße", „Folgegröße" usw. Die Bestimmung der Fallwerte geschieht dabei vom Verb aus, denn auch die Grundgröße wird ja – wie schon in der Definition ausgesprochen – vom Vorgang „beeinflußt".[318] Als Ergebnisse der Unter-

---

[311] Ebd., S. 340.
[312] Ebd., S. 106.
[313] Ebd., S. 118 f.
[314] Ebd., S. 133.
[315] Ebd., S. 153.
[316] Ebd., S. 158.
[317] S. u. S. 264.
[318] Glinz, Innere Form, S. 163.

suchung größengeprägter Glieder bietet Glinz ein Schema an, aus dem das Verhältnis folgender Größen zueinander ersichtlich ist:

| | |
|---|---|
| Größenglieder | von Deklination bestimmte Satzglieder |
| feste Größen | Schemagrößen mit je einem Platz im Satz |
| freie Größen | Sonder- und Angabegrößen mit vielen Plätzen im Satz |
| Schemagrößen | die vier möglichen Fallglieder im Satz |
| Grundgrößen | Subjektsnominative |
| Folgegrößen | zusammenfassende Bezeichnung für Größen im Genitiv, Dativ oder Akkusativ |
| Gleichgrößen | „Gleichsetzungsnominativ", altes Prädikatsnomen (*Er ist ein harter Mann*) |
| Zielgrößen | Objektsakkusativ |
| Zuwendgrößen | Objektsdativ |
| Anteilgrößen | Objektsgenitiv |
| Nachtragsgrößen | „Apposition" |
| Zuordnungsgrößen | mit *wie* oder *als* angeführtes fallbestimmtes Satzglied |
| Sondergrößen | Präpositionalkasus als Satzglied |
| Angabegrößen | adverbialer Akkusativ oder Genitiv |

Das Schema selbst sieht folgendermaßen aus:

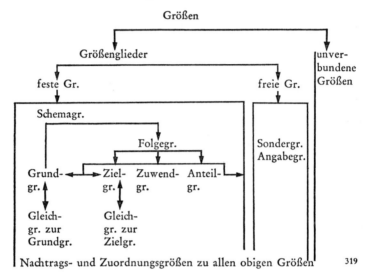

Nachtrags- und Zuordnungsgrößen zu allen obigen Größen    [319]

Nach allem, was größengeprägt ist, werden schließlich die **f a l l -
f r e m d e n   G l i e d e r** untersucht. Darunter fallen als größte Bestandteile dieser Gruppe Artwörter (= Adjektive und Adjektiv-
adverbien) und Artangaben (= unflektierte Adjektive oder Adjek-
tivadverbien als eigene Satzglieder), es folgt die Untersuchung der
verschiedenen „Fügteile" (z. B. *kaum, zwar*), die keine Wortart
mehr, sondern eine „Funktionsgruppe" darstellen,[320] und der „Bauwörter" (*bis, mitten, höchst*), die „nur volle Wörter und Glieder
bauen helfen, ohne selbst, allein solche sein zu können".[321] Schließlich sind die „Stellwörter" (Partikeln) ein „Rest- und Sammel-
bestand der Sprache".[322] Von ihnen aus gelangt man nach allen
Seiten.
Bei der *Methode*, sprachliche Bedeutungseinheiten (= Wörter) in
ihrer Spannung zueinander innerhalb von Sätzen zu erkennen und
ihr Spiel untereinander zu durchschauen, ist Glinz also durch die
Sprache selbst, die er untersucht, zu immer weniger spezialisierten

[319] Ebd., S. 179.
[320] Ebd., S. 259.
[321] Ebd., S. 261.
[322] Ebd., S. 262.

Einheiten gekommen. Grundlegend ist dabei die Auffassung vom Satz. Zu Beginn wird er als Hinsetzungseinheit definiert.[323] Später erscheint er als „gliedmäßige Einheit", als „Verbindung verschiedener Sachkerne als Glieder eines Vorganges, als beteiligte Größen, als weitere, zu berücksichtigende Angaben".[324] Die Untersuchung ging aus von den Verben mit klarem Formengefüge, sie führte über die größengeprägten Bestandteile bis zu den erwähnten Stellwörtern, die ein Sammelbecken all dessen darstellen, „was in den fester geprägten Kategorien keinen Platz hat".[325] Es ist einleuchtend, daß bei solcher Zusammenfassung von Wörtern zu Funktionsgruppen die fest geprägten Wortarten der traditionellen Grammatik nicht mehr bestehen können. Ja, sie können für Glinz schon vom methodischen Ansatz seiner Arbeit her nicht bestehen, denn Wortarten bestimmen hieße ja, sie für sich, abgesehen von dem, was sie für den „Bezeichnenden" leisten sollen, sehen und sie isolieren. Schon die gefundenen grammatischen Bezeichnungen machen deutlich, daß es immer um das Wort innerhalb des Satzes geht. Insofern handelt die gesamte Grammatik von der Syntax, und es ist am Schluß des Buches lediglich noch nötig, einige Haupttypen von Sätzen (Trägersatz, Einfügsatz, Anführsatz) zu unterscheiden.

d) Erben: Abriß der deutschen Grammatik[326]

Erben und Glinz setzen grundverschieden an. Glinz geht von einem zusammenhängenden Text aus, Erben vom genauen Gegenteil: Er beginnt beim Bauelement des Wortes. Er knüpft dabei unter anderem an Untersuchungen von Twaddell[327] an, der die Struktur der Wörter nach der Kombination der Konsonanten untersucht. „Hinsichtlich der Konsonanten haben die Untersuchungen Twaddells ... zu einigen interessanten Feststellungen geführt: Besonders wichtig ist sein Befund hinsichtlich der im Deutschen üblichen Konsonantenverbindungen, d. h. der jeweils auftretenden Kombination, in denen die vor und nach dem Tonvokal erscheinenden Konsonanten miteinander vorkommen."[328] Anschließend gibt Erben eine tabellarische Übersicht, nach der die Kombination Ver-

[323] S. o. S. 62.
[324] Glinz, Innere Form, S. 417.
[325] Ebd., S. 262.
[326] Erben, Abriß der deutschen Grammatik, 6. Aufl. 1963.
[327] Twaddell, Combinations of consonants, 1939 u. 1940/41.
[328] Erben, Abriß, S. 7.

schlußlaut–Tonvokal–Nasal oder Liquida im Deutschen am häufigsten ist. Damit ist der „Bau des deutschen Wortes" von der Statistik, nicht von der Sprachgeschichte her, einsichtig gemacht. Der Inhalt eines Wortes ergibt sich dabei nicht aus seiner bestimmten „Lautbedeutsamkeit", sondern dadurch, daß die in einem Wort mit bestimmter Lautung schlummernden Ausdrucksmöglichkeiten durch die Berührung mit einer kongenialen Bedeutung erst zum Leben erweckt werden. Der Komplex der „Bedeutung" wird nun bezeichnenderweise nicht weiter untersucht, sondern Erben geht sofort über zum Komplex „Wort als Leistungseinheit". Denn einen Wortschatz oder Wortbestand einer Sprache gibt es nicht als ungegliederten, amorphen Bestand, sondern nur in Gliederung, in bezug einzelner Teile aus ihm zu anderen solchen Teilen. Diese Teile heben sich voneinander ab, indem sie bestimmte Funktionen erfüllen. Gliederung ergibt sich also im Hinblick auf Teilaufgaben, die einzelne Gruppen des Wortschatzes für die Verstehbarkeit einer Aussage erfüllen. „Das Wort als Leistungseinheit im Rahmen des Satzes zu untersuchen, heißt demnach ... die Rolle der verschiedenen Wortarten beim Ausdruck des im Satze dargestellten Geschehens oder Seins zu verfolgen, mit besonderem Augenmerk auf funktionsentsprechende Besonderheiten von Form und Stellung der einzelnen Funktionsträger, sowie von Größe und Gliederung der jeweiligen Funktionsgemeinschaften."[329]

Trotz seines am Anfang dargestellten völlig von Glinz verschiedenen Ansatzpunktes[330] befindet er sich hier in dessen Nähe: Wenn er nach der Aufgabe des Wortes für den „Ausdruck des im Satze dargestellten Geschehens oder Seins" fragt, geht er dabei wie Glinz vom „Gemeinten" aus, wenn er vom „Wort als Leistungseinheit im Rahmen des Satzes" spricht, erinnert das an Glinz' Untersuchung über den „Satzrang" einzelner Wortarten. Allerdings besteht der Unterschied, daß der „Satzrang" eines Wortes in bezug zur Leitgliedform des Verbs gefunden wird, die „funktionsentsprechende Besonderheit" eines „einzelnen Funktionsträgers" aber im Raum des Satzes als „abgeschlossenem Sprech-(oder Schreib-)Akt des Sprechers für einen Hörer (oder Leser)"[331] bewußt gemacht werden muß, ohne daß in ihm schon ein Orientierungspunkt, etwa ein

---

[329] Ebd., S. 14 f.
[330] S. o. S. 67.
[331] Erben, Abriß, S. 14.

„Leitglied" festgelegt wäre. Zugleich deutet sich ein anderer, grundlegenderer Unterschied an: Für die Charakterisierung einer Wortart ist ausschließlich ihr Funktionswert entscheidend. Ein Ansatz bei der Deklination, um von ihr aus „Größen" zu finden, ist hier nicht möglich.

Erben geht davon aus, daß es die Leistung des Satzes ist, „ein Geschehen oder Sein ... zu bezeichnen und darzustellen",[332] und daß es Wortarten oder Funktionsgemeinschaften gibt, „deren Angehörigen bestimmte Rollen im Satz zufallen".[333] Er unterscheidet fünf solcher Gruppen: das Aussagewort (Verb), das Nennwort (Substantiv), das Beiwort (Adjektiv – Adverb), Formwörter (Pronomina) und Fügewörter (Präpositionen – Konjunktionen), wobei die zweite und die dritte Gruppe laut der jeweils von Erben gegebenen Definition in ihrer Funktion auf das Aussagewort bezogen sind. Durch das Nennwort vollzieht sich dabei „Benennung der Geschehen umgebenden Wesenheit", das Beiwort bewirkt „Charakterisierung des ausgesagten Geschehens/Seins".[334] Das Aussagewort selbst ist „gemeinhin Träger der Aussage des geschilderten Geschehens oder Seins als prädikatbildender Satzkern".[335] Es hat vier Grundfunktionen: Charakterisierung des geschilderten Geschehens oder Seins nach der Aktionsart, der Ansatzstelle, der Zeit und der Realität.

Die Größen Wort und Satz sind also nach dem sprachlichen Befund so aufeinander bezogen, daß von einem nicht ohne das andere die Rede sein kann. Somit ist also bei der Untersuchung der Wortarten, die sich in Erbens Abriß von S. 1 bis S. 170 streckt, immer schon vom Satz die Rede. So spricht Erben bei den Aussagewörtern von ihrer „Grundfunktion", „einen Zustand oder Vorgang zu schildern, ein Geschehen oder Sein im Satze auszusagen, oder – formalgrammatisch gesprochen – die ‚Satzaussage' (das Prädikat) zu bilden".[336] Schon hier befindet man sich im Zentrum des modernen grammatischen Denkens. Die formalgrammatische Kategorie „Prädikat" wird zwar übernommen, und ein formalgrammatisches System, wenn auch mit anderen Bezeichnungen als früher üblich,[337]

[332] Ebd., S. 14.
[333] Ebd., S. 15.
[334] Ebd., S. 15.
[335] Ebd., S. 15.
[336] Ebd., S. 16.
[337] Vgl. z. B. die Zusammenfassung zum Nennwort, Abriß, S. 101.

besteht hier ebenfalls. Dieses System wird aber, wenn nötig, in Frage gestellt und geändert (z. B. Reduzierung der Anzahl der Wortarten), in den übrigen Teilen von der Sprache her gefüllt. Daß die Grammatik einmal anders dachte, kann ein Vergleich mit Lyon zeigen. In seiner Deutschen Grammatik, in der man 1897 einen sehr selbständigen Entwurf sehen muß,[338] trennt er ebenfalls Satz- und Wortlehre nicht. Auch bei ihm ist es nach allen differenzierten Bemühungen der Wortarteneinführung schließlich die Grundfunktion einer Wortart, ein Satzglied zu repräsentieren.[339] Aber Lyon geht bei dieser Kombination Satz–Wort den Weg vom Satz als grammatisch, nicht sprachlich vorliegender Größe mit den formalen Hauptbestandteilen von Subjekt, Prädikat, Objekt, Attribut. Dann erst folgt die Füllung mit Sprachmaterial, mit Inhaltsträgern. „Grundfunktion" – der Begriff kommt bei Lyon nicht vor, ist aber für seine Sicht der Wortleistungen ebenfalls brauchbar – gibt es also auch bei Lyon. Erben aber sieht wirklich funktionale Lebendigkeit, indem er den Satz als Inhaltseinheit, als „sprachlichen Gesamteindruck eines Geschehens oder Seins"[340] definiert, wobei die Verben den Aussagekern bilden, in ihrer Bedeutungsfunktion also in den Gesamtsatz hineinwirken. Sie wecken andere im Schallkörper der übrigen zum Satz verbundenen Wörter liegende Bedeutungen und sorgen für eine beabsichtigte Satzaussage. „Satzaussage", oben formalgrammatisch als „Prädikat" verstanden, hat demnach bei Erben eine viel weitere Bedeutung als bei Lyon. Dieser versteht den Begriff als Satzglied oder Satzteil für sich, ohne welches kein Satz möglich ist, weil diese formalgrammatische Bedingung des Prädikats erfüllt sein muß. Die Funktionalität Wortart–Satz bleibt demnach im engen Raum von Wortart–Satzglied, wie oben dargestellt.[341] Die Perspektive Satz wird erst auf dem Umweg über das Satzglied, das in einer Reihe mit anderen Satzgliedern steht, erreicht. Mit anderen Worten: Für Erben hat das Verb zentralen Satzeinfluß, weil es Aussage enthält, für Lyon wird es satzwirksam, weil es Hauptsatzglied werden kann.

Nach der Funktionsbestimmung im Satz kommt Erben auf die Eigenstruktur der Wortart selbst zu sprechen, auf ihre

[338] S. o. S. 23 ff.
[339] S. u. das Schema zu seiner Schulgrammatik, S. 152.
[340] Erben, Abriß, S. 15.
[341] S. o. S. 24 f.

70

Herkunft aus Ableitungen, auf ihre semantische Gliederung, schließlich auf das Phänomen des verbalen Feldes, wobei er das Wortfeld *sterben* vorführt.[342] Anschließend ist die Rede von einem „assoziativen Feld",[343] bei dem das Verb *reinigen* der Ausgangspunkt ist, von dem aus sich Linien zu *Reinigung* (Bindeglied: Stamm), *säubern* (Bindeglied: Begriff), *ängstigen* (Suffix) und *peinigen* (Lautung) ergeben.

Bei der Einzelbesprechung zum Verb beginnt Erben mit der Aktionsart: „Die besondere Aktionsart, d. h. die Verlaufsweise des Vorgangs, die Art, wie dieser vor sich geht, genau zu kennzeichnen, wird der Sprecher in der Regel bestrebt sein. Vor allem sieht er sich oft genötigt, das Einsetzen oder Enden eines Vorganges festzustellen, ein Geschehen in der belangvollen Eingangs- oder Endphase sprachlich zu fassen."[344] Nun würde einem strengen Grammatiker, der etwa durch die Schule Mensings[345] gegangen ist, schon an diesem Punkt unbehaglich werden. Denn in den Grammatiken der Zeit Mensings geht es um Flexionsschemata, Tempusschemata und Modalschemata. Eine solche Untersuchung der Aktionsarten, wie sie Erben bringt, bleibt eigentlich gar nicht beim Verb, sondern erweitert den Betrachtungsbereich hin zu den Morphemen, zu einem viel weniger spezifizierten Bestand der Sprache also, zu den „Hilfsverben", zu präpositionalen Fügungen oder Deminutivbildungen, wobei die mannigfachen Zusammensetzungsmöglichkeiten sich einer Schematisierung völlig entziehen. Zum selben Problem sagt Erben: „Vom Slawischen herkommend könnte man versucht sein, dem Deutschen ein System der Aktionsarten abzusprechen, doch finden sich – dem Ausdrucksbedürfnis entsprechend, unstreitig Systemansätze . . ."[346] Auch bei der zweiten verbalen Charakterisierungsmöglichkeit, dem Vermögen, eine *Ansatzstelle* sichtbar zu machen, geht Erben nicht von einem Schema aus: „Das Aussagewort charakterisiert den geschilderten Zustand oder Vorgang ferner hinsichtlich der (Ansatz-)Stelle, d. h. der Stelle, an welcher der Vorgang oder Zustand sichtbar wird, von der eine Handlung ausgeht. Drei (bzw. sechs) elementare Möglichkeiten haben sich als ausdrucksnotwendig erwiesen. 1. Die Handlung (der Vorgang oder Zustand) wird vom

[342] Erben, Abriß, S. 19 f.
[343] Ebd., S. 21.
[344] Ebd., S. 22.
[345] S. u. S. 110 ff.
[346] Erben, Abriß, S. 27.

Sprecher getragen (oder von einer Sprechergruppe), 2. ... von einem Angesprochenen (oder von Angesprochenen), 3. ... von einem Besprochenen (oder von Besprochenen). Auf den Träger der Handlung, des Zustandes oder Vorgangs weisen nun jeweils besondere an den Stamm tretende Endungen hin, d. h. es findet eine Formabwandlung des Aussagewortes statt, gemeinhin Konjugation genannt."[347]

Bei diesem weiten Ansatz der unter 1. bis 3. gegebenen Möglichkeiten ist eine strenge Systematisierung genausowenig wie zu den Aktionsarten möglich. Dementsprechend werden hier auch sowohl die Konjugationsmerkmale abgehandelt als auch die sog. genera verbi. Das Passiv, dem ältere Grammatiken, zumal Schulgrammatiken, jeweils ein ganzes Schema widmen,[348] wird hier nur nebenbei erwähnt. „Subjektverschiebung oder -variierung", „Übertragung als Folge eines Vergleichs", „Intransivierung" und das Passiv[349] sind die sprachlichen Erscheinungen, die gemeinsam durch folgenden Passus eingeleitet werden: „Der Umkreis möglicher Träger kann sich natürlich weiten und damit die Verwendungsmöglichkeit des Verbs, mit dem der Sprecher Zustand, Entwicklung und Verhalten weiterer Wesenheiten zu kennzeichnen sucht, sei es nun, daß dafür noch kein geeignetes Aussagewort zu Gebote steht oder das vorhandene dem Sprecher nicht genügt."[350] Damit wird das Passiv eigentlich zu einer sprachlichen Notlösung ohne rechte Daseinsberechtigung. Entsprechend beschäftigt sich der Abschnitt zum Passiv und seinen Varianten lediglich mit den formalen Bildungsweisen und der „Umkehrbarkeit der Konstruktion" von Aktiv zum Passiv, wobei die „Ansatzstelle des geschilderten Vorgangs ... das betroffene Objekt" wird, „das zum ‚Subjekt‘ der Aussage geworden ist".[351]

Eine wesentliche Funktion des Aussagewortes ist es, den geschilderten Vorgang oder Zustand hinsichtlich der Zeitstufe, der zeitlichen Stellung, die er in den Augen des Sprechers einnimmt, zu charakterisieren, ihn also „aus dessen zeitlicher Perspektive darzu-

[347] Ebd., S. 27 f.
[348] Vgl. z. B. Lyon, Handbuch 1891, S. 79 f., Lyon-Scheel, Handbuch 1911, S. 36 f., als Versuch noch in der neuen Ausgabe des Sprachspiegels, Bd. 1, 1966, S. 144.
[349] Erben, Abriß, S. 30 f.
[350] Ebd., S. 30.
[351] Erben, Abriß, S. 31.

stellen".[352] Diese Auffassung der jeweilig-relativen Zeitauffäche-
rung vom Bewußtsein des Sprechenden her wird unter den neuen
Schulgrammatiken vom Sprachspiegel vertreten.[353] Nach einigen
Beispielen faßt Erben zusammen: „Ablaufendes, Bestehendes und
Geltendes faßt also der Sprecher mit der Form des Präsens, als
‚Gegenwart'.
Der Bereich der Gegenwart (des Bewußtseinsnahen) erstreckt sich
zuweilen tief in den Raum der Vergangenheit, die dem Sprecher
noch oder wieder gegenwärtig ist, d. h. die erste Stammform dient
auch dazu, Vorgänge, die bereits zu einer vergangenen Zeit ein-
gesetzt oder sich abgespielt haben, zu bezeichnen, sie wirkt hier für
den Hörer vergegenwärtigend und verlebendigend."[354]
Die Funktion der übrigen Zeitstufen: Das Präteritum drückt „die
Empfindung zeitlicher Distanz"[355] aus, das Perfekt faßt „einen Vorgang als nunmehr vollendet",[356] das Plusquamperfekt bezeichnet
ein Geschehen „als bereits für eine Vor-Zeit bestehendes Faktum",[357]
und das Futur kündigt ein Geschehen oder Sein „als im Bereich der
Nach-Zeit eintretend an".[358] Zusammenfassend sagt Erben zu den
temporalen Möglichkeiten des Verbs: „Die erste und zweite Stamm-
form des Aussageworts dient der Schilderung eines im Bereich der
Gegenwart oder Vor-Zeit ablaufenden Geschehens (bestehenden
Seins), wobei die Präsensform in der direkten Rede vorherrscht, die
Präteritalform in der Erzählung. Die Vollendungsform (das Part.
Prät.) wird, verbunden mit den Hilfsverben haben oder sein, zur
Feststellung eines als vollendet (perfekt) angesehenen Geschehens
(Seins) gebraucht; sie dient also nicht der erzählenden Schilderung,
sondern dem feststellenden, gleichsam ‚Bilanz ziehenden' Rück-
blick vom Boden der Gegenwart (Perfekt) oder von der Plattform
einer geschilderten Vergangenheitssituation (Plusquamperfekt). Im
Dienste des Augenblicks, der Vorausschau und Voraussage aber
steht die Grundform (der Infinitiv) in Aktionsgemeinschaft mit
werden zur nachdrücklichen Ankündigung eines erwarteten künf-
tigen Geschehens (Seins). Präsens und Präteritum sind gewisser-

[352] Ebd., S. 33.
[353] S. u. S. 203.
[354] Erben, Abriß, S. 33 f.
[355] Ebd., S. 35.
[356] Ebd., S. 37.
[357] Ebd., S. 41.
[358] Ebd., S. 41.

maßen Grundtempora, Perfekt, Plusquamperfekt und Futur Neben-
tempora, die besonderen Perspektiven der sprachlichen Darstellung
ermöglichen."[359]

Dieser eben zitierte Passus ist auf besondere Weise wichtig:

1. Hier wird das bausteinhaft vorgegebene Sprachmaterial nicht
vergessen, Erben argumentiert also nicht im idealen Raum.

2. Das herkömmliche Zeitschema wird modifiziert, weil eine gleiche
Betonung von sechs Zeiten nebeneinander dem Deutschen nicht
adäquat ist.

3. Die Zeitformen werden einmal nach ihrer Bildung, dann aber
auch nach ihrem Gebrauch dem gesamtsprachlichen Raum zugeordnet. Schilderung, Feststellung und Ankündigung sind stilistisch geprägte Begriffe. Die Tempora helfen also bei der Prägung stilisti-
scher Sagweisen.

4. Schließlich sind die Neuerungen in der Sache und der Begrifflichkeit nicht so radikal, daß man sie nicht in die Schulgrammatik übernehmen könnte.

Für Erben bilden die Substantive die zweite große Wortart-
gruppe. „Ihre Hauptfunktion im Satz, beim Gesamtausdruck eines
Geschehens oder Seins, besteht doch offenbar darin, mit dem dargestellten Geschehen zusammenhängende Wesenheiten, daran beteiligte oder als beteiligt gedachte Größen zu benennen. Sie sind
also Nennwörter, grammatisch gesprochen ‚nominale' Ergänzungsbestimmungen, vornehmlich zum Verb."[360] Die Nennwörter haben,
obwohl sie „eine kaum weniger bedeutsame Funktion im Rahmen
des Satzes" erfüllen als die Verben,[361] fast jeden Eigenwert ein-
gebüßt.[362] Dazu kommt noch, „daß Fähigkeit und Nötigkeit, durch
Nennwörter begrifflich ergänzt ... zu werden, nicht bei allen Verben die gleichen sind. Das Nennwort spielt also nicht neben jedem
Aussagewort die gleiche Rolle; seine Funktionen hängen wesentlich
vom unterschiedlichen Charakter der Aussagewörter ab."[363] Obwohl das Nennwort auch wie bei Glinz als „Größe" definiert werden kann,[364] wird dieser Größencharakter nicht von der Deklina-

---

[359] Ebd., S. 43.
[360] Ebd., S. 72.
[361] Ebd., S. 71.
[362] Ebd., S. 83; so auch S. 94, 101 f., 107.
[363] Ebd., S. 83.
[364] S. o. zu Glinz S. 64 f.

tion, also dem Formenbestand abgeleitet, sondern vom im Aussagewort gegebenen Geschehen oder Sein, dessen Träger, Ansatzstelle
oder -größe es nennt.[365] Auch im Raum dieser Wortart bleibt Erben
bei der Sprache. Haupttypen wie nomina actionis, nomina agentis,
andere Größenbezeichnungen, Ableitungen und Neubildungen werden genannt und unterschieden. Dann kommt er zur schon angedeuteten Satzfunktion. Dabei heißt es z. B. zum Akkusativ und
Genitiv: „Zu objektbezogenen . . . Verben" treten Nennwörter „als
Bezeichnung des vom Vorgang betroffenen (affizierten) oder ge-
schaffenen (effizierten) Objekts, des Patiens, der Zielgröße . . . Die
Nennwörter umfassen hier die gesamte Welt möglicher Objekte,
alles, was als Gegenstand oder Ertrag menschlichen Tuns erkannt
oder hingestellt wird . . . Flexivische Funktionskennzeichen zeigen
sich hierbei selten; es findet sich der Akkusativ, . . . dessen Form
sich im Plural gar nicht, im Singular selten vom Nominativ ab-
hebt . . . Zu einer begrenzten Gruppe von Verben (insbesondere des
Nehmens, seelischen Teilnehmens, Sich-Herausnehmens, Missens und
Aufgebens) tritt das ergänzende Nennwort im Genitiv . . ., der –
wenigstens im Singular bestimmter Substantivklassen – deutlich
gekennzeichnet ist."[366] Wieder ist die Zusammenschau von Satz und
Wort offensichtlich, wiederum die komplexe Sehweise wie zum
Tempussystem festzustellen, wobei hier noch mehr auf einmal verarbeitet wird: Nennwörter als Satzglieder, Bestimmung eines Satzgliedes (Objekt), Steuerungsfunktion des Verbs für den Kasus des
folgenden Nennwortes, Anmerkungen zur Flexion. Es erhebt sich
die Frage, ob hier nicht etwas zu komplex gearbeitet wird. Im übrigen erinnert die Verfahrensweise an Lyon, wenn Erben über weite
Strecken untersucht, welche Satzglieder von Substantiven repräsentiert werden können.[367] Erben findet Subjekt, Objekt, Zustands-
angabe, Merkmals- oder Wesensbestimmung, Prädikatsnomen, Prä-
positionalobjekt, Umstandsbestimmung und adnominale Ergänzungsbestimmung. Dann erst kommt Erben zur Deklination: „Der
wechselnden Rolle des Nennworts im Satz entsprechen verschiedene
Formen (Flexionsendungen) als Funktionskennzeichen, singularische
und pluralische."[368] Und es fragt sich, ob hier nicht der Wortart

[365] Erben, Abriß, S. 72 u. 84.
[366] Ebd., S. 89.
[367] S. u. die Übersicht zu Lyon, S. 152.
[368] Erben, Abriß, S. 102.

Substantiv zu wenig Genüge getan wird, wenn man ihr Merkmal der Deklination gegenüber ihrer Satzfunktion so weit zurückstellt. Das Bemühen, eine Wortart rein von ihrer Funktion her zu bestimmen, wird noch deutlicher bei den Formwörtern (Pronomina). Da sie nicht „Begriffswörter", sondern „inhaltsarme Formwörter" sind, haben sie, wieder vom Sprecher her gesehen, die Aufgabe, „situationsgebotene Wesenheiten in allgemeiner Form... zu bezeichnen und sprachlich einzuordnen".[369] Obwohl sie eine feste, nur durch Deklination regelmäßig veränderbare Wortgestalt haben, besitzen sie doch keinen Wortinhalt, der fest an ihre Gestalt gebunden wäre, sondern dieser ändert sich in Abhängigkeit von der Sprechsituation, in der sie, auf Größen bezogen, benutzt werden. „Sie sind also größenbezügliche Formwörter mit situationsbestimmtem Funktionswert."[370] Auch hier ergeben sich Deklinationsformen lediglich vom jeweiligen Satzganzen aus. So heißt es zum Personalpronomen: „Die Partner einer Sprechsituation, Sprecher(gruppe) und angesprochene Person(en) bezeichnen ich (wir) und du (ihr). Erscheint der Gemeinte nicht als Träger des Geschehens oder Seins, sondern etwa als Ziel- oder Zuwendgröße, so stehen folgende Kasusformen bereit: (ich), mich, mir, meiner..."[371]

Im Zusammenhang der Formwörter wird auch der Wortbestand behandelt, der herkömmlich mit „Artikel" gekennzeichnet ist.

Erst zum Schluß des Kapitels „größenbezügliche Formwörter" heißt es: „Weder bei substantivischer noch bei adjektivischer Anwendung zeigen die Formwörter Funktionskennzeichen, die denen des Substantivs und Adjektivs völlig gleichen. Sie sind also durch Formbesonderheiten abgehoben."[372] Anschließend werden drei Flexionstypen unterschieden. Der Gesamtkonzeption dieser Grammatik gemäß erscheinen Flexionsphänomene hier als „Funktionskennzeichen", die Wortart selbst hat praktisch nur noch Satzfügefunktion, dabei hauptsächlich im Hinblick auf die vom Sprecher gewünschte Aussage.

So ergibt sich als grundsätzliches Prinzip Erbens bei der Musterung der Wortarten, die Perspektiven Satz und Wort nicht zu scheiden. Glinz versucht dieses Verfahren zu motivieren: „Der ganze Aufbau

[369] Ebd., S. 144.
[370] Ebd., S. 144.
[371] Ebd., S. 145.
[372] Erben, Abriß, S. 168 f.

76

der Erbenschen Grammatik, und damit auch die Verteilung großer Gebiete der Syntax auf die Wortlehre, entspringt offensichtlich dem Bestreben, in einem Durchgang alle sprachlichen Phänomene betrachten zu können, vom Laut als dem Kennzeichen des Einzelworts bis zum hochkomplizierten Satz."[373] Erben interpretiert sich selbst kürzer: „Die funktionalen Einheiten Wort und Satz sind hinsichtlich Gestalt und Leistung zu beschreiben."[374] Dabei sieht er auch, wie gezeigt, die Form funktionsbezogen, und zu den Formen treten die wortbildenden Morpheme, die ebenfalls oft als Funktionskennzeichen mitwirken. Von hierher kann dann auch die Historie in Gestalt der Wortbildungslehre einbezogen werden. Wieder ist zu fragen, ob diese komplexe Sicht den sprachlichen Einzelphänomenen, vor allem den Wortarten, gerecht wird.

Da sich der gesamte erste Teil der Grammatik schon mit Syntax beschäftigt, braucht der zweite Teil über den Satz nicht mehr lang zu sein.

Im Anschluß an Drach[375] findet Erben Satzschemata von der Stellung des finiten Verbs aus, wobei sich zeigt, daß im Deutschen zwei „Grundschemata verschiedener charakteristischer Wortfolge und Tongestaltung bestehen".[376] Sie sind durch Zweitstellung und Spitzenstellung des Verbs gekennzeichnet. Dazu gibt es vier Grundmodelle:

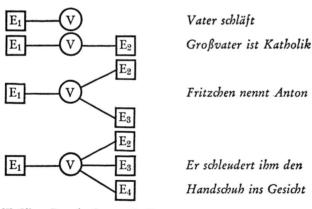

Vater schläft

Großvater ist Katholik

Fritzchen nennt Anton Onkel

Er schleudert ihm den
Handschuh ins Gesicht                377

373 Glinz, Deutsche Syntax, S. 65.
374 Erben, Zum Neubau, S. 59.
375 S. o. S. 49 ff., bes. S. 52.
376 Erben, Abriß, S. 172
377 Modelle in Erben, Abriß, S. 175 ff.

Damit sind die „Grundverhältnisse... skizziert; sie veranschaulichen, wie entscheidend die ‚Wertigkeit' (Valenz) des als Aussagekern gebrauchten Verbs den Satzbau bestimmt".[378]
Der „Abriß" untersucht schließlich kompliziertere Satzgebilde[379] und den Satz „als Leistungseinheit im Rahmen der Rede".[380] Ein abschließendes Kapitel „Das Problem der ‚Satzglieder' "[381] bringt ein Schema des syntaktischen „Stellenplanes":[382]

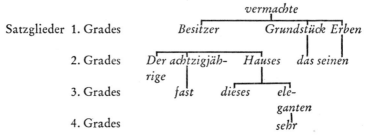

| | | vermachte | |
|---|---|---|---|
| Satzglieder 1. Grades | Besitzer | Grundstück | Erben |
| 2. Grades | Der achtzigjäh- rige | Hauses | das seinen |
| 3. Grades | fast | dieses | ele- ganten |
| 4. Grades | | | sehr |

Dieses Schema zeigt besser als die Schemata von Kern und Müller[383] den Satzablauf und dabei bestehende Gruppierungen vom Verb aus und um das Verb herum, wobei das Verb Satzglied schlechthin zu sein scheint. Jedenfalls zeigt eine Interpretation die Verbindung von Subjekt- und Objektgruppe über das Prädikat. Für die Übernahme in die Schule scheint das Satzbild trotzdem nicht geeignet. Das Zusammenspiel syntaktischer Gruppen wird für Schüler besser durch Satzbilder veranschaulicht, wie sie etwa Schmitt-Martens in ihrer Schulgrammatik bieten.[384]

e) Brinkmann: Die deutsche Sprache[385]
Brinkmann beginnt mit dem Substantiv! Nach dem Gesichtspunkt der Flexion schlüsselt er die Wortart zunächst in verschiedene Formklassen auf, wobei er schon das grammatische Geschlecht mit einbezieht, er untersucht das Wortmaterial nach seiner Bildung (Ab-

[378] Ebd., S. 177; vgl. dazu auch die zustimmende Beurteilung durch Grosse, der ebenfalls auf die Verbindung der Erbenschen Grundschemata mit Drach hinweist (Grosse, Über die Versuche, S. 82 f.).
[379] Erben, Abriß 183 ff.
[380] Ebd., S. 195 ff.
[381] Ebd., S. 198 ff.
[382] Ebd., S. 201.
[383] S. u. S. 157, 142.
[384] S. u. S. 195.
[385] Brinkmann, Die deutsche Sprache, Gestalt und Leistung, 1962.

leitungssilben) und findet einen Grundbestand der Wortart, Begriffe für Gegenstände und Personen, um den sich neue Begriffe herumgruppiert haben: Subjekt- oder Verhaltensbegriffe (Lehrer), die die Menschen nach ihrem Verhalten in Klassen ordnen und damit eine Leistung des Verbs in den Bereich des Substantivs aufnehmen; Prädikatsbegriffe (Krankheit), die „eine Aussage vom Prädikat aus als Subjekt festhalten";[386] Ergebnisbegriffe (Gespann, Geflecht), die im Gegensatz zu Subjekts- und Prädikatsbegriffen als Objektsbegriffe zu fassen sind; von Verben abgeleitete Substantive (Berufung) usw. Brinkmann beginnt also mit der Musterung einer Wortart als Wortart, nicht als Funktionsgruppe, er geht aus von Einzelwörtern, die einen bestimmten Bestand an formalen Merkmalen haben, nicht von einem Text. Er braucht nicht erst „größengeprägte Glieder" oder, vom Verb aus, „nominale Ergänzungsbestimmungen"[387] zu entdecken, sondern er nimmt als gegeben, daß die Sprache einen Bestand von Wörtern bereithält, den man herkömmlich „Substantive" nennt. Diesen sprachlichen Bestand untersucht er einmal hinsichtlich seiner Bildung, dann aber auch hinsichtlich der charakteristischen Prägung bestimmter Wortgruppen, wobei es zu der oben angedeuteten Einteilung kommt. In einer Zwischenzusammenfassung, die ich ausführlich zitieren möchte, weil man hier Brinkmanns Arbeitsweise studieren kann, heißt es zum Substantiv: „Folgende Momente gehören zur Gestalt und Formenwelt eines Substantivs: Am Substantiv selbst können Numerus und Kasus erkennbar sein. Wandel des Stammes kündigt die Vielheitsform an..., Veränderung des Wortausganges die wechselnde Stellung im Satz. Zu diesen Möglichkeiten der Veränderung kommt ein Zubehör, eine Formenwelt, die auf das Substantiv bezogen ist. Der Artikel sagt, ob das Wort als Einzelwesen oder Vertreter der Gattung vorgestellt werden soll.[388] Dabei hat er jeweils eine Gestalt, die Auskunft über die Stellung des Substantivs im Satz erteilt. Ebenso wie der Artikel können auch andere Pronomina und Adjektive das folgende Substantiv nach seiner Stellung determinieren. Eine wichtige Verständnishilfe ist dabei das ‚grammatische Geschlecht‘, das jeweils

[386] Ebd., S. 32.
[387] S. o. zu Glinz, S. 64, zu Erben, S. 74 f.
[388] Vgl. dazu Glinz: „Schon ein Beispiel wie *Das Pferd wurde gezähmt* macht klar, daß der Artikel das ebengerade nicht zeigt, denn dieser Satz kann sich ebenso gut auf ein Pferd als Einzelwesen beziehen wie auf das Pferd als Gattung – je nach Situation und Kontext."(Glinz, Deutsche Syntax, S. 76).

nicht allein für das Substantiv gilt, sondern zugleich für alle Adjektive und Pronomina, die zu ihm in Beziehung stehen, gleichgültig, ob sie zu demselben Satz gehören oder nicht. So kann im Fortgang der Rede durch ein einfaches Pronomen die ganze Substantivgruppe im Bewußtsein gehalten oder in Erinnerung gebracht werden."[389] Diese Sätze gehen über eine herkömmliche grammatische Betrachtung einer Wortart weit hinaus. In der Perspektivenmischung von Wort, Satz und Rede ist Brinkmann noch komplexer als Erben, bei dem es im Wortartenteil durchgängig nur um die funktionale Bezogenheit von Wort und Satz geht.[390] Brinkmann arbeitet hier beschreibend. Er geht von den zu beobachtenden Einzelphänomenen aus, bespricht zunächst Formmerkmale des Substantivs und kommt dann zum „Zubehör", zu der bezogenen und gestaffelten „Formenwelt". Daß dabei der Artikel hinzugezogen wird, verwundert nicht, denn er ist ein Substantivbegleiter. Daß aber auch Adjektive und Pronomen derart in die Substantivbesprechung mit einbezogen werden, ist neu. Sicherlich sind sie oft syntaktisch mit einem Substantiv verbunden. Ihre Determinierungsfunktion gehört aber nicht mehr unmittelbar zur „Gestalt und Formenwelt" der Substantive. Die Ausführungen entfernen sich schon hier immer weiter von dem eigentlichen Thema, das im ersten Satz dieser Zwischenzusammenfassung gestellt worden war, das schließlich bei der Erwähnung des „grammatischen Geschlechtes" ganz verlassen wird. Die Erklärung einer Wortart scheint hier sehr breit, von der alten Grammatik her zu „unsystematisch". Gerade bei der Betrachtung von „Gestalt und Formenwelt" ist die Chance der Einheitlichkeit der Betrachtungsgesichtspunkte und der Übersichtlichkeit der Materialanordnung nach formalen Unterscheidungsmerkmalen vorhanden. Bei einer inhaltlichen Gliederung nach Gesamtbegriffen, Subjektsbegriffen, Werkzeugnamen, Herkunftsbegriffen usw. wird das Gemeinsame einer Wortart ja ohnehin nicht herausgestellt. Das Verfahren selbst ist aber wohl ein Versuch, der Komplexität sprachlicher Erscheinungen adäquat gerecht zu werden.

Die Musterung der Wortart „Substantiv" schlägt die Brücke zu den anderen Wortarten und öffnet die Horizonte „Satz", „Sprache" und „Rede".

---

[389] Brinkmann, Die dt. Spr., S. 5.
[390] S. o. S. 69.

Schon bei der Aufgliederung der Substantive und der Untersuchung des Artikels, der wie Genus und Numerus zur Ausstattung der Wortart Substantiv gehört,[391] mehr aber noch bei der Besprechung des Kasussystems wird die Grundintention Brinkmanns deutlich: Es wird aufgedeckt, wie g r a m m a t i s c h e  E r s c h e i n u n g e n und  A u f s c h l ü s s e l u n g  v o n  W e l t  zusammenhängen. Der Genitiv wird so z. B. im Zusammenhang mit dem *Adjektiv* untersucht. In dem Beispiel: der Leiter eines Betriebes erscheint im Genitiv „der soziale Bereich, in den die gemeinte Person gehört".[392] Menschen und Dinge werden aber auch durch die Adjektive auf *-lich* und *-isch (jugendlich, städtisch)* bestimmten Bereichen zugeordnet. Diese Adjektive können neben dem Genitiv nur wirksam werden, „wenn das Sozialgebilde nicht als individuelle Erscheinung gemeint ist ... Dem Genitiv vorbehalten bleibt die Zuweisung zu einem individuellen Sozialgebilde."[393] Sicher geht es zunächst darum, die Leistung z. B. des Genitivs „im gegenwärtigen System" der Sprache aufzudecken.[394] Die grammatischen Erscheinungen erhalten dabei eine besondere Bedeutung: In ihnen spiegelt sich die Vielfalt der Erscheinungen, die von ihnen geöffneten Perspektiven sind Abbild des Bemühens um geistige Fassung der „Welt". Grammatische Erscheinungen innerhalb eines Systems nur aufzuzeigen, ist damit nicht Endzweck der Untersuchung, sondern sie sollen in ihrer Aufgabe, menschliches Verständnis zu tragen, transparent gemacht werden. Die Methode ist hier anders als bei Glinz und Erben: Beide fragen nach dem Gemeinten und grenzen nacheinander einzelne Funktionsträger aus einem größeren Ganzen aus.[395] Brinkmann sichtet die Möglichkeiten, die die Sprache zur Fassung von „Welt" bereitstellt. Dabei hat er in erster Linie nicht das Ziel, „das Wort als Leistungseinheit im Satz zu untersuchen", um seine Funktion bezüglich der Verstehbarkeit einer Aussage deutlich zu machen,[396] sondern es geht um die Aufdeckung menschlicher Vorstellungs-, Verständnis- und Denkweisen am Material der Sprache und an ihren Möglichkeiten, es zu verknüpfen. Dazu noch ein Beispiel aus dem Bereich des Substantivs: „Der Akkusativ nennt, was in die Ver-

[391] S. o. S. 79 f.
[392] Brinkmann, Die dt. Spr., S. 83.
[393] Ebd., S. 85.
[394] Ebd., S. 67.
[395] S. o. S. 68.
[396] Erben, Abriß, S. 14.

fügung gestellt wird. Im Genitiv wird dann die Person genannt, der die Verfügung zugesprochen wird: den eben vorgeführten Substantiven *(Auge, Hut, Garten ...)* wird im Genitiv der ‚Verfügungsberechtigte' hinzugegeben (z. B. *Auge, Hut, Garten ... des Vaters)*. Statt durch ausdrückliche Nennung des Verfügungsberechtigten kann sich der Sprecher mit einem Hinweis darauf begnügen, ob das Gemeinte in die Verfügung des Sprechenden, des Angesprochenen oder eines Besprochenen fällt, und so die Entscheidung von der Sprechsituation aus treffen: *mein (unser) ... Ansehen ...* Die Augen des Kindes meinen einen individuellen Fall; Kinderaugen ist ein Allgemeinbegriff, der auch anwendbar ist, wenn von einem Erwachsenen gesprochen wird; von kindlichen Augen wird man sprechen, wenn man eine Wertung meint ...

Die Zuneigung mit Hilfe des Genitivs erhält eine besondere Note, wenn Personen als Urheber genannt und damit für ihre Werke verantwortlich werden: das Wort Gottes ... Substantivisch genannte Erscheinungen werden von dem persönlichen Urheber aus verstanden ..."[397]

Die Sprache liegt hier unter dem Mikroskop des Forschers. Offenbar besteht die Absicht, einen vollständigen Überblick über die Verknüpfungsmöglichkeiten zu geben, in denen sich ein Substantiv, hier im Genitiv, befinden kann. Offenbar ist es weiter die Absicht Brinkmanns, den Sprachsinn oder den nuancierten Ausdruckswert solcher Fügungen aufzuspüren und dazu inhaltlich ähnliche Sprachmöglichkeiten mit heranzuziehen. Die Frage ist, ob dabei eine Systematisierung im strengen Sinn überhaupt erreichbar ist, eine Systematisierung, die sich bei der Zielsetzung, „Gestalt und Leistung" einer Sprache aufzudecken, ergeben müßte.[398]

Die Betrachtung des A d j e k t i v s beginnt mit der D e k l i n a t i o n, die mit der starken und schwachen (bei Brinkmann: determinierenden und attribuierenden) Veränderungsreihe vom Satz her verstanden ist. Dabei ist die Funktion des Adjektivs als Satzglied so gefaßt: „Von einem Adjektiv, das einem Substantiv vorausgeht, wird gefordert, daß es ihm entweder durch die attribuierende Veränderungsreihe verbunden ist (wenn Artikel oder Pronomen deter-

[397] Brinkmann, Die dt. Spr., S. 87.
[398] S. auch Zimmermann in seiner Rezension von Brinkmanns Grammatik: Die Ausführlichkeit geht „oft auf Kosten der Übersichtlichkeit". (WW 16, 1966, S. 209.) Ähnlich auch Rupp, Archiv f. d. Stud. d. neueren Spr. u. Lit., 115. Jg., 200. Bd., 1964, S. 290.

minierend an der Spitze stehen) oder daß es selbst die Stelle des Substantivs und der mit ihm verbundenen Wortgruppe im Satz (mit der Veränderungsreihe des Pronomens) determiniert."[399] Daß Brinkmann eine Wortart aber nicht in ihrer Satzfunktion aufgehen läßt, zeigt die Bemerkung, „daß zwischen der inhaltlichen Prägung für eine Wortart und der Leistung einer Wortart im Satz zu unterscheiden ist".[400] Offenbar scheint es Brinkmann nicht möglich, die gesamte Dimension einer Wortart als Funktionsgruppe zu fassen. So folgen zum Adjektiv noch Untersuchungen zur Steigerung, wobei ihr Charakter, Polarität auszudrücken und vergleichend zu werten, am Komparativ erkannt wird, weiter Kapitel über seine Ableitungsgruppen und die Gliederung nach inhaltlichen Gesichtspunkten. Die Gliederung nach diesen beiden Kategorien folgt aus der „Inkongruenz aus Inhalt und Lautung".[401]

Die Besprechung der Wortart V e r b setzt bei seinem S a t z w e r t an: „Substantiva sind darauf angelegt, ein Satzglied darzustellen; Adjektive dienen dazu, solche Satzglieder zu modifizieren; das Verb aber hat Aufgaben übernommen, die dem Satz als Ganzem gelten . . ."[402] Doch wenig später wird seine Leistung für die Aufschlüsselung von „Welt" gegeben: „Substantiv und Verbum wirken zusammen wie Raum und Zeit. Das Substantiv nennt Vorhandenes, das wirksam wird in der Zeit; das Verbum führt einen Prozeß vor, der sich im Raum ereignet."[403] Deutlich sind hier von der Sprache her bestehender „Inhaltswert" und funktionaler Satzwert unterschieden.

Ganz ähnlich wie Erben[404] sieht Brinkmann die „Valenz" (Wertigkeit) des Verbs als satzkonstitutiv an: „Für eine Sprache ist es zunächst bedeutsam, wieviel offene Stellen sie beim Verbum zuläßt, welche Kasus dafür verfügbar sind und wie sie verteilt werden. In unserer Sprache stehen vier Kasus in den Veränderungsreihen des Substantivs zur Verfügung: Nominativ – Genitiv – Akkusativ – Dativ. Da der Nominativ dem Subjekt vorbehalten ist und der Genitiv einer offenen Stelle beim Substantiv, bleiben für das Verbum Akkusativ und Dativ (im Identitätssatz auch ein zweiter

---

[399] Brinkmann, Die dt. Spr., S. 100.
[400] Ebd., S. 112.
[401] Ebd., S. 129.
[402] Ebd., S. 212.
[403] Ebd., S. 213.
[404] S. o. S. 77 f.

Nominativ). Da ferner diese Kasus beim Verbum im allgemeinen nur einmal verwendet werden können, ergibt sich, daß dem Verbum (mit dem Subjekt) im ganzen drei Stellen für Mitspieler zur Verfügung stehen. Danach läßt sich eine Übersicht über die syntaktische Reichweite der Verben entwerfen."[405] Dabei will Brinkmann allerdings ein „E$_4$", bei Erben eine vierte Ergänzungsbestimmung zum Verb,[406] nicht gelten lassen.

Auch hier wird die herkömmliche Tempuseinteilung gesprengt, wenn z. B. vom Präsens gesagt wird, daß es kein „Gegenwartstempus" ist, als es einen Prozeß der Gegenwart des Sprechers zuweist,[407] sondern sein Charakter ist, das es „Inhalte aus verschiedenen Bereichen für die Gegenwart aktualisieren kann".[408] Bei einer Interpretation der Tempora in Ernst Wiecherts „Tobias" sagt Brinkmann: „Verschiedene Tiefen des Bewußtseins werden ... durch die Wahl des Tempus voneinander abgehoben."[409] Damit werden grammatische Erscheinungen Abbilder psychologischer oder noetischer Konstellationen. Das zeigen auch die Begriffe „Erwartungs"- und „Erinnerungsschnitt" im Bereich von Futur und Präteritum: „Präteritum, Präsens und Futurum zielen primär nicht auf die verschiedenen Stufen der Zeit (Vergangenheit, Gegenwart und Zukunft), sondern auf die Unterscheidung verschiedener Haltungen: der Erinnerung (Präteritum), des umfassenden Daseinsbewußtseins (Präsens) und der Erwartung (Futurum). Erst aus diesen Einstellungen ergeben sich die Beziehungen zur Zeit. Der wirkliche Bezug auf die Zeit wird im Deutschen nicht eigentlich durch grammatische, sondern durch lexikalische Mittel gegeben."[410]

Als „System der verfügbaren finiten Formen" des Verbs entwirft Brinkmann ein Schema mit Verlaufsstufe (Präsens, Präteritum), Erwartungsstufe (Futur) und Vollzugsstufe (Perfekt, Plusquamperfekt) im Aktiv und im Vorgangspassiv. Dazu kommt noch ein Zustandspassiv. Im Hinblick auf die ausführliche Untersuchung zur „Leistung" der Tempora ist das zu ihrer „Gestalt", also der Erscheinungsform im Deutschen, sehr wenig. Daß es ausgesprochenermaßen primär um Leistung geht, zeigt folgender Abschnitt: „Für

---

[405] Brinkmann, Die dt. Spr., S. 224.
[406] S. o. S. 77.
[407] Brinkmann, Die dt. Spr., S. 321.
[408] Ebd., S. 324.
[409] Ebd., S. 340.
[410] Ebd., S. 332.

die Leistung ist es ohne Belang, ob das Präteritum durch innere Flexion (Ablaut) oder durch ein Suffix gekennzeichnet ist ... Darum kann bei der Darstellung des Tempussystems von dem Unterschied zwischen ‚starken‘ und ‚schwachen‘ Verben abgesehen werden."[411] Schon vorher ging es um diese „innere Flexion". Brinkmann sieht vier Ablautreihen im heutigen Deutsch. Schon hier, bei der Untersuchung des Formalen, heißt es: „Der Vorrat an Verben mit ‚innerer Flexion‘ ist nicht groß, enthält aber Grundvorgänge des menschlichen Lebens und wiegt den geringen Bestand durch Häufigkeit der Verwendung auf."[412] Gerade bei der Behandlung der ablautenden Verben läßt sich ablesen, wie bewußt Brinkmann zwischen seiner und der historischen Grammatik scheiden will: „Über die Zugehörigkeit zu dieser oder jener Klasse entscheidet die vokalische Gestalt des Präteritums. Allein dem Stammvokal des Präteritum kommt eine unterscheidende Bedeutung zu ... Als charakteristische Vokale treten im Präteritum auf: a-o-u-i."[413] Sicher ist es nicht nötig, ablautende neuhochdeutsche Verben als Vertreter einer der sechs bzw. sieben Ablautreihen zu erweisen, die die historische Lautlehre kennt.[414] Aber es müßte möglich sein, einen solch abrupten Bruch zu vermeiden, wie ihn Brinkmann zwischen alt und neu demonstriert. *Nehmen* und *geben* erscheinen bei ihm in Ablautreihe 1 (präteritales a), obwohl sie in der historischen Grammatik Prototypen zweier verschiedener Reihen sind. Wenigstens die Verteilung auf zwei Reihen ließe sich erreichen, wenn man nicht nur den Vokalstand im Präteritum zugrunde legt, um eine Linie von der historischen Grammatik her zu ermöglichen.

Genau wie Erben ist auch Brinkmann von Anfang an um den Satz bemüht.[415] Und so ist typisch, daß das Übergangskapitel zum Hauptteil „Der Satz" den Titel „Das Substantiv im Bereich des Verbums" trägt. Noch einmal geht es hier um die Kasus, aber deutlicher noch um ihre Satzfunktion. „Akkusativ des Subjektsbereichs",[416] „Subjektsfähiger Akkusativ",[417] „Dativ und Beziehungsfügung".[418] Solche Themen sind ohne Bezug zu konkreten Sätzen

[411] Ebd., S. 319.
[412] Ebd., S. 239.
[413] Ebd., S. 239.
[414] Vgl. Krahe, German. Sprachwiss. I, § 55, S. 73 ff.
[415] S. o. S. 69.
[416] Brinkmann, Die dt. Spr., S. 402 ff.
[417] Ebd., S. 405 ff.
[418] Ebd., S. 432 ff.

nicht zu behandeln. Daß grammatische Phänomene über die Funktion in der Satzstruktur die wichtigere Aufgabe haben, „Leben" oder „Welt" zu fassen, zeigen Titel wie „Dativ der Teilnahme"[419] oder „Der Unkreis des persönlichen Lebens im Dativ".[420]

Weil es schon von vornherein um Syntax geht, braucht zum eigentlichen Syntaxkapitel nicht mehr viel gesagt zu werden. Als Satzdefinition wird „Nacheinander als Miteinander" gegeben.[421] „Diese Gestalt kommt durch das Zusammenwirken von drei Erscheinungen zustande: 1. durch die zeitliche Folge der Elemente, die zum Satz vereint werden, 2. durch die grammatische Struktur der zusammentretenden Elemente, 3. durch die Klangführung, die Intonation."[422] Bezeichnend ist, daß dabei die Einzelteile nicht von dem Satz her, sondern der Satz von den Einzelteilen aus verstanden wird, genauer, von der Subjekt-Prädikat-Beziehung aus, die in sich eine „Spannung von Möglichkeit und Wirklichkeit" enthält und den Satz in seiner Zweiteiligkeit konstituiert.[423] Mit Hilfe des Substantivs werden „die Elemente aufgerufen und als vorhanden vorgestellt..., die als Glieder des Satzes ... dienen sollen, während das Verbum als Bezeichnung eines Vollzugs darüber bestimmt, daß sie im Rahmen eines Satzes als Glieder einer Setzung dienen sollen".[424] Hier wird die Konzeption dieser Grammatik noch einmal deutlich: Nicht der ein Gemeintes ausdrückende Satz wird auf Funktionsgruppen untersucht, die, für sich genommen, wenig Eigenwert haben, oder deren Inhaltswert zweitrangig ist, sondern einzelne Wortarten treten kraft der das Sein auf verschiedenartige Weise prägenden und haltenden Potenz zueinander in Beziehung, was ihnen aufgrund ihrer abstimmbaren, Kongruenz bewirkenden grammatischen Struktur möglich ist. Vor allem die Teile Subjekt und Prädikat bringen von sich aus soviel Eigenwert und prägende Kraft mit, daß sie Sphären um sich aufbauen und Sätze um sich konstituieren können.

Die Grammatik schließt mit einer Untersuchung von verschiedenen Satzmodellen. Wie auch hier Dasein durch die Sprache verschieden

---

[419] Ebd., S. 435 ff.
[420] Ebd., S. 440 ff.
[421] Ebd., S. 455.
[422] Ebd., S. 455.
[423] Ebd., S. 458.
[424] Ebd., S. 461.

gefaßt ist, zeigt die Gliederung der Vorgangssätze in solche, in denen z. B. das Leben „als Phänomen", „als Dasein" oder „als Schicksal" gefaßt ist.[425]

Zu Beginn des Vorwortes heißt es zu diesem Buch, es stehe „nicht im Dienst von Theorien", sondern erstrebe „eine angemessene Darstellung des Gegenstandes".[426] „Anhaltspunkte sind die Unterschiede der Gestalt, die in unserer Sprache ausgeprägt sind. Diese Unterschiede werden auf ihre Leistung befragt. Dabei liegt es in der besonderen Verfassung des Deutschen, daß den Wortarten eine führende Rolle zukommt."[427] Zu diesem Vorhaben Brinkmanns äußert sich Glinz folgendermaßen: „Damit scheint er sich klar für einen strukturalistisch-operativen Ansatz entschieden zu haben; ... Aber neben dieser strukturalistisch-kritischen Haltung zeigt sich ... eine dazu im Gegensatz stehende naiv-apriorische Haltung, die die zu benützenden Begriffe nicht erst kritisch entwickelt, sondern sie einfach der traditionellen Grammatik entnimmt ... Zugleich wird die Verbindung einer ‚Gestalt' mit einer ‚Leistung' oft in einer ebenso apodiktischen wie angreifbaren Weise gegeben."[428] Zum letzten Vorwurf kann Glinz nur ganz wenige Beispiele aus insgesamt über 600 Seiten anführen. Und zum Vorwurf, Brinkmann übernehme Begriffe der herkömmlichen Grammatik, ist vielleicht zu sagen, daß eine konventionelle Begrifflichkeit bei aller sonstigen Vielfalt von Neubildungen wohltuend wirkt. Neue Aussagen über die Sprache scheinen auch in herkömmlichen Begriffen durchaus möglich. Was Glinz hier bemängelt, hängt damit zusammen, daß Brinkmann von Beständen ausgeht, die man herkömmlich z. B. mit „Substantiv", „Adjektiv" oder „Verb" bezeichnet, die also nicht erst neu entdeckt zu werden brauchen. Das scheint eine von vornherein vertretbare Verkürzung des Verfahrens zu sein, die noch durch die Richtigkeit und Vielfältigkeit der Einzelergebnisse nachträglich ihr Recht bekommt. Ob es allerdings wirklich möglich ist, von so geringen formalen Ansatzpunkten aus eine so umfassende Leistungserhellung der sprachlichen Bestände zu erbringen, ist eine

---

[425] Ebd., S. 532 ff.
[426] Ebd., S. VII; dazu Glinz: „Je entwickelter und je exakter eine Wissenschaft ist, desto weniger läßt sich in ihr ‚Theorie' u. ‚Darstellung des Gegenstandes' scheiden – weil eine Darstellung ohne Theorie gar nicht möglich ist." (Glinz, Deutsche Syntax, S. 73.)
[427] Brinkmann, D. dt. Spr., S. VII.
[428] Glinz, Dt. Syntax, S. 75.

Frage an das Buch, die die Kontinuität der Linie von der „Gestalt"
zur „Leistung" betrifft. Dazu noch ein Beispiel aus dem Abschnitt
„Das Tempussystem": „Zur Verlaufsstufe gehören im Aktiv die
einfachen Formen des Verbs: im Indikativ Präsens und Präteritum,
im Konjunktiv zwei verschiedene Formen (Konjunktiv I und II),
die nicht zeitlich, sondern modal unterschieden sind und als verschiedene Modi beiden Tempora (Präsens und Präteritum) zugeordnet sind. Es wird sich zeigen, daß Präsens und Präteritum darin
zusammengehen, daß sie die Zeit jeweils als ein Kontinuum vor-
stellen, entweder für das Daseinsbewußtsein (Präsens) oder für die
Erinnerung (Präteritum)."[429] Was sich aber „zeigt", das ist nicht
aus der „Gestalt" ableitbar, jedenfalls nicht aus der Buchstabengestalt, sondern aus einer morphe im geistigen Sinne. Brinkmann
selbst weist darauf hin, daß er „Morphologie" im Goetheschen Sinn
verstanden habe.[430] Goethe sagt: „Man findet . . . in dem Gange der
Kunst, des Wissens und der Wissenschaft mehrere Versuche, eine
Lehre zu gründen und auszubilden, welche wir die Morphologie
nennen möchten . . . Der Deutsche hat für den Komplex des Daseins
eines wirklichen Wesens das Wort Gestalt. Er abstrahiert bei diesem Ausdruck von dem Beweglichen, er nimmt an, daß ein Zusam-
mengehöriges festgestellt, abgeschlossen und in seinem Charakter
fixiert sei."[431] Den Bereich der Lautbezogenheit (Formenwelt der
Wortarten) scheint man bei so verstandener Morphologie nicht
organisch mit einbeziehen zu können. Vielleicht sind deshalb die
Betrachtungen zum Lautbild der Wörter bei Brinkmann auch so
kurz geraten.[432] Anscheinend aber ist es so, daß Brinkmann beides,
Lautgestalt und morphologische Gestalt im Goetheschen Sinne, gar
nicht voneinander trennen möchte, wobei die Lautzeichen Bedeutung hervorrufen und die Bedeutungen an bestimmte Lautzeichen
gebunden sind. Bei diesem Tatbestand würde Glinz' Kritik[433] Brinkmann nicht treffen können.

[429] Brinkmann, Die dt. Spr., S. 320.
[430] Ebd., S. VII.
[431] Goethe, Morphologie (Die Absicht eingeleitet), S. 55.
[432] Vgl. z. B. die Übersicht zur verbalen Beugung, wo es auf die Kategorien
„Zeitenbildung" ankommt, also nicht auf die Ausgestaltung des Präsens durch
verschiedene Verbformen. (Brinkmann, D. dt. Spr., S. 319 f.)
[433] Glinz, Deutsche Syntax, S. 75.

## f) Grebe: Die Grammatik der deutschen Gegenwartssprache (Grammatikduden)[434]

Die Dudengrammatik ist in einer anderen Situation als die anderen genannten Grammatiken: Einerseits will sie neueren Erkenntnissen folgen, andererseits will sie an noch haltbar erscheinenden Ergebnissen der traditionellen Grammatik festhalten.

Wie Erben und Brinkmann unterteilt auch der Duden in „Wort" und „Satz". Zum ersten Teil gehört zunächst das Kapitel „Der Laut". Dabei entwickelt er wie Erben[435] keine historische Lautlehre, sondern präsentiert den gegenwärtigen Bestand. Es folgt eine ausführliche Betrachtung der Wortarten, die mit dem Verb beginnt und nacheinander Substantiv, Adjektiv, Begleiter und Stellvertreter des Substantivs, Partikeln und Interjektionen aufführt. In dieser Reihenfolge und unter diesen Bezeichnungen werden die Wortarten auch im Sprachspiegel behandelt,[436] nur daß dort die „Begleiter und Stellvertreter des Substantivs" „Pronomen" genannt werden.[437] Die Besprechung der Wortarten beginnt der Duden jeweils mit einer kurzen Darstellung der Grundleistung. Dann folgen Angaben über die innere Gliederung der Wortart, schließlich solche zur Form (Deklination, Konjugation, Steigerung). Die lückenlose Darstellung des Sprachbestandes der Gegenwartssprache verbindet die Dudengrammatik mit Brinkmann.[438] Die Darstellungsweisen sind jedoch verschieden.

Der Duden als Nachschlagewerk muß streng rubrizieren und sich auf die Mitteilung des Wesentlichsten und Prägnantesten unter einem bestimmten Stichwort beschränken, Brinkmann hat die Möglichkeit breiter Entfaltung, wobei man allerdings manchmal eine etwas engere Grenzziehung begrüßen würde.[439] In Übereinstimmung mit Brinkmann könnte man auch für den Grammatikduden sagen, daß er an die G e s t a l t der sprachlichen Gebilde eine spezifische L e i s t u n g geknüpft sieht. So heißt es zu den Kasus: „Die Leistung der Kasus ist es besonders, die Wesen oder Dinge, mit denen das Verhalten in Beziehung gesetzt wird, sprachlich-formal so zu

[434] Der große Duden, Bd. 4, Die Grammatik der deutschen Gegenwartssprache, hrsg. von der Dudenredaktion unter Leitung von Paul Grebe, 1959.
[435] S. o. S. 67 f.
[436] Sprachspiegel, H. 1 (1. Ausg.), S. 48 ff.
[437] Ebd., 56 ff.
[438] S. o. S. 78 ff.
[439] S. o. S. 82.

kennzeichnen, daß die besondere Verhaltensart, die an den Wesen oder Dingen ausgedrückt werden soll, deutlich hervortritt. Daneben hat der Kasus andere, weniger wichtige Aufgaben zu erfüllen..."[440] Offenbar genügt es Grebe aber nicht, nur Strukturen der Gegenwartssprache aufzuzeigen. Er will sie auch herleiten: „In der Frühzeit der deutschen Sprachgeschichte ist der reine Fall weitaus verbreiteter gewesen als heute, weil er eine unkomplizierte Ausdrucksform ist. Mit fortschreitender Entwicklung suchte die deutsche Sprachgemeinschaft nach differenzierteren, deutlicheren Formen der Beziehung. Sie fand sie in dem Präpositionalfall."[441] Die verbalen Ablautreihen werden jedoch nicht historisch betrachtet. Grebe unterscheidet hier nur drei Reihen und legt dabei die Vokalstände im Präsens, Präteritum und im 2. Partizip zugrunde.

Im ganzen bietet die Dudengrammatik eine Darstellung des sprachlich Möglichen und – von der Anlage her – des sprachlich Richtigen, wobei die Dimension der Fassung von Welt in der Sprache wohl als Voraussetzung besteht, aber nicht diskutiert wird.

Auch hier gibt es keine strikte Trennung von Wortlehre und Syntax, denn die oben erwähnten Leistungen der sprachlichen Erscheinungen können sich nur im Satz ereignen. So heißt es zum Adjektiv: „Auch das Adjektiv nimmt an der ‚Wortung der Welt' (Weisgerber) in besonderer Weise teil. Seine Grundleistung besteht darin, die Stellungnahme des Sprechers zu den Wesen oder Dingen (Substantiv), zum Sein oder Geschehen (Verben), zu Eigenschaften selbst (Adjektiven) oder auch zu Umständen ... auszudrücken, den Eindruck zu bezeichnen, den Wesen, Dinge, Geschehen, Eigenschaften und Umstände auf ihn ausüben."[442] Hier ist beides gut sichtbar: die Fassung der Einzelwortart als Mosaikstein im Gesamtgefüge der Sprache mit ihrer bestimmten Weise der „Wortung der Welt"[443] und die Satzfunktion beim Zusammentreten mit anderen Wortarten.

Eine Untersuchung über den „Inhalt des Wortes und die Gliederung des Wortschatzes" gibt Gipper,[444] wobei er auf die „Sprachabhängigkeit"[445] des Wortes, die mögliche Prägung seines Inhalts durch

440 Duden, S. 175, § 259; vgl. o. zu Brinkmann, S. 80.
441 Duden, S. 175, § 259.
442 Duden, S. 203, § 325.
443 S. u. S. 92, 100.
444 Duden, S. 392–429.
445 Ebd., S. 401, § 810.

Ableitungstyp, Zugehörigkeit zu einer Wortfamilie usw. hinweist.[446]
Bei der Behandlung des Satzes wird eingangs eine Verbindung zwischen Einzelwörtern und Satz hergestellt: „Während es bisher also weitgehend um die dem Satz vorgegebenen sprachlichen Mittel ging (so wenig sich diese allerdings ohne den Satz voll verstehen lassen), geht es nun um die Erkennung des Satzes selbst, in dem diese Mittel wirksam werden und um dessentwillen sie da sind."[447] Vier Satzarten werden „nach der Art der Stellungnahme des Sprechenden zu einer besonderen Wirklichkeit"[448] unterschieden. Es sind Aussage-, Aufforderungs-, Ausrufe- und Fragesatz. Von da aus ergibt sich dann eine Entwicklung der Grundformen deutscher Sätze und eine Besinnung auf die Leistung der einzelnen Satzglieder. Den Schluß bilden Untersuchungen zu den Satzgefügen, in denen „ein vollständiger Satz an die Stelle eines Satzgliedes tritt",[449] und zur Satzintonation.
Die Dudenredaktion hat 1966 eine 2. Auflage des Grammatikdudens herausgegeben.[450] Sie stimmt in der Grundkonzeption mit der 1. Auflage überein. Rückschauend wird die 1. Auflage wegen der 1959 noch unübersichtlichen Forschungslage als Wagnis bezeichnet. Zur Neubearbeitung heißt es: „Heute ... ist die Situation weitgehend verändert. Zunächst zweifelt wohl niemand mehr daran, daß das sprachliche System allein durch eine synchronische Betrachtungsweise angemessen dargestellt werden kann. Dann konnten viele Ansätze der fünfziger Jahre ausgestaltet oder gefestigt werden. Und schließlich liegen inzwischen zahlreiche neue Einzelergebnisse vor, weil die Germanistik in den letzten Jahren weithin die deutsche Gegenwartssprache als Forschungsobjekt aufgegriffen hat. Trotz dieser Entwicklung konnten wir bei der Bearbeitung dieser Neuauflage an dem Gesamtaufbau unserer Grammatik festhalten. Die Grundgliederung in ,Wort' und ,Satz' und die Verteilung des Materials auf diese Hauptabschnitte haben sich bewährt. Im einzelnen wurde vieles ergänzt oder dem heutigen Forschungsstand entsprechend geändert."[451] Schon zur 1. Auflage bemerkt Maurer:

[446] Ebd., S. 411 f., § 811 f.
[447] Ebd., S. 431, § 854.
[448] Ebd., S. 432, § 857.
[449] Ebd., S. 508, § 1053.
[450] Duden: Grammatik der deutschen Gegenwartssprache, 2. Aufl. 1966.
[451] Duden, 2. Aufl., S. 8.

„Eine besondere Leistung scheint mir zu sein, wie für die Bedürfnisse der praktischen und für Laien nützlichen Beratung die wissenschaftlichen Gesichtspunkte in verständlicher Weise verwertet sind."[452] Das trifft in verstärktem Maße für die Neubearbeitung zu.

Die Änderungen und Ergänzungen brauchen nicht im einzelnen genannt zu werden, denn das Bemühen, von einer möglichst lückenlosen Darstellung des gegenwärtigen Sprachbestandes ausgehend spezifische sprachliche Leistungen bewußt zu machen,[453] besteht hier wie in der 1. Auflage. Für das Bemühen, „Grundlinien der Begegnung zwischen wissenschaftlicher und schulischer Grammatik" zu finden,[454] reicht die Einsicht in die Grundkonzeption aus.

g) Weisgerber: Die vier Stufen in der Erforschung der Sprachen[455]

Summarisch charakterisiert Emmy Frey Weisgerbers Position folgendermaßen: „Weisgerber ist Sprachinhaltsforscher, und zwar in folgendem Sinn: Mit Berufung auf Humboldts Satz, daß die Sprache eine ‚wahre Welt' sei, die der Geist ‚zwischen sich und die Gegenstände' setze, leuchtet er den Wortschatz und das syntaktische Arsenal des Deutschen auf ihre, wie er sagt, ‚geistigen' Inhalte ab, die er ihrerseits interpretiert als typische Verfahrensweisen der ‚gesammelten Sprachkraft der Sprachgemeinschaft', als ‚Zugriffe' des Geistes beim ‚Worten der Welt', Zugriffe, deren So und nicht anders Sein für die Weltauffassung der Sprecher einer Sprache und selbst für ihr Verhalten als Gemeinschaftswesen von höchster Bedeutsamkeit sein sollen."[456]

In dem hier zu besprechenden Buche hat Weisgerber viele seiner sprachwissenschaftlichen Erkenntnisse zusammengefaßt. Diese Gedanken sind schon ein Jahr vorher in der dritten Auflage der „Grundzüge der inhaltbezogenen Grammatik"[457] wiedergegeben. Dort heißt es: „Um zu einer sachgerechten Erforschung des Phänomens Sprache zu gelangen, muß man der Reihe nach vier Hauptgesichtspunkte anwenden, die methodisch eine Art Stufenfolge bil-

[452] Maurer, Rezension zur Dudengrammatik, Archiv f. d. Studium d. neueren Sprachen 112, Bd. 197, 1961, S. 183.
[453] S. o. S. 89.
[454] S. u. S. 255 ff.
[455] Weisgerber, Die vier Stufen in der Erforschung der Sprachen, 1963.
[456] Frey, Lage und Möglichkeiten, S. 10 f.
[457] Weisgerber, Grundzüge d. inhaltbez. Grammatik, 3. Aufl. 1962.

den. Sie sind alle vier unentbehrlich, wenngleich sie nicht als einfacher Aufstieg vom Niederen zum Höheren zu fassen sind. Wir unterscheiden sie als lautbezogene, inhaltbezogene, leistungsbezogene und wirkungsbezogene Sprachbetrachtung."[458] Grundlegend ist Weisgerbers energetische Auffassung der Sprache „als eines Weges des geistigen Umschaffens der Lebenswelt",[459] wobei die Sprache also ein Prozeß solcher Umschaffung ist. Das heißt für Verfahren und Ergebnisse ganz allgemein: „Die Leistung der Sprache als ganzer wie ihrer einzelnen Einheiten (Wörter, Satzbau) ist also aus dem Bezug auf diesen Grundprozeß zu bestimmen. Für das wissenschaftliche Verständnis einer Sprache ist demnach die Frage nach den sprachlichen Leistungen, insgesamt also eine leistungsbezogene Betrachtungsweise entscheidend."[460]
Weisgerbers Wirksamkeit beginnt viel früher als die von Glinz, Erben, Brinkmann und Grebe. Sein sprachwissenschaftlicher Ansatz ist in einem Zeitraum von über 40 Jahren unverändert geblieben: „Schon die Probevorlesung vom 25. Mai 1925 enthält in nuce das ganze spätere Programm."[461] Zusammen mit Trier, Porzig und Ammann sucht und erprobt er in den 20er und 30er Jahren neue Wege des grammatischen Denkens.[462] Seine wissenschaftliche Stellung soll aber erst hier ausführlicher dargestellt werden, weil seine Hauptwerke nach dem zweiten Weltkrieg entstanden sind.[463] Er hat neben Glinz, Erben, Brinkmann und dem Grammatikduden deshalb eine Sonderstellung, weil er erstens nicht vom Experiment an der Sprache, sondern vom Denken über die Sprache ausgeht und zweitens exklusiv mit den Begriffen „sprachliche Zwischenwelt", „Sprachzugriffe", „Worten der Welt" usw. arbeitet.
Dem Einwand, die sprachwissenschaftliche Arbeit werde durch seine besondere Methode zersplittert, begegnet Weisgerber selbst: „So sehr wir in Stufen vorgehen müssen, so sehr ist die Ganzheit der Untersuchung jedes Problems durch alle Stufen hindurch zu betonen; von jeder Stufe aus ergeben sich von dem besonderen Ansatzpunkt her Ausblicke auch auf die anderen Stufen, die festgehalten

---

[458] Ebd., S. 23.
[459] Ebd., S. 23.
[460] Weisgerber, Grundzüge d. inhaltbez. Grammatik, S. 23.
[461] Glinz, Dt. Syntax, S. 82.
[462] S. o. S. 44 ff.
[463] Vgl. die Übersicht in Weisgerber, Grundzüge d. inhaltbez. Gramm., S. 416 f.

werden müssen."[464] Ansatzpunkt ist dabei die Auffassung der Sprache als energeia. Sprache hat der Mensch nicht als Besitz, sondern als Aufgabe. „Der Mensch hat Sprachkraft, um damit seine Lebenswelt zu meistern, ein menschliches Leben zu gestalten. Daß Sprache ihrem Wesen nach Energeia, wirkende Kraft, ist, muß an dieser Ausgangsstelle mit aller Deutlichkeit gesagt werden; nur von da aus wird der Grundgedanke der energetischen Sprachbetrachtung durch alle Wirkungsformen der Sprache hindurch konsequent durchführbar."[465]

Im Anschluß an diese Grundlegung erläutert Weisgerber die Tragweite der vier Ansätze der Sprachbetrachtung. In vier Zyklen werden dabei jeweils die Aufgaben der gestaltbezogenen, inhaltbezogenen usw. Grammatik allgemein bestimmt; jeder Zyklus enthält weiter die Abschnitte gestalts-, inhalts- usw. bezogene Wortlehre, Wortbildungslehre und Satzlehre. Es folgt eine Zusammenfassung dieses allgemeinen Teiles als „Ganzheitliche Sprachbetrachtung",[466] dann schließen sich „Modellfälle ganzheitlicher Sprachbetrachtung" an.[467] Es ergeben sich folgende gedankliche Grundlinien:

1) zur Aufgabe der Grammatik:

„Aufgabe der gestaltbezogenen Grammatik ist primär das Bewußtmachen von Lautzeichen, die in einer Muttersprache sprachliche Geltung besitzen. Es handelt sich also darum, die lautlich-geistigen Einheiten dieser Sprache von ihrer gestalthaften Seite her in den Griff zu bekommen."[468] Bei der inhaltbezogenen Forschung muß Weisgerber schon eigenständig einsetzen. Die Untersuchungen dazu müssen Sprachinhalte aus ihrem Gesamtzusammenhang innerhalb der „sprachlichen Zwischenwelt" bewußt machen.[469] Denkvoraussetzung ist dafür, daß die Lautzeichen, mit denen sich die gestaltbezogene Betrachtung beschäftigt, „die Sache nur durch eine geistige ‚Zwischenschicht' ... treffen".[470] Mit diesen beiden Stufen ist das „Wissen über die Sprache" festgestellt,[471] es

464 Weisgerber, Die vier Stufen, S. 15.
465 Ebd., S. 21 f.
466 Ebd., S. 149–158.
467 Ebd., S. 159–294.
468 Ebd., S. 40.
469 Ebd., S. 66.
470 Ebd., S. 66.
471 Ebd., S. 93.

ist grammatisch-analytische Arbeit geleistet.[472] Da aber „Sprache ihrem Wesen nach eine Kraft ist, über die der Mensch verfügt, so ist die Entfaltung dieser Sprachkraft der eigentliche Bezugspunkt für die wissenschaftliche Erforschung des Sprachbereiches".[473] Entfaltung menschlicher Sprachkraft ist nun Aufgabe der l e i s t u n g s - b e z o g e n e n Forschung, wobei die statisch-grammatische Betrachtung hier in energetische Betrachtung umschlägt.[474] Ihr Gegenstand „ist der jeweilige Prozeß des Wortens der Welt durch eine Sprachgemeinschaft. Alles, was in diesem eine Rolle spielt, kommt zu seinem Recht, aber nun nicht mehr als vorgefundener Bestand, sondern als sich vollziehende Leistung".[475] Die w i r k u n g s b e z o g e n e Sprachforschung schließlich bezieht das „Leben" in den Gesichtskreis der Sprachwissenschaft mit ein.[476] „Wenn der Forschungsschwerpunkt ‚Sprache und Gemeinschaft' aus seinen vielen Aufgaben diese Beziehung vor allem herausgehoben hat, so deshalb, weil in der Erforschung der Wirkungen der Sprache im Aufbau des gemeinschaftlich-kulturellen Lebens die Sprachwissenschaft über ihren abgeschlossenen Fachbereich hinauswächst und nun in Wechselwirkung tritt mit anderen Wissenschaften und damit mit den verschiedenen Kulturbereichen, mit der Aufhellung des geschichtlichen Lebens, letztlich mit allen Bemühungen des Menschen, um das Verständnis seines Daseins."[477] Sprachwissenschaft endet somit schließlich bei ontologischen Fragen und Problemen menschlicher Existenz.

Verfolgt man die vier Stufen bei der Betrachtung der Wortlehre, so ergibt sich folgendes:

## 2) Einzelbetrachtungen:

„Im Hinblick auf den Wortschatz einer Sprache führt die gestaltbezogene Grammatik zu einer ersten Inventarisierung des Bestandes an Wörtern. Diese muß beginnen mit dem Bewußtmachen der in einer Sprache als Wortzeichen geltenden Gestalten."[478] Weitere

[472] Ebd., S. 92.
[473] Ebd., S. 92.
[474] Ebd., S. 16.
[475] Ebd., S. 94.
[476] Ebd., S. 123.
[477] Ebd., S. 124.
[478] Ebd., 45.

Aufgaben sind Kennzeichnung nach Phonemen,[479] Konstatierung von „Typen phonologischen Aufbaues von Wortstämmen"[480] und die Herstellung einer „aufschließenden Ordnung"[481] in Form von Wörterbüchern oder nach einer Gruppierung nach Wortfamilien.[482] Hilfe leistet dabei auch die Wortbildungslehre. „Sie bringt den größten Teil des Wortschatzes in eine erste Ordnung, die die Möglichkeit weiterer Auswertung eröffnet."[483] Die inhaltbezogene Wortlehre deckt „Geltungen" der Einzelwörter auf, die sie als Sprachphänomene haben,[484] die sie also weder erst bei der Artikulierung im Satz[485] noch durch Definition[486] bekommen. Es kommt darauf an, „die Sprachinhalte aus den Aufbaugesetzen der Sprache selbst herzuleiten, also zu ihrem Bewußtmachen eigenständige inhaltbezogene Methoden zu erarbeiten".[487] Dabei baut Weisgerber auf Triers Wortfeldforschung auf.[488] Die leistungsbezogene Wortlehre interpretiert die in der vorigen Stufe gewonnenen Wortfelder energetisch. Die festgestellten sprachlichen Merkmale werden darin erkannt, wie sie sich voneinander abheben „und doch sich wieder an anderen Merkmalen messen".[489] Dabei muß sich jedes Merkmal „leistungsmäßig seine Tragweite erst schaffen: als positive Setzung gegen den Gegensatz des Fehlens, als unterscheidende Setzung gegen die konkurrierenden Zugriffe ..."[490] Wie erst ein Globus die Möglichkeit der Zuordnung von Ländern gibt, so ermöglichen erst die Wortfelder „Sicherung der Gesamtheit der sprachlichen Zugriffe".[491] Die wirkungsbezogene Wortlehre setzt die „Gerichtetheit der Sprachzugriffe" voraus[492] und beschäftigt sich mit dem Zusammenhang zwischen Sprachzugriff und seiner Folgeerscheinung. Angeführt wird z. B. die Umwandlung des Begriffes *Fremdarbeiter* in *Gastarbeiter*. Dahinter stehen „ebenso Erfahrungen wie Hoffnungen,

[479] Ebd., S. 45.
[480] Ebd., S. 46; vgl. auch die Übersicht bei Erben, Abriß, S. 5–11.
[481] Weisgerber, Die vier Stufen, S. 46.
[482] Ebd., S. 47.
[483] Ebd., S. 49.
[484] Ebd., S. 68.
[485] Ebd., S. 67.
[486] Ebd., S. 68 f.
[487] Ebd., S. 69 f.
[488] Ebd., S. 70; s. o. S. 33.
[489] Weisgerber, Die vier Stufen, S. 98.
[490] Ebd., S. 98.
[491] Ebd., S. 99.
[492] Ebd., S. 131.

die an der Auswirkung des sprachlichen Zugriffs hängen: das allgemeine Verhalten in der Sprachgemeinschaft soll über den *Gastarbeiter* förderlich beeinflußt werden".[493]
Schließlich ist noch Weisgerbers Auffassung von den vier Weisen der Satzbetrachtung zu besprechen.

Von der Basis der Weisgerberschen Satzlehre, daß dem Satz „der Grundcharakter einer sinnlich-geistigen Ganzheit" zukomme und „diese aufzuweisen... die wesentliche Aufgabe der Satzlehre" sei,[494] war schon im Zusammenhang mit dem Beginn der Forschung von Weisgerber, Trier und Porzig die Rede.[495] Charakteristikum eines jeden Satzes ist es ferner, daß er als gesprochener Satz und somit Einheit der Rede in einem Satzbauplan Gestalt gefunden hat, der Teilbestand der Sprache, der Muttersprache ist. „Das besagt, daß ein jeder Satzbauplan einerseits gestalthaft-sinnlich gekennzeichnet und von anderen abgehoben sein muß, daß er andererseits als Bauplan einen spezifischen Inhalt im Sinne eines geistigen Verfahrens der Satzprägung besitzen muß."[496] Aufgabe der gestaltbezogenen-grammatischen Syntax ist die Erforschung dieser Satzbaupläne. Genauer: „Der gestaltbezogenen Satzlehre obliegt es, den Bestand einer Sprache an solchen Bauplänen bewußt zu machen und jeden einzelnen dieser Baupläne vom sinnlich-Faßbaren aus zu kennzeichnen."[497] Weisgerber knüpft hier an Drachs Satzunterteilung in Vorfeld – Mitte – Nachfeld für den einfachen Aussagesatz an.[498] In dem Aufweisen solcher Stellenwerte sieht er „eine wichtige Möglichkeit für die Beschreibung von Satzbauplänen..., die auf den sinnlich am deutlichsten faßbaren Eigenarten des Ablaufs beruht".[499] Als weitere Punkte für die gestaltbezogene Behandlung von Satzbauplänen kommen noch die Satzmelodie, Kennzeichnung der Wortarten als Satzstücke, Analyse der Satzteile, Wortstellung in Vor- und Nachfeld (Satzwert) und die Kongruenz hinzu.[500] Aufgabe der inhaltbezogenen Satzlehre ist es, den „inhaltlichen Aufschlußwert"[501] von Satzstücken, Satzteilen und

---

[493] Ebd., S. 132.
[494] Ebd., S. 51.
[495] S. o. S. 46 f.
[496] Weisgerber, Die vier Stufen, S. 51.
[497] Ebd., S. 52.
[498] S. o. S. 52.
[499] Weisgerber, Die vier Stufen, S. 59.
[500] Ebd., S. 60.
[501] Ebd., S. 80.

Satzwerten zu ermitteln, die Terminologie soll dabei wohl begrifflich erhalten, aber inhaltlich neu gefüllt werden. Weisgerber schließt
sich dabei Brinkmann an: „Ausgehend von dem Gedanken, daß die
Glieder eines Satzes in aufschließender Zuordnung zueinander
stehen, möchte er (Brinkmann) im Prädikat das Element sehen, das
den Aufschluß gibt, im Subjekt das Element, über das Aufschluß
erteilt wird. Das sind Bestimmungen, die primär auf sprachliche
Beziehungen aus sind, und diese werden weitergeführt in dem Gedanken, daß das Mitspielen weiterer Satzteile in Wechselbeziehung
zu der ‚Valenz‘ des im Prädikat erscheinenden Verbs steht."[502] Auch
in der Festlegung von vier Grundmodellen einfacher Aussagesätze
als Vorgangssatz, Handlungssatz, stellungnehmender und identi-
fizierender Satz will Weisgerber Brinkmann folgen.[503] Im übrigen
referiert er die gegenwärtige Forschungslage, wie sie seit Brinkmann, Erben und Grebe vorliegt, um von da aus die Dringlichkeit
einer umgreifenderen Systematik aufzuzeigen. Insgesamt werden
hier weniger Ergebnisse als Grundrichtungen der Forschung genannt, die eine adäquate Beschreibung der inhaltbezogenen Syntax
des Deutschen ermöglichen können, um damit „den statischen
Aspekt des Weltbildes der Sprache, das, was Wilhelm von Humboldt mit der Weltansicht der Sprache gemeint hat", zu erbringen.[504]
Auch die leistungsbezogene Syntax beschäftigt sich weiter mit den
Satzbauplänen. Die hier bestehende Aufgabe läßt sich z. B. durch
die neue Behandlung der „Satzstücke"[505] verdeutlichen. „Die Bestimmung der Satzstücke erfolgt gemäß den Kategorien der Lehre
von den Wortarten, und was in der gestaltbezogenen Betrachtung
als Summe formaler Indizien (Formenbündel), in der inhaltbezogenen Betrachtung als Ganzheit geistiger Prägung (Bezugsbündel)
erschien, muß nun als Zentrum geistiger Wirkung gefaßt werden.
Das, was es in einen Satzplan einbringt, ist der Ansatz für das Aus-
strahlen einer Ganzheit von geistigen Vorstößen, die ihre Gegen-
stücke verlangen und suchen. In dieser Form von ‚Ausstrahlungs-
bündeln‘ gehen die gestaltenden Leistungen der Wortarten in die
Satzpläne ein."[506] Für den Satz „Er klopfte seinem Freund auf die
Schulter" ergibt sich die Leistung, „daß in einem Akt sprach-

---

[502] Ebd., S. 82.
[503] Ebd., S. 85.
[504] Ebd., S. 91.
[505] S. o. S. 97.
[506] Weisgerber, Die vier Stufen, S. 115.

licher Weltgestaltung geistig begründete ‚Betätigungszusammenhänge' konstituiert und in der muttersprachlichen Geltung dieses Bauplanes dauerhaft aktiviert werden, bereit, als typische Interpretationssituation Akte verständlicher geistiger Verarbeitung von Geschehnissen zu ermöglichen und in bestimmte Richtung zu lenken. Diese Situation wird vor allem verwirklicht durch ein Betätigungsverb und die Koordinierung eines Betätigungsraumes mit einem durch diese Betätigung eigentlich anvisierten Partner."[507] Grundsätzlich hat solche Forschung die Aufgabe, festzustellen, „was ein muttersprachlich geltender Satzbauplan zum Worten der Welt beiträgt und wie man seine weltgestaltende Leistung einsichtig machen kann".[508]

Bei der wirkungsbezogenen Betrachtung der Satzbaupläne geht Weisgerber noch einmal von dem Satz *Er klopfte seinem Freund auf die Schulter* aus. Die in ihm gefaßte Situation faßt er als geistige Situation, da in diesem Satz „offenbar" nichts ist, „was man an der Wirklichkeit ablesen kann, sondern (nur das), was in dieser geistigen Formung ‚gewortet' und in die Geltung eines muttersprachlichen Bauplanes gebracht ist".[509] Wird nun dieser Plan verwendet, wirkt „die in ihm ausgeprägte Interpretation", „und die wirkungsbezogene Betrachtung wird festzustellen suchen, in welchem Umfang von ihm ‚Gebrauch gemacht', welcher Kreis von Geschehnissen durch ihn erfaßt wird".[510] Die letzte Konsequenz wäre hier, bei vollständiger Lösung der Aufgabe an allgemeine Denknotwendigkeiten und vielleicht an allgemeingültige Denkgesetze heranzukommen.[511]

Dieser Entwurf Weisgerbers ist innerlich logisch. Charakteristisch ist ihm die „stete Konzentration auf die höchsten (und ... schwierigsten) Aufgaben der Sprachwissenschaft".[512] Charakteristisch ist ferner der Weg, auf vorwiegend denkerischem, nicht experimentellem Weg etwas zur Sprache zu sagen und über ihr Wesen zu erfahren. Kernstück ist dabei die Anschauung von der sprachlichen Zwischenwelt oder geistigen Zwischenschicht. Jede Artikulation bedient sich der in dieser muttersprachlichen Zwischenwelt bereitge-

---

[507] Ebd., S. 119.
[508] Ebd., S. 117.
[509] Ebd., S. 139.
[510] Ebd., S. 139.
[511] Ebd., S. 140.
[512] Glinz, Dt. Syntax, S. 82.

stellten Möglichkeiten, die aber im Prozeß der Rede als Zugriffe verlebendigt werden, so daß die Sprache in ihrem Wesen nicht als toter Bestand, sondern als immer neuer Vorgang des Wortens der Welt in muttersprachlich geltenden Kategorien erscheint. Die wirkungsbezogene Betrachtung sieht dieses Worten im größeren Rahmen von Sprache und Leben, Sprache und Kultur, Sprache und Geschichte.

Weisgerber wendet seine vier Stufen nur auf wenige „Modellfälle ganzheitlicher Sprachbetrachtung" an,[513] und es ist zu vermuten, daß sich nicht alle Phänomene bei der „Erforschung der Sprachen" durch die vier Stufen verfolgen lassen. Zumindest wird sich für viele sprachliche Erscheinungen keine wirkungsbezogene Betrachtung durchführen lassen. Fälle, in denen sich eine Brücke zwischen sprachlichen Phänomenen und der Prägung des Bewußtseins der Sprachgemeinschaft mit der Konsequenz einer ganz bestimmten Handlungsprägung feststellen lassen, haben wohl immer nur paradigmatischen Wert. Nur einzelne Bereiche innerhalb des Systems Sprache sind so profiliert und der Sprachgemeinschaft unter Umständen so bewußt, daß man sie bis zur wirkungsbezogenen Stufe verfolgen kann. Das sind zum Beispiel die Alternativen Aktiv-Passiv oder solche des Dativ- oder Akkusativgebrauchs.[514] Ob die Aufgaben, die Weisgerber auf der jeweiligen Stufe bewältigen will, richtig umrissen sind, ist eine andere Frage an das System. Emmy Frey schreibt dazu folgendes: „Weisgerber glaubt selber nicht anders als lautbezogen beginnen zu können; er täuscht sich: wenn er zum Beispiel an dem von ihm betrachteten Satz *Er klopfte seinem Freund auf die Schulter* ,Subjekt/Prädikat/Dativobjekt/präpositionale Ergänzung' wahrnimmt, so hat er keine lautbezogene Feststellung getroffen ... Die ,lautbezogene' Stufe ist klar mißbenannt, und die syntaktische Kategorialität hat keinen Platz im System."[515]

Weisgerbers Postulat: „Die vier Stufen ... entsprechen den Grundforderungen, die an die Behandlung jedes sprachlichen Problems gestellt werden müssen",[516] scheint wissenschaftlich wenig aussichtsreich. Die Schulgrammatik kann sich von ihm anregen lassen, muß aber ihre Ergebnisse weniger umständlich erarbeiten: Wer einlinig-

513 Weisgerber, Die vier Stufen, S. 159 ff.
514 Ebd., „Die Akkusativierung des Menschen", S. 215 ff.
515 Frey, Lage und Möglichkeiten, S. 14.
516 Weisgerber, Die vier Stufen, S. 232.

textbezogen und formal-syntaktisch vorgeht, „der hat wohl, ohne von ‚Leistungen' und ‚Wirkungen' zu reden, überhaupt ohne ‚vier Stufen', das erfüllt, was Weisgerber sich wünscht".[517]

## h) Die generative Grammatik

Ich will am Schluß der Darstellung wissenschaftlicher Grammatikforschung auf die Veröffentlichungen der Ostberliner Arbeitsstelle für strukturelle Grammatik hinweisen, die seit 1963 unter dem Titel Studia grammatica erscheinen, obwohl diese Forschungsrichtung noch nicht auf die Schulgrammatik eingewirkt hat.

In der Besprechung des Buches von Bierwisch[518] schreibt Hartmann allgemein zu dem hier praktizierten Verfahren: „Die neueste Entwicklungsstufe" grammatischer Beschreibung „ist heute die Richtung der Transformationsgrammatik: ihr Ziel (ist), die Erscheinungen von Grammatikalität – die grammatisch richtigen Sätze einer Sprache – über ein System von Derivation von Sätzen auseinander zu beschreiben. Diese analytische Praxis, benutzt als System der Herstellung von Sätzen, ergibt die Möglichkeit, Satzstrukturen so zu beschreiben, daß die Regeln angegeben werden, die nötig und zu befolgen sind, um von einer abstrakten Urform aus einen Ausdruck bestimmter (End-)Form herbeizuführen".[519] Es geht um die Formulierung von Regeln für den Satzaufbau, Erzeugungsregeln, die dem Sprecher einer Sprache auf Grund seiner Teilhabe am System vorgegeben sind. Insofern ist diese Grammatik eine Erzeugungsgrammatik.

Studia grammatica Band I enthält programmatische „Thesen über die theoretischen Grundlagen einer wissenschaftlichen Grammatik".[520]

Ausgangspunkt sind sprachliche „Ausdrücke", die folgendermaßen definiert werden: „Ein Ausdruck ist ein Komplex von akustischen oder graphischen Sinnesdaten, die untereinander in bestimmten Beziehungen stehen."[521] Um diese Beziehungen, genauer die direkten Beziehungen der Teile von Ausdrücken zu beschreiben, ist im wesentlichen eine dreischrittige Prozedur notwendig: Untersuchun-

---

[517] Frey, Lage und Möglichkeiten, S. 21.
[518] Bierwisch, Grammatik des deutschen Verbs, 1963.
[519] Hartmann, Bierwisch-Rezension, S. 539.
[520] St. gr. I, S. 9–30.
[521] Ebd., S. 12.

gen auf der Satzstrukturebene, der Morphemebene und der Phonemebene. Geht man von dem Satz *Die Kinder singen ein Lied* aus, so läßt er sich als Nominal- und Verbalphrase fassen:

Satz → (= ist zu ersetzen durch) Nominal- und Verbalphrase

In weiterer Spezifizierung heißt das:

$$\text{Satz} \rightarrow \text{NP} + \text{VP}$$
$$\text{NP}_0 + \text{Verb} + \text{NP}_1$$

Satz → D (Artikel) + S (Subst.) + p (Plural) + Ps (Personalkate-
   *(Die        Kinder*

   gorien) + V (Verb) + D + S
   *singen ein Lied)*

oder:

$$((\text{D} + \text{S} + \text{p})_{\text{NP}_0} + ((\text{Ps} + \text{V})_{\text{Verb}} + (\text{D} + \text{S})_{\text{NP}_1}) \text{ VP})_{\text{Satz}}$$
   *(Die Kinder        singen        ein Lied)*

Dabei haben sich im Laufe der Repräsentation des Gesamtausdrucks durch in ihm enthaltene Einheiten und Relationen Regeln ergeben, die „Formationsregeln" genannt werden.[522] Der Pfeil ist dabei jeweils als „ist zu ersetzen durch" zu lesen:

Satz → NP + VP (Nominalphrase + Verbalphr.)
NP → D + S ( + p) (Artikel + Substantiv im Sg. oder Pl.)
VP → Verb + $\text{NP}_1$
Verb → Ps + V (Personalkategorien + Verb)

Mit der Erstellung der Formationsregeln ist die Arbeit auf der Satzstrukturebene abgeschlossen.

Es folgen Untersuchungen auf der Morphemebene.

Geht es auf der 1. Stufe (Satzstrukturebene) um regelhafte Erfassung der Repräsentation des Gesamtausdrucks durch Untereinheiten und Relationen, so folgt auf der Morphemebene die Repräsentation jedes Ausdrucks „durch eine Sequenz verketteter Morpheme".[523] Morpheme sind in dem Beispielsatz: *der, ein,* p (Plural), $\text{Ps}_{3p}$ (3. Pers. Plural), *kind, lied, sing.* Die in der Satzstrukturebene gewonnene Formation

$$((\text{D} + \text{S} + \text{p})_{\text{NP}_0} + ((\text{Ps} + \text{V})_{\text{Verb}} + (\text{D} + \text{S})_{\text{NP}_1}) \text{ VP})_{\text{Satz}}$$

kann nun durch die Morpheme (kleinste bedeutungstragende Ge-

---

[522] Ebd., S. 19.
[523] Ebd., S. 20.

stalteinheiten) repräsentiert werden, wobei folgende „Belegungsregeln" gelten:[524]

$$D \rightarrow der, ein \qquad S \rightarrow kind, lied \qquad V \rightarrow sing$$

D, S und V sind dabei Morphemklassen, die durch Einzelmorpheme ersetzt werden. Zu Wörtern kommt man nun, indem „bestimmte Morpheme oder Morphemklassen als Wurzeln, andere als Präfixe und Suffixe klassifiziert und von dieser Definition abhängige Wortgrenzen durch entsprechende Regeln eingeführt werden".[525]
Auf der 3. Stufe ist dann schließlich die Phonemebene erreicht. Hier werden Regeln angewendet, die „ein Morphem oder einen Morphemkomplex in eine Phonemkette" überführen.[526] Die Repräsentation hat folgende Gestalt:

$$/di:/k'inder/z'iŋen/ain/l'i:d/$$

Zusammengefaßt ergibt sich folgender Weg:
Ausdruck als Ausgangspunkt; Untersuchungen auf

1. Satzstrukturebene
Gliederung nach Formationsregeln; regelhafte Erfassung der Repräsentation des Gesamtausdrucks durch (Unter)-Einheiten und Relationen

2. Morphemebene
Repräsentation der schon in der Satzstrukturebene bezeichneten Morphemklassen durch Morpheme nach Belegungsregeln; Herstellung der endgültigen Wortgestalten

3. Phonemebene
Darstellung der Klanggestalt
Auf diese Weise lassen sich nur direkte Beziehungen innerhalb von Ausdrücken beschreiben. Zur Beschreibung indirekter Beziehungen wird eine Transformationsebene eingeführt, die ihren Rang neben der Satzstrukturebene hat. Diese Transformationsebene „wird in die Theorie nicht eingeführt, weil andernfalls die Beschreibung der direkten Beziehungen unvollständig wäre, sondern weil sie die Beschreibung bestimmter indirekter Beziehungen innerhalb eines einheitlichen Modells gestattet".[527]

---

[524] Ebd., S. 20.
[525] Ebd., S. 21.
[526] Thesen, S. 22.
[527] Ebd., S. 29.

Emmy Frey äußert die Hoffnung, die Erkenntnisse der generativen Grammatik möchten auch für die Schule fruchtbar gemacht werden.[528] Wie gesagt, hat sich bis jetzt in der Schulgrammatik ein Widerhall auf die generative Grammatik aber nicht gefunden. Sie kann deshalb im weiteren Verlauf der Arbeit unberücksichtigt bleiben.

### 5. Zusammenfassung:
### *Hauptrichtungen wissenschaftlicher Grammatikforschung seit 1900*

Mit der Darstellung wissenschaftlicher Grammatikforschung von der Jahrhundertwende bis zu Weisgerbers „Die vier Stufen in der Erforschung der Sprachen"[529] ist der erste Hauptteil dieser Arbeit abgeschlossen. Der Vergleich zwischen junggrammatisch-historischer Sprachbetrachtung um 1900 und der heutigen strukturalistischen, inhalt- und leistungsbezogenen Grammatik macht den Weg deutlich, den die Sprachwissenschaft gegangen ist. Die Forschungsintention hat sich von der Formenlehre zur Syntax verlagert. Heutige Grammatiken setzen bei der Behandlung der Wortarten immer schon die Perspektive „Satz" voraus. Die Junggrammatik beschäftigte sich mit dem in zeitlicher Erstreckung vorliegenden Sprachbestand. Ihr Verdienst besteht in der Erhellung des ergon. Die Sprachwissenschaft nach dem 2. Weltkrieg arbeitet synchronisch. Sie versucht auf verschiedene Weise, Gestalt und Leistung des Deutschen aufzudecken. In der Einbeziehung der Formenlehre gehen die Forscher verschieden weit: Bei Erben z. B. haben die Wortformen als Träger sprachlicher Funktionen keinen Eigenwert, und „Wortarten" erscheinen als Funktionsgruppen im Satz, Glinz kann dagegen eine typische Wortartengestalt zur Herausarbeitung von „Größen" mit heranziehen.[530] Die Junggrammatiker betrachteten aufeinander folgende Sprachzustände, um Einsicht in „Prinzipien der Sprachgeschichte" zu erhalten. Sie gehen methodisch gleich vor. In der heutigen Sprachwissenschaft sind dagegen verschiedene Methoden entwickelt, um die „innere Form des Deutschen" zu entdecken. Glinz versucht „eine morphologische Beschreibung" und erstellt „die erste strukturalistische Grammatik

[528] Frey, Lage und Möglichkeiten, S. 46.
[529] S. o. S. 92 ff.
[530] S. o. S. 68 f.

des Deutschen",[531] Erben arbeitet leistungsbezogen, Grebe und Brinkmann bieten eine Beschreibung des gegenwärtigen Sprachzustandes und spüren seine Leistung auf.[532] Weisgerber charakterisiert seine Forschung selbst als inhalt- und leistungsbezogen.[533] Im Hinblick auf die verschiedenen Methoden und die daraus resultierenden Einzelergebnisse der deutschen Syntaxforschung fordert er eine umgreifende Systematik.[534]

Folgende wichtige Zwischenstationen haben den heutigen Stand der Forschung vorbereitet:[535]

1. Die psychologische Sprachwissenschaft

Gegen die Junggrammatik hat sie die Wissenschaftlichkeit synchronischer Forschung erwiesen (Dittrich).[536] Sie hat versucht, die Sprachbetrachtung von allen einengenden logisch-rhetorischen Kategorien zu befreien (Wunderlich-Reis, Kalepky).[537] Ihr Versuch, von „inneren Vorgängen" beim Menschen aus die Sprache zu erforschen,[538] war ein Irrweg.

2. Die Wendung zur „Sprache der Gegenwart"[539]

Sütterlin gibt eine reihend-präsentierende Bestandsaufnahme der Gegenwartssprache. Forschungsgeschichtlich ist seine Fixierung des Sprachbestandes Voraussetzung für das Aufzeigen sprachlicher Leistungen. Wie die Junggrammatik arbeitet er am ergon.

3. Die Erkenntnis, Sprache sei Ausdruck der Weltsicht (Finck)[540] und die Scheidung von überindividueller Sprachwirklichkeit und Rede (Ammann).[541] Finck versucht zum erstenmal, der Sprache Leistungen abzuhorchen. Ammann entwickelt als erster eine lebendige Satzlehre. Beide arbeiten im Sinne Wilhelm von Humboldts. Sie sind Vorläufer Weisgerbers, der den Humboldtschen Ansatz ebenfalls übernommen hat.[542]

4. Die Wendung zur inhalt- und leistungsbezogenen Sprachforschung um 1925; theoretische Fundierung der Synchronie durch

[531] S. u. S. 251.
[532] S. o. S. 89.
[533] S. o. S. 92 f.
[534] S. o. S. 98.
[535] Vgl. dazu auch die Übersicht u. S. 280 ff.
[536] S. o. S. 30 ff.
[537] S. o. S. 36 ff., 38 ff.
[538] S. o. S. 46.
[539] S. o. S. 28 ff.
[540] S. o. S. 25 ff.
[541] S. o. S. 48.
[542] S. o. S. 92.

Saussure. In dieser Zeit wird durch Porzig, Weisgerber, Neumann, Trier und Hempel der Grund für die heutige Situation gelegt.[543] Seit dieser Zeit steht die Syntaxforschung im Vordergrund. Durch die Scheidung von langue und parole gibt Saussure neue Impulse, die von der deutschen Grammatik nach 1945 aufgenommen werden können.[544]

5. Die Erarbeitung von Satzbauplänen durch Erich Drach

Die „Grundgedanken der deutschen Satzlehre"[545] von 1937 fassen die vorliegenden Einzelergebnisse zusammen. Sie bilden den Schlußpunkt der Entwicklung vor dem 2. Weltkrieg.

Alle großen Grammatiken aus der Zeit nach dem 2. Weltkrieg wollen Einsicht in das Wesen der deutschen Sprache geben. Sie tun das von verschiedenen Ansätzen aus, wobei mehrere in sich geschlossene Systeme entstanden sind. Gemeinsam ist allen Grammatiken aber trotzdem, daß ihre Methoden nicht fremdbestimmt sind, sondern dem Forschungsgegenstand „Sprache" auf je verschiedene Weise gerecht werden können. Die ausschließliche Orientierung der Sprachwissenschaft an ihrem Gegenstand und die Geschlossenheit der einzelnen Systeme sprachwissenschaftlicher Forschung führt zu der Frage, inwieweit Übernahmen von hier in die mit anderen Zielsetzungen arbeitende Schulgrammatik möglich sind.

[543] S. o. S. 40 ff.
[544] S. o. S. 56 ff., bes. S. 58.
[545] S. o. S. 49 ff.

## II. DARSTELLUNG VON SCHULGRAMMATIKEN UND SCHULGRAMMATISCHEN DENKWEISEN SEIT DEM ENDE DES VERGANGENEN JAHRHUNDERTS

### 1. Einleitung

Die Struktur der Sprachbetrachtung in der Schule wird von anderen Bedingungen bestimmt als die der wissenschaftlichen Grammatik. Sie steht zwischen zwei Polen und hat sich an der Sprachwissenschaft auf der einen und der Pädagogik und der Psychologie auf der anderen Seite zu orientieren. Darüber hinaus hat sie ihren Platz in der jeweiligen Bildungskonzeption der höheren Schule. Die den Grammatikunterricht bestimmenden Einzelkomponenten sind demnach:

1. Ergebnisse der Sprachwissenschaft.
2. Besinnung auf den Bildungswert des Stoffes innerhalb der Bildungskonzeption der Schulgattung.
3. Überlegungen fachdidaktischer Art.
4. Überlegungen jugendpsychologischer Art zur phasengerechten Gliederung des Stoffes.
5. methodische Überlegungen über die Art der Stofferschließung für den Schüler.

Da auch der Grammatikunterricht seinen Beitrag zur „allgemeinen Bildung" leisten muß, kann sein Ziel nicht sein, aus Schülern Sprachwissenschaftler zu machen. Seine Aufgabe ist vielmehr, das eigene Sprachhandeln bewußt zu machen und zu steuern und das Sprechen anderer besser verstehen zu lehren. Er steht im Dienst der Stillehre und der Interpretation.[1] Die Richtlinien von 1963[2] formulieren als Bildungsaufgabe, er solle den Schüler „Sprache als ein vielschichtiges Gebilde verstehen lassen, mit dem der Mensch die Dinge und Gegebenheiten zu Gegenständen seines Bewußtseins macht".[3] Dieses Ziel wird selten zu erreichen sein.

[1] S. u. S. 262 und o. S. 51.
[2] S. u. S. 262 f.
[3] Richtlinien, S. 2.

Treibende Kräfte bei der Umgestaltung von Sprachbüchern sind pädagogische Gesichtspunkte[4] und der Fortschritt der Wissenschaft.[5] Dabei ergeben sich folgende Probleme:

1. Inwieweit können Methoden und Ergebnisse aus in sich geschlossenen sprachwissenschaftlichen Systemen in eine bestehende schulgrammatische Konzeption integriert werden?

2. Darf die Fremdsprachengrammatik Übernahmen aus der Sprachwissenschaft beeinflussen? Soll eine auch für die Fremdsprachen geltende Terminologie bestehen?

3. In welchem Maß darf die Schule sprachwissenschaftliche Ergebnisse modifizieren, wenn sie der Fachdidaktik und der Jugendpsychologie gerecht werden will?

Die im zweiten Hauptteil der Arbeit behandelten Sprachbücher haben diese Fragen auf verschiedene Weisen beantwortet. Die Struktur ihrer Sprachbetrachtungsteile ergibt sich dadurch, in welchem Maße und auf welche Weise Ergebnisse der Sprachwissenschaft aufgenommen, verarbeitet und in die jeweils herrschende Bildungskonzeption eingegliedert worden sind. In den folgenden Einzeldarstellungen hebe ich das Charakteristische der schulgrammatischen Konzeption heraus. Für jedes Sprachbuch punktuell den Einfluß der wissenschaftlichen Grammatik nachzuweisen, wäre ermüdend und ergäbe keinen Überblick über den Untersuchungszeitraum. Eine umfassendere Darstellung der Beeinflussung schulischer durch wissenschaftliche Grammatik, der Intensität und der Grenzen dieser Beeinflussung versuche ich im dritten Teil der Arbeit.

## 2. Deduktiv-logische Schulgrammatiken

a) Abhängigkeit dieser Richtung von K. F. Becker

Die deduktiv-logische Art des Sprachunterrichtes in der Schule wird allgemein auf Karl Ferdinand Becker zurückgeführt.[6] In der Tat sieht Becker die Sprache entweder als eine „Verrichtung... durch welche der Mensch seine Gedanken bezeichnet" oder aber als „die Gesamtheit der bei diesem Volke (dem deutschen) vorhandenen Wörter und ihrer Formen und Verbindungen" zum

[4] S. u. zu Schmitt-Martens, S. 193 f.
[5] S. u. zum Deutschen Sprachspiegel, S. 201.
[6] Vgl. z. B. Glinz, Deutsche Syntax, S. 52.

Austausch der Gedanken.[7] Obwohl Sprache auch als „Verrichtung"
gesehen wird, ist an eine Scheidung von Sprache und Rede gar
nicht gedacht. Sie ist noch kein Problem. Folglich ist Sprache primär
ein Bestand, den es zu systematisieren gilt: „Die Sprachlehre soll
nur die in der Sprache vorkommenden Wort- und Redeformen
verstehen und ihrer wahrhaften Bedeutung gemäß gebrauchen
lehren."[8] Im Vorwort wird hinzugefügt, daß dadurch dem Schüler
„auch die Erlernung der fremden Sprachen um vieles erleichtert
wird". Das Wort ist dabei „gleichsam der Laut gewordene Begriff
selbst",[9] und es ist einleuchtend, daß in dieser sprachlichen Begriffs-
welt Ordnung herrschen muß. Daß Becker von der Philosophie
her kommt und philosophisch-abstrakte Denkergebnisse auf die
Sprache anwendet, zeigen folgende Sätze: „Tätigkeit und Sein
sind die obersten Begriffsformen, und Verb, Adjektiv und Substantiv die obersten Wortformen der ganzen Sprache."[10] „Wir nennen
den Begriff des Prädikats, weil er den eigentlichen Inhalt des Gedankens ausmacht, den Hauptbegriff des Satzes, und das Wort,
welches das Prädikat ausdrückt, ... das Hauptwort des Satzes. Wir
nennen ferner den Begriff des Subjekts, der dem Hauptbegriff
untergeordnet ist, den Beziehungsbegriff, d. h. den Begriff, auf
welchen der Hauptbegriff bezogen ist, und dasjenige Wort, welches
den Beziehungsbegriff ausdrückt, ... das Beziehungswort."[11] Das
heißt, daß alle sprachlichen Erscheinungen und Bewegungen in
einem abstrakt-gedanklichen idealen Raum als mitvollzogen vorgestellt werden müssen, wobei gar keine andere Wahl bleibt, als
auch die Sprache in ihrem Material-Sein der Wörter und Sätze
logisch zu betrachten. Dafür nur ein Beispiel. In der Syntax, deren
erstes Kapitel die Überschrift „Entwicklung des Satzes" hat, erprobt Becker die Spielarten syntaktischer Fügungen. Einer der
ersten Sätze zur Syntax heißt: „Das Subjekt (*Vater* [in dem Satz:
*Der Vater schreibt*]) kann zu einem attributiven Satzverhältnis
(der gebeugte Vater oder der Vater des Kranken) und das Prädikat zu einem objektiven Satzverhältnisse (schreibt einen Brief oder
schreibt an den Arzt) erweitert werden."[12] Nicht der Satz liegt

[7] Becker, Schulgrammatik, S. 1.
[8] Ebd.
[9] Ebd., S. 2.
[10] Ebd., S. 3.
[11] Ebd., S. 15.
[12] Ebd., S. 141.

vor und wird untersucht, wobei etwa die Wertigkeit des Verbs eine Rolle spielte, sondern die syntaktischen Fügungsmöglichkeiten sind vorgegeben, und das Sprachmaterial kann so oder so in sie einfließen.

Die Sprachlehre soll also die von hierher gesehen notwendigen und fixierten Redeformen verstehen und ihre wirkliche Bedeutung aufdecken. Das war um 1900, also in der Zeit, in der diese Arbeit ansetzt, noch 70 Jahre nach Becker, erklärtes Ziel des Grammatikunterrichtes zumindest der höheren Schule. Einer der Hauptvertreter dieser Richtung war Otto Mensing.

### b) Mensing: Deutsche Sprachlehre für höhere Schulen[13]

Diese Sprachlehre erscheint 1903 zum ersten Mal. Sie war ein Standardbuch der höheren Schulen bis in die dreißiger Jahre hinein. Wie aus den in der 25. Aufl. abgedruckten Auszügen zur 1. und 19. Aufl. und dem Vorwort zur 25. Aufl. hervorgeht, hat sich die Gesamtkonzeption der Sprachlehre kaum geändert. Somit bietet dieses Standardwerk einen guten Einblick in die grammatische Arbeit der höheren Schule über einen Zeitraum von etwa 30 Jahren.

Dieses Sprachbuch will einen neuen Abschnitt in dem Grammatikunterricht der Schule einleiten, denn zu Beginn des Vorwortes zur ersten Auflage wird ein von einer Direktorenversammlung formulierter Passus über die Gestaltung des grammatischen Unterrichtes zitiert: „Ein auf wissenschaftlicher Grundlage beruhender Leitfaden, der auf die praktischen Bedürfnisse Rücksicht nimmt, muß sich in den Händen der Schüler befinden."[14] Dieser eine Satz enthält manchen für uns heute verwunderlichen Aspekt: Es scheint 1903 etwas Neues zu sein, daß nun auch der Schüler ein Sprachbuch in den Händen hat. Grammatikunterricht wurde vorher vorwiegend vom Lateinischen her oder durch Demonstration des Lehrers bestritten. Auffallend ist weiter die Forderung nach der wissenschaftlichen Grundlage überhaupt oder nach ihr als der Grundlage eines Schulbuches. Gemeint ist die Neufundierung des Grammatikunterrichtes im Hinblick auf die Ergebnisse der deutschen Philologie besonders im ausgehenden 19. Jahrhundert. Das kann nur heißen, das Schulbuch den Erkenntnissen der Jung-

---

13 Mensing, Deutsche Sprachlehre für höhere Schulen, Ausg. C, 25. Aufl. 1926.
14 Ebd., S. 3.

grammatik zu öffnen, die bis dahin zu wenig berücksichtigt worden sind. Schließlich läßt der Relativsatz dieses Passus aufhorchen, denn er enthält eine vollständig andere didaktische Konzeption, als sie heute besteht. Der Schüler soll ein auf wissenschaftlicher Basis – 1903 heißt das: auf der Basis der Junggrammatik – erarbeitetes Buch in Händen haben, das „auf die praktischen Bedürfnisse Rücksicht nimmt".[15] Somit liegt das Schwergewicht auf der wissenschaftlichen Seite, danach will Mensing auf das Sprechen und Schreiben der Schüler eingehen. Im Anschluß an dieses Zitat präzisiert Mensing seine Absichten ganz in Übereinstimmung mit der Junggrammatik so: „Bei aller Beschränkung auf das Notwendige sucht das Büchlein ... das Verständnis für die geschichtliche Entwicklung der wichtigsten Spracherscheinungen anzubahnen. Dadurch hofft es zugleich, die Sprachrichtigkeit zu fördern... Die Wortbildungslehre möchte die Schüler mit den einfachsten Bildungsgesetzen bekanntmachen ... und überall auf die Möglichkeit von Doppelbildungen hinlenken... Die Satzlehre endlich geht darauf aus, den Aufbau des Satzes aus seinen Teilen darzulegen und von der Verwendung der Wortklassen im Satz eine richtige Vorstellung zu erwecken."[16] Das als Rahmen gegebene große Ziel ist, „der Gefahr, die deutsche Sprache wie eine Fremdsprache zu behandeln, ... vor allem aus dem Wege zu gehen".[17] Auch zur Darstellung der Methode, die seinem Sprachbuch zugrunde liegt, äußert Mensing sich: „Es unterscheidet sich von den meisten mir bekannten Lehrbüchern grundsätzlich dadurch, daß es nicht eine systematische Darstellung der deutschen Grammatik unternimmt, sondern nur die wichtigsten, dem Denken eigentümlichen Gesetze in möglichster Kürze behandelt."[18]

Das Sprachbuch hat drei Teile: Lautlehre, Wortlehre, Satzlehre. Dabei sind jeweils einzelne Abschnitte dieser Kapitel als für die Klassen Sexta bis Obertertia geeignet gekennzeichnet. Es ist also zu unterscheiden zwischen dem wissenschaftlichen Aufbau, den das Werk in Anlehnung an die wissenschaftliche Grammatik dieser Zeit hat,[19] und der für den Schüler vorgenommenen methodischen Aufschlüsselung, durch die möglichst stufengemäße Abschnitte aus

[15] S. o. S. 110.
[16] Mensing, Deutsche Sprachlehre, S. 3.
[17] Ebd.
[18] Ebd.
[19] Zur Sprachwissenschaft dieser Zeit s. o. S. 20 ff.

den drei großen Teilen ausgesondert und zusammengestellt werden. Im folgenden sollen die Hauptlinien des für die Schüler gedachten Weges grammatischer Arbeit verfolgt und nachgezeichnet werden. Die wissenschaftliche Konzeption, die Mensing vertritt, ergibt sich in ihren Einzelheiten dabei von selbst.

Der Sexta-Kurs beginnt mit den Lauten, geschieden in Vokale, Diphtonge, Halbvokale und Konsonanten. Die Konsonanten werden unterschieden nach Artikulationsstelle und Artikulationsart. Eingeschoben sind ausführliche Anmerkungen zum Problem der Kongruenz von Schriftzeichen und Aussprache, vor allem im Zusammenhang der Mundarten. Nach dieser Beschäftigung mit den kleinsten Einheiten der Sprache folgt die Behandlung der Wörter. Die z e h n  W o r t a r t e n werden vorgestellt und durch Beispiele, nicht aus dem Sprachzusammenhang heraus, erklärt. Es folgt eine nähere Beschäftigung mit einzelnen Wortarten, wobei das Verb als wichtigste Wortart an erster Stelle erscheint. Personen, Numeri, die sechs Tempora mit Futur II, Genera und Modi werden präsentiert. Dazu kommt noch die Scheidung in starke und schwache Konjugation. Alle Einzelheiten erscheinen als grammatische Phänomene, die es „gibt" und die deshalb bewußt gemacht werden oder gelernt werden müssen. Texte gibt es in der Grammatik selbst nicht. Sie sind als Übungstexte, in denen man das Gelernte anwenden kann, als zweiter Teil der Grammatik angehängt. Typisch sind bei dieser Art der Grammatik Wendungen wie „Die Vergangenheit hat immer...", „Man unterscheidet...", „Die starken Zeitwörter bilden...."[20] So heißt es zum Passiv: „Die Leideform wird gebildet durch Zusammensetzung des Hilfszeitwortes ‚werden' mit dem Mittelwort der Vergangenheit (Part. Perf.)... Es gibt von ihr alle sechs Zeiten."[21] Der einzelsprachliche Komplex „ich werde gelobt" erscheint demnach zunächst gar nicht als Aussageteil der Sprache – und schon gar nicht der Rede, sondern als Fügeergebnis mehrerer zusammentretender Formen. Nach demselben Prinzip werden die Kasus und die Arten der Deklination präsentiert.

Bei der Besprechung der Pronomen wird die Darstellung zum ersten Mal historisch: „Die Biegung der persönlichen Fürwörter ist von der aller anderen Wörter ganz verschieden, namentlich deshalb,

---

[20] Mensing, Deutsche Sprachlehre, S. 16 f.
[21] Ebd., S. 15.

weil sie ihre Formen von mehreren verschiedenen Stämmen bilden."[22] Und: „Der zweite Fall in der Einzahl von i c h hieß früher m e i n ... Heute sind die längeren Formen gebräuchlich."[23] Ausführliche historische Rückblicke werden dann in späteren Klassen gegeben.

Bei den Adjektiven wird die Steigerung behandelt. Die Stufen heißen bei Mensing Grundstufe, Vergleichsstufe und Auszeichnungsstufe. Auch hier wird rein formal dargestellt: „Die Vergleichsstufe wird gebildet durch Anhängung von -er an die Grundstufe, die Auszeichnungsstufe durch Anhängung von -est oder -st an die Grundstufe."[24]

Die Gruppe der Zahlwörter wird in Grundzahlen und Ordnungszahlen differenziert. Hier erscheint zum erstenmal andeutungsweise die Perspektive „Satz": „Alle Zahlen können als Hauptwörter (substantivisch) oder als Eigenschaftswörter (adjektivisch) gebraucht werden."[25]

Daß auch Mensing noch in den Bahnen der lateinischen Grammatik denkt, wird bei der Behandlung der Adverbien deutlich. Dort heißt es: „Man darf das Umstandswort ... nicht mit dem Eigenschaftswort verwechseln. Vergleiche die Sätze: *Der Vogel ist schnell* – und: *Der Vogel fliegt schnell*. Im ersten Teil ist *schnell* ein Teil der Satzaussage (des Prädikats); es dürfte nicht fehlen. Im zweiten Satz ist *schnell* eine Erweiterung, eine nähere Bestimmung der Satzaussage; es könnte auch fehlen; der Satz würde doch einen Sinn geben."[26] Zu solchen Aussagen kommt man nur, wenn man vom Satz als grammatischer Einheit mit den Mindestbestandteilen Subjekt und Prädikat ausgeht, denn nimmt man den Satz als Mitteilungs-, Rede-, Sinn- oder Hinsetzungseinheit, dann besteht eben doch ein großer Unterschied zwischen Sätzen wie *Der Soldat kämpft* und *Der Soldat kämpft tapfer*, die ebenfalls als Beispielsätze in diesem Zusammenhang erwähnt werden. Geht man von den vorgenannten Satzdefinitionen aus, darf *tapfer* eben nicht fehlen.

Die Präpositionen werden wiederum historisch als echt und unecht gekennzeichnet. „Alle echten Verhältniswörter sind aus Umstands-

---

[22] Ebd., S. 34.
[23] Ebd., S. 35.
[24] Ebd., S. 40 f.
[25] Ebd., S. 41.
[26] Ebd., S. 42.

wörtern entstanden und ... haben den vierten Fall oder den dritten Fall nach sich."[27] „Unechte Verhältniswörter sind aus Hauptwörtern entstanden und haben deswegen stets den zweiten Fall bei sich."[28]

Damit ist der erste Wortlehrekursus abgeschlossen. Die Wortlehre bildet den Hauptteil des Sextapensums und liefert dem Schüler den Grundbestand an Kenntnissen zur Einordnung von Wörtern in Gruppen. Diese Gruppen werden nicht gefunden, sondern sie sind vorgegeben. Genauso werden regelmäßige Veränderungen der Wörter nicht an Texten entdeckt, sondern auch sie werden lediglich als Konjugation, Deklination oder Steigerung bezeichnet und rubriziert.

Wie schon bei der Besprechung der Adverbien zu erschließen war, sieht Mensing den S a t z als z w e i g l i e d r i g e  E i n h e i t : „Die Hauptglieder des Satzes sind Satzgegenstand (Subjekt) und Satzaussage (Prädikat)."[29] Mit dieser Feststellung befindet sich Mensing 1903 in Übereinstimmung mit fast allen bedeutenden Grammatiken seiner Zeit. Delbrück definiert in den „Grundfragen" von 1901[30] den Satz als eine Äußerung, die aus mindestens zwei Gliedern besteht,[31] Paul formuliert, wie schon oben angeführt,[32] in der 4. Auflage der „Prinzipien" folgendermaßen: „Jeder Satz besteht aus ... mindestens zwei Elementen. Diese Elemente verhalten sich zueinander nicht gleich, sondern sind ihrer Funktion nach differenziert. Man bezeichnet sie als Subjekt und Prädikat."[33] Ähnlich sieht Sütterlin das Satzproblem. In seinem Buch „Das Wesen der sprachlichen Gebilde" von 1902 möchte er jedoch „nach der Art, wie sich die Vorstellungen zerlegen, eingliedrige (unpaarige) Sätze und zweigliedrige" unterscheiden.[34] Sieht man von den psychologischen Gedankengängen ab, so vertritt auch er die Zweiteiligkeit,

---

[27] Ebd., S. 42 f.
[28] Ebd., S. 45.
[29] Ebd., S. 74.
[30] S. o. S. 18.
[31] Delbrück, Grundfragen, S. 145.
[32] S. o. S. 15 f.
[33] Paul, Prinzipien, 4. Aufl., S. 124.
[34] Sütterlin, Das Wesen, S. 151; so auch noch in der 4. Aufl. von „Die dt. Spr. d. Gegenw.", 1918, S. 285 nach einem kurzen Referat der Satzvorstellungen von Paul und W. Wundt („Neuerdings hat nun aber Wundt einen Satz nur da anerkannt, wo eine Gesamtvorstellung ... willkürlich in ihre in gedankliche Beziehung zueinander gesetzten Bestandteile gegliedert werde"): Man unterscheidet am besten „auch fürderhin einteilige Äußerungen und zweiteilige".

läßt jedoch auch „unpaarige" Sätze neben ihr gelten. Auch heute noch wird von manchen Grammatiken, etwa von Rahn-Pfleiderer und Hirschenauer-Thiersch,[35] an dieser strikten Zweiteiligkeit festgehalten. Das ist allerdings nur dann der Sprache angemessen und vertretbar, wenn der Satz zunächst als Bestandteil der Rede gefaßt und als Ganzheit begriffen wird. Die grammatischen Kategorien können dann dazutreten und helfen, seine Einheit als spannungsvolle Vielheit zu offenbaren. Bei Mensing fehlt diese Vorbereitung und darin offenbart sich ein ganz bestimmtes Verhältnis von Grammatik überhaupt. Es ist Grammatik, die vom System her denkt. Nicht der Inhalt dessen, was gefügt wird, interessiert, sondern lediglich die Fügemöglichkeiten. Die grammatischen Begriffe, also z. B. Subjekt und Prädikat, Konjugation oder Deklination, bekommen dadurch eine Präponderanz vor allem Sprachstoff, an dem sie sich realisieren. Grammatische Ergebnisse werden so an der Sprache demonstriert. Wenn oben gesagt wurde, daß auch Mensing den historischen Aspekt hat,[36] so widerspricht das dem Gesagten nicht. Denn diese historischen Ergebnisse münden nicht in die Gesamtkonzeption, um sie zu stützen, sondern sie laufen neben ihr her. Der Raum einer Schulgrammatik ist auch zu eng, um grammatische Kategorien wirklich herleiten zu können.

Die folgenden Abschnitte zur Satzlehre stützen das eben Gesagte. Zum „erweiterten" Satz heißt es: „Ein Satz, der mehr enthält als Satzgegenstand und Satzaussage, heißt ein erweiterter (oder bekleideter) Satz."[37] Der Einführungssatz zum Attribut heißt: „Das Hauptwort wird erweitert durch Beifügungen oder Attribute... Es gibt verschiedene Arten von Beifügungen."[38] An vielen anderen Beispielen ließe sich dasselbe zeigen: Es wird eine grammatische Regel mit grammatischen Begriffen gegeben, deren Richtigkeit feststeht. Sie wird dann am „Sprachmaterial" bestätigt.

Die Quinta beginnt wieder mit der Lautlehre. Hier wird vorwiegend historisch gearbeitet. Es geht um Lautwandel, Ablaut, Umlaut, Vokalveränderungen in den Endsilben und in Beispielen um grammatischen Wechsel. In der Formenlehre gibt es kaum Neues. Die Kenntnisse der Sexta werden lediglich durch schwierigere oder unregelmäßige Formen ergänzt. Im ganzen wird das

[35] S. u. S. 172 ff., 184 ff.
[36] S. o. S. 110 f.
[37] Mensing, Deutsche Sprachlehre, S. 76; vgl. o. zur Syntax von Delbrück, S. 18.
[38] Mensing, Deutsche Sprachlehre, S. 76.

gegebene Schema der Wortarten vervollständigt. Dafür kommt ein neuer Abschnitt im großen Kapitel „Wortlehre" hinzu: Die Wortbildungslehre. Das Bemühen um wissenschaftliche Exaktheit und die die Kinder wohl überfordernde Arbeitsweise soll folgender Passus verdeutlichen: „Ursprünglich selbständige Substantive haben die Nachsilben -heit (Nebenform -keit), -schaft und -tum.
1. *heit* bedeutet eigentlich ‚Zustand' und bildet weibliche Abstrakta, die einen Zustand bezeichnen. Es tritt a) an Substantive, die eine Person bezeichnen: *Kindheit*...; b) an Adjektive: *Schlaffheit*... Die Nebenform keit entstand dadurch, daß das Suffix -heit an Adjektive aus -ig antrat (früher -ec. Z. B. *ewec-heit*...), wird dann aber auch an anders auslautende Adjektive angefügt: *Tapferkeit*..."[39] Ganz offensichtlich werden hier und in den anderen Teilen der Wortbildungslehre die Ergebnisse der Junggrammatik in die Schule mit einbezogen.
Zum einfachen Satz bringt die Quinta Genitivobjekt, präpositionales Objekt und doppelte Objekte neu. Zur Satzzergliederung wird, ähnlich wie bei Kern[40], folgende Anweisung gegeben: „Man sucht zuerst die notwendigen Bestandteile des einfachen Satzes heraus: Subjekt und Prädikat... Dann fragt man nach den Erweiterungen..."[41] Schließlich wird zum Satz *Der kleine Sohn des Bauern brachte dem durstigen Wanderer schnell einen Trunk kühlen Wassers* folgendes Gliederungsschema gegeben, um die Satzstruktur zu erhellen:

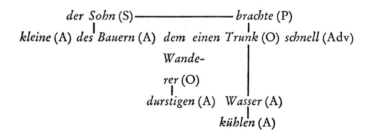

Zum Quintastoff gehört dann weiter der zusammengesetzte Satz. Er wird wiederum als grammatische Größe eingeführt: „Ein zusammengesetzter Satz entsteht, wenn zwei oder mehr einfache Sätze

[39] Ebd., S. 50.
[40] S. u. S. 156.
[41] Mensing, Deutsche Sprachlehre, S. 84.

zu einem Ganzen verbunden werden. Die Sätze sind entweder gleichwertig einander beigeordnet (koordiniert), oder der eine ist dem anderen untergeordnet (subordiniert)."[42] Die Definition der Nebensätze lautet: „Nebensätze geben für sich allein keinen Sinn, sondern nur in Verbindung mit einem Hauptsatz: *Wann er kommt* ist ohne Sinn; es muß ein Hauptsatz hinzukommen: *Ich weiß, wann er kommt.* Äußerlich erkennt man die Nebensätze daran, daß in ihnen das Verbum finitum am Ende steht."[43] Auffällig ist, daß hier das formal-grammatische Kriterium erst an zweiter Stelle gegeben wird. Zunächst wird eine Bestimmung vom Sinn her, in der weiteren Perspektive also von der Satzaussage oder der Satzbedeutung, gesucht. Von hierher findet Mensing, daß *wann er kommt* „keinen Sinn" ergibt. Wie steht es aber mit *ich weiß?* Für sich genommen ergeben sicherlich beide Teile keinen „Sinn", sondern bedürfen gegenseitiger Ergänzung. Der Ansatz vom Satzsinn her ist bei Mensing eindeutig nicht zu Ende gedacht. Er hat den Charakter eines Hilfsmittels, um ein bestehendes Schema von Haupt- und Nebensatz zu stützen.

Die Quarta und die folgenden Klassen haben keine Lautlehre mehr. In der Formenlehre beginnt die Quarta mit Ergänzungen zur Konjugation. Ausführlich wird die sog. gemischte Konjugation behandelt, wobei wiederum ein starkes historisches Interesse vorliegt: „Manche ursprünglich starken Verben haben einzelne schwache Formen angenommen, die entweder neben den alten gebräuchlich sind oder diese ganz verdrängt haben. Am leichtesten geht das Präteritum in die schwache Form über, im Partizip Perfekt hält sich die alte starke Form meistens länger. Wo beide Formen nebeneinander vorhanden sind, ist zuweilen auch ihre Bedeutung verschieden."[44] Genauso diachronisch arbeitet Mensing bei der Herleitung und ausführlichen Besprechung der Präterito-Präsentien.[45] Weiter werden die zusammengesetzten Verben, transitive und intransitive Verben Perfektbildung und Ergänzungen zur Deklination des Substantivs behandelt.

Eigentümlich ist, daß erst in der Quarta ausführlich vom Adjektiv gesprochen wird.[46] Noch auffallender ist, daß es scheinbar keinen

---

[42] Ebd., S. 87.
[43] Ebd., S. 87.
[44] Ebd., S. 21.
[45] Ebd., S. 23 f.
[46] Steigerung s. zur Sexta o. S. 112.

Wert für sich selbst zugeordnet bekommt, sondern sogleich sein grammatischer Wert als Fügungswert für die Satzstruktur herausgestellt wird. Wenn Glinz später den „Satzrang" sprachlicher Bestände ermittelt, ist das etwas völlig anderes. Denn er geht vom Sprechen aus und findet durch Ersatz- und Verschiebeprobe Satzglieder, die z. B. als Leitglied platzfest und nur einwortig zu ergänzen sind.[47] Der Satz ist lebendige Einheit, und seine grammatische Aufschlüsselung deckt das Zusammenspiel von Baugesetz und Redeabsicht auf. Das Einzelphänomen behält seinen Einzelwert. Anders bei Mensing. Hier heißt es als Einführung zum Adjektiv: „Jedes als Attribut (Beifügung) gebrauchte Adjektiv kann stark und schwach dekliniert werden: der gute Mann, ein guter Mann ..."[48] Zum Gebrauch führt Mensing aus: „Schwaches (d. i. nominal dekliniertes) Adjektiv steht, wenn eine pronominal deklinierte Form des Artikels oder Pronomens vorhergeht; also insbesondere stets nach dem bestimmten Artikel (der) und dem unbestimmten Artikel außer dem Nominativ (ein) ..."[49] Entsprechend wird auch zur starken Deklination formuliert. Das Wort als Inhaltsträger wird hier von formal-grammatischen Kriterien überfremdet.

Die Quarta bringt für die Satzlehre nichts Neues mehr. Im Anschluß an den Quintastoff werden die Nebensätze ausführlich besprochen.[50]

In den beiden Tertien verlagert sich das Schwergewicht noch eindeutiger zum Historischen. Zur Formen- und Satzlehre gibt es lediglich einige ergänzende Anmerkungen. Denn das System ist entwickelt, die formal-syntaktischen Bauprinzipien liegen vor. So gibt es ein ausgedehntes Kapitel „Aus der Wortgeschichte"[51] mit langen Herkunftslisten von Wörtern der Gegenwartssprache. Dazu werden Kapitel wie Volksetymologie,[52] Bedeutungswandel,[53] Verengung,[54] Erweiterung[55] ... behandelt. Hier liegen rein wissenschaftliche Ergebnisse vor. Methodische Grundsätze können in diesen Kapiteln lediglich die Auswahl beeinflussen. Sonst kann dieser Stoff nur gelernt werden.

[47] S. o. S. 63.
[48] Mensing, Deutsche Sprachlehre, S. 38.
[49] Ebd., S. 39.
[50] Ebd., S. 89–97.
[51] Ebd., S. 60–74.
[52] Ebd., S. 68.
[53] Ebd., S. 68 f.

Insgesamt ergibt sich für dieses Sprachbuch folgender Weg: In den ersten drei Klassen werden, von einem vorgegebenen grammatischen System ausgehend, sprachliche Einzelbestände als Bestandteile dieses Systems erkannt. Die Kenntnisse der ersten Klasse werden schichtartig in den nächsten beiden Klassen vertieft und erweitert. Dabei nimmt der historische Aspekt schon ab Quinta mehr und mehr zu. Die beiden Tertien schließlich sollen die Gegenwartssprache als Produkt einer historischen Entwicklung erschließen.[56] Daß diese beiden Teile der Grammatik unverbunden nebeneinander stehen bleiben, ist schon gesagt worden.[57] Daß sie auch der Gegenwartssprache nicht gerecht werden können, wird bei der Besprechung neuerer Grammatiken noch deutlicher werden.

c) Michaelis: Neuhochdeutsche Grammatik[58]

Im Vorwort nennt Michaelis als wissenschaftliche Vorbilder Wilmanns Grammatik und Kerns Deutsche Satzlehre.[59] Sein Ziel ist: „... unter Berücksichtigung der Sprachgeschichte den Erklärungen und Regeln eine möglichst bestimmte, kurze, leicht verständliche, aber auch ausreichende Fassung zu geben und hierdurch das *Wesen der grammatischen Grundbegriffe klarzulegen"*.[60] „Gerade im Deutschen soll wohl auch als letztes Ziel des Unterrichtes eine Übersicht über die grammatischen Erscheinungen gelten, die der fremdsprachliche Unterricht kaum zu geben vermag, und hier empfiehlt es sich, im Lehrbuch den Stoff logisch zu ordnen."[61] Es ist aufschlußreich, daß bei dieser Zielsetzung von der Sprache eigentlich gar nicht die Rede ist. Sie wird lediglich als Material vorausgesetzt, das sich mit Hilfe von *Regeln* systematisieren und katalogisieren läßt. Das Bemühen Michaelis' gilt dann auch gar nicht der Sprache, sondern den Regeln, die es verständlicher zu fassen gilt. Hier ist das Extrem eines deduktiven Grammatikunterrichtes erreicht. Auch Mensing denkt deduktiv. Er sieht dabei aber noch immer die Sprache und hat das Bemühen, ihr durch die Grammatik zu dienen. Bei Michaelis

---

[54] Ebd., S. 69 f.
[55] Ebd., S. 70–72.
[56] S. o. zu Paul, S. 13 ff.
[57] S. o. S. 115.
[58] Michaelis, Neuhochdeutsche Grammatik, 2. Aufl. 1898.
[59] Wilmanns, Deutsche Grammatik, Bde. I–III, 1899 ff., zu Kern s. u.
[60] Michaelis, Neuhochdeutsche Grammatik, S. III.
[61] Ebd., S. IV.

aber ist Grammatik zum Selbstzweck geworden. Daß auch er die Historie einbezieht, macht der Aufbau Laut- und Wortlehre, Flexionslehre, Satzlehre deutlich. Für die Grundhaltung ist hier ein Abschnitt zum Verhältnis der Wortarten zum Satz bezeichnend: „Sätze sind Worte oder Wortverbindungen, welche einen in unserem Bewußtsein stattfindenden Vorgang ausdrücken. Jeder Satz enthält mindestens zwei Vorstellungen: 1. eine Vorstellung, die zu bestimmen ist, 2. eine andere Vorstellung, eine Eigenschaft, eine Tätigkeit, einen Zustand, wodurch die erste Vorstellung zu bestimmen ist. Die zu bestimmende Vorstellung heißt das Subjekt (Satzgegenstand), die Bestimmung das Prädikat (Satzaussage) des Satzes... In dem Satz *Zeit ist Geld* ist *Zeit* das Subjekt, *ist Geld* das Prädikat."[62] Auch wenn hier die Psychologie mit einbezogen wird, bekommt eine solche Satzlehre keine Lebendigkeit. Denn schließlich hat sich auch die Psyche grammatischer Regelmäßigkeit zu fügen. Im einzelnen werden dann unter „Laute" die Silben, der Wortbau, Wortbildung usw. besprochen, dann folgt unter „Flexionslehre" eine Musterung der zehn Wortarten nach formalen Gesichtspunkten. Hier heißt es z. B. zum Verb, das nach Substantiv, Adjektiv, Pronomen und Zahlwort an fünfter Stelle erscheint: „Zeitwörter sind Wörter, die das Stattfinden eines Vorgangs oder das Dasein eines Zustandes bezeichnen. Man erkennt die Zeitwörter daran, daß man vor dieselben die persönlichen Fürwörter setzen kann."[63] Es zeigt sich, daß die Vorausstellung des Pronomens in dieser Grammatik ihren guten Grund hat, denn ohne Pronomen läßt sich nach dieser Definition ein Verb wohl überhaupt nicht erkennen. Weiter heißt es zur Flexion: „Die Formen eines Zeitwortes zerfallen in eigentliche und uneigentliche Verbalformen."[64] Auch mit einer solchen Aussage können Schüler, die etwas von der Sprache wissen wollen, nichts anfangen.

Michaelis stellt nach dem Vorbild des Lateinischen sechs Zeiten für das Deutsche fest. Sie werden an Beispielsätzen vorgeführt, in denen Michaelis auch als Erzieher zu Wort kommt. So lautet der Beispielsatz zum Futur II: Vergebens werdet ihr für einen Feldherrn euch geopfert haben.[65] Jeder Zeit wird ein Konjunktiv zugeordnet. Es

[62] Ebd., S. 7.
[63] Ebd., S. 74.
[64] Ebd., S. 75.
[65] Ebd., S. 79.

folgen Konjugationstabellen und Ablautreihen. Unter Flexionslehre werden dann noch Adverb, Partikeln (Präpositionen) und Interjektion besprochen. Zwei Beispielsätze zu den Präpositionen lauten: Während des zehnstündigen Kampfes kamen alle Regimenter zum Einsatz. Und: Viele längs seines Zuges durch Deutschland zurückgelassene Besatzungen hatten das Heer des Feldherrn nicht vermindert.[66]
Es ist oben dargestellt worden, wie schwer es für die wissenschaftliche Grammatikforschung war, etwas zur Syntax zu sagen.[67] Erdmann, Delbrück und Behaghel z. B. versperrten sich eine lebendige Satzlehre durch den historischen Anweg und die Überbewertung der Sprachhistorie. Michaelis' Satzlehre ist ebenfalls starr. Auch das verbindet ihn mit Mensing und den Junggrammatikern. Diese Starrheit hat aber eine andere Wurzel als dort. Nicht die Überbewertung der Historie, sondern die einseitige Betonung der grammatisch erfaßbaren Sprachform hat hier lähmend gewirkt. So kann Michaelis zum Satz kaum mehr sagen als zum Verhältnis Satz–Wortarten: „Ein Satz ist (gewöhnlich) der Ausdruck für einen werdenden Gedanken, in dem eine Vorstellung durch eine andere bestimmt wird."[68] Mit anderen Worten: Der Satz ist zweiteilig. Die beiden Teile haben ein logisches Verhältnis zueinander. Zu diesem grundsätzlich logischen Verhältnis kommen nähere Bestimmungen oder Vorschriften der Rektion: „Steht das Subjekt eines Satzes in der zweiten Person, so steht das durch ein Pronomen oder Substantiv ausgedrückte Subjekt im Vokativ. Mit wer? oder was? ist es dann nur zu erfragen, falls man im Fragesatz die dritte Person des Singulars statt der zweiten Person setzt, z. B. ... O Welt, du bist so nichtig, du bist so klein, o Rom ... Du hast gelogen, Kant!"[69] Es folgt eine weitere Bestandsaufnahme dieser Phänomene, wobei Fragen in der Art des angeführten Beispiels bis in kleinste Einzelheiten behandelt werden. Nur ein sehr kurzer Abschnitt ist dem Satzton gewidmet. Dort heißt es: „Die Teile eines Satzes werden mit verschiedener Tonstärke gesprochen ... Das wichtigste Wort erhält den stärksten Ton."[70]

[66] Ebd., S. 101.
[67] Vgl. o. das Kapitel „Syntax im Banne der Junggrammatik", S. 17 ff., dort auch zu Erdmann, Delbrück und Behaghel.
[68] Michaelis, Neuhochdeutsche Grammatik, S. 108.
[69] Ebd., S. 111.
[70] Ebd., S. 125.

Dann folgen die Satzarten. Es werden bejahende und verneinende, Behauptungs- und Fragesätze unterschieden. Satzgefüge aus Haupt- und Nebensätzen verschiedenen Grades werden vorgeführt, die einzelnen Arten der Nebensätze werden ausführlich besprochen. Unter „Beispielsätze zur Einübung der Satzlehre"[71] sind folgende Sätze zu finden: *Dem Vaterland! Das Wort gibt Flügel dir, o Herz. Dem Freudenschall erjauchzen all die flinken Jägersleute. Denkt er an Kunersdorf, an Roßbach oder Leuthen? Tausende liefen dort hasigen Lauf. Am Wasser der Katzbach hat Blücher den Franzosen das Schwimmen gelehrt. Joachim Hans v. Ziethen, Husarengeneral, dem Feind die Stirne bieten tät er wohl 100mal.*[72]
Insgesamt läßt sich folgendes sagen: Das Buch ist für einen sechsjährigen Kursus an höheren Schulen gedacht. Es bietet sehr viel Material. Dabei ist die G r a m m a t i k  n a c h  l a t e i n i s c h e m  V o r b i l d  g e s t a l t e t. Das Deutsche hat kaum Eigenwert. Zur Syntax kann Michaelis kaum etwas sagen, über Ansätze, daß die Sätze Teile haben und daß es bestimmte Arten von Sätzen gibt, kommt er nicht hinaus. Das Buch hat durchgängig erklärend-aufzeigenden Charakter, und es zeigt, welche Phänomene es gibt, wie sie heißen und wie sie zu handhaben sind. Es bietet wenig Historisches. Rein historisch ist es nur in der kurzen Enleitung, in der eine knappe Übersicht bis zum Neuhochdeutschen führt. Auffällig ist schließlich noch, daß sich Starrheit und Trockenheit im grammatischen Teil und überhebliches patriotisches Pathos in den Beispielsätzen kraß gegenüberstehen.

d) Matthias: Hilfsbuch für den deutschen Sprachunterricht[73]

Matthias beschreibt Anlage und Ziel seines Buches folgendermaßen: „Da das Buch für die drei unteren Stufen . . . berechnet ist, möchte es keine Systematik geben. Vor allem verzichtet es auf systematische Vollständigkeit. Hat der Schüler einige grammatische Gruppen durchwandert, so wird er das Neue, das er betrachtet, leicht an Verwandtes und schon Bekanntes anreihen. – Auch insofern ist das Buch nicht systematisch, als es Wort- und Satzlehre nicht scheidet

---

[71] Ebd., S. 139 ff.
[72] Ebd., Sätze 1–3 S. 143, Sätze 4–6 S. 144.
[73] Matthias, Hilfsbuch für den deutschen Sprachunterricht 1892; ähnlich in Konzeption und Anlage und ebenfalls ohne sprachhistorischen Teil: Bardey, Praktisches Lehrbuch . . ., I, 3. Aufl. 1889, II, 2. Aufl. 1889.

und das Wort in seiner formalen Eigentümlichkeit am liebsten im Satz betrachtet ... Auch darin ist das Hilfsbuch nicht systematisch, daß es weder rein deduktiv noch rein induktiv verfährt. Oft wird zunächst die Regel hingestellt, dann folgen die Beispiele, welche die Regel zur Klarheit bringen sollen. An anderen Stellen werden zunächst Beispiele gegeben, aus denen die Schüler Gesetz und Regel suchen sollen."[74] Unter denen, die Matthias als Vorbilder gedient haben, nennt er Kern, Michaelis und Wilmanns.[75] Trotz dieses Bewußtseins, etwas Neues zu bieten, vertritt auch Matthias reine Regelgrammatik. Er verfährt vorwiegend deduktiv. An den beigegebenen Beispielsätzen werden die Regeln erhärtet. Obwohl er auf alle Sprachhistorie verzichtet, läßt er sich der Gruppe um Mensing zuordnen. Das sollen einige Sätze verdeutlichen: Matthias will Satz- und Wortlehre nicht streng unterscheiden, macht dabei aber den Fehler, beide Gebiete überhaupt nicht zu bestimmen und ineinander fließen zu lassen. So heißt es in dem Abschnitt, in dem zum erstenmal vom Satz die Rede ist: „Jede Form des finiten Verbums, deren Person durch ein Hauptwort, Fürwort usw. genauer bezeichnet oder, wie beim Imperativ, unverkennbar ist, ist der Ausdruck eines vollständigen Gedankens, ein Satz. Das Verbum (in finiter Form) ist also der wichtigste Teil des Satzes, denn es bildet die Satzaussage, das Prädikat."[76] Die Hochschätzung des Verbums, das dabei fast selbständig einen Satz konstituiert, rückt Matthias auch in die Nähe der Kernschen Konzeption.[77] Sein Anweg über die Definition des Satzes als gedanklich-vorgegebener Struktur führt aber wiederum dahin, die Sprache in schematischen Satzmodellen realisiert zu sehen. Weiter heißt es: „Das Subjekt wird bisweilen doppelt ausgedrückt: a) durch das dem Verbum vorangehende unbestimmte Fürwort es ... und durch das dem Verbum folgende bestimmte Substantiv; b) durch ein Substantiv und ein dieses Substantiv aufnehmendes, zur Belebung und Hervorhebung dienendes persönliches Fürwort."[78] Auch hier werden in den anschließenden Beispielen die gegebenen Möglichkeiten lediglich durchgespielt. Insgesamt wird die Sprache von einem grammatisch-logisch vorgegebenen System her betrachtet.

[74] Matthias, Hilfsbuch, S. 4.
[75] S. u. S. 155 ff. und o. S. 119.
[76] Matthias, Hilfsbuch, S. 34.
[77] S. u. S. 156 f.
[78] Matthias, Hilfsbuch, S. 71.

## e) Müller-Frauenstein: Handbuch für den deutschen Sprachunterricht[79]

„Mich belebt die Hoffnung, daß in dem neuen deutschen Reiche, nunmehr fast 20 Jahre nach den Tagen, wo wir zu unseren Füßen das Häusermeer der Seinestadt sich ausbreiten sahen, auch die goldene Zeit nahe ist, in der die deutsche Sprache in Deutschland die Ehrenstelle im Unterricht einnimmt, in der die Gebildeten nicht nur in die Feinheiten der alten klassischen und der fremden neueren Kultursprachen eingeweiht werden, sondern auch ihre eigene Sprache mit einer ähnlichen Kenntnis ihrer Gesetze beherrschen. Einen kleinen Baustein zu diesem vaterländischen Werke beizutragen, war mir ein Bedürfnis."[80]

Grammatik als vaterländisches Werk. Mit dieser Grundhaltung gehört Müller-Frauenstein sicherlich auch zu der Gruppe um Rudolf Hildebrand und Lotte Müller.[81] Er wird jedoch hier erwähnt, weil seine Arbeitsweise und seine Ergebnisse ihn trotz der Grundhaltung mehr mit Mensing und Michaelis[82] verbinden.

Im Zusammenhang dieser Arbeit braucht nur Teil I seines Werkes besprochen zu werden. Er beginnt mit einem Abschnitt von 54 Seiten über deutsche Sprachgeschichte. Von dem Kapitel „Sprachen überhaupt" führt er über indogermanische und germanische Sprachen bis zum Neuhochdeutschen. Es folgt das Hauptkapitel, das mit etwa 150 Seiten den ersten Band füllt: „Zur Sprachlehre". Hier heißt es am Anfang: „Da jede Sprache etwas geschichtlich Gewordenes und immerfort noch Veränderliches ist, so wäre es verkehrt, in einer Sprachlehre nur eine gewisse Summe von feststehenden Regeln zu sehen. Sobald mehr als ein oberflächliches Verstehen und ein äußeres handwerksmäßiges Benutzen einer Sprache zum Zweck der Verständigung mit den Mitmenschen erzielt werden soll, ist nicht bloß das Einlernen der wichtigsten Bestandteile des meist sehr künstlich erscheinenden Ganzen und der Hauptgesetze, welche darin Ordnung zu halten berufen sind, vonnöten. Vielmehr gehört dazu, daß ebenso die lebendige Rede wie die Schriftsprache in ihrem gegenwärtigen Wesen verständlich gemacht ... und beide in ihrer

[79] Müller-Frauenstein, Handbuch für den deutschen Sprachunterricht, I: Zur Sprachgesch. u. Sprachlehre, 1898, II: Zur Vers-, Stil- u. Dispositionslehre, 1890.
[80] Müller-F.: Handbuch I, S. V.
[81] S. u. S. 127 f., 139 ff.
[82] S. o. S, 110 ff., 119 ff.

geschichtlichen Bewegung vorgeführt werden."[83] Wenn Müller-Frauenstein dann fortfährt: „Die deutsche Sprachlehre hat sich wie jede andere zuerst mit den einzelnen Lauten und deren Aussprache, sodann mit der Wortbildung und den Wortarten, zuletzt mit den Sätzen zu beschäftigen",[84] so merkt man, wie trotz der programmatischen Worte von der lebendigen Rede der Gegenwart, die mit einbezogen werden sollte, die Sprachhistorie ein Bollwerk war, hinter dem die Gegenwartssprache kaum sichtbar wurde. So beginnt folgerichtig der Kurs bei den Lauten, behandelt Ablaut, Umlaut, Brechung, die beiden Lautverschiebungen und schließlich auch Verners Gesetz. Vom Satz ist nur einmal im Kapitel „Von der Betonung: Der Satzton" die Rede. Doch auch hier ist von lebendiger Rede nichts zu spüren, in der ein Satz existiert, sondern den Satz gibt es zunächst nur als Gattung: „Der Behauptungssatz fällt nach dem Schlusse im allgemeinen ab, der Heischesatz aber und der Fragesatz, welche doch auf eine folgende Tat oder Antwort erwartungsvoll hinweisen und vorbereiten, gehen im ganzen und großen, der erstere meist weniger, der letztere mehr, in die Höhe."[85] Bevor ein Satz in dieser Sprachlehre erscheint, wird er begrifflich eingekreist. Es folgt das Kapitel: „Von der Wortbildung und den Wortarten."[86] Auch hier ist die Darstellung historisch. Müller-Frauenstein erscheint die Einteilung in zehn bzw. neun Wortarten ziemlich künstlich, er möchte mit Kern nur vier Wortarten annehmen[87] die durch ihre abfallende Intensität satzformender Dynamik unterscheidbar sind,[88] fährt dann jedoch fort: „Für unseren Zweck ist diese Einteilung jedoch deshalb nicht zweckmäßig, weil wir uns an die eingeführten Bezeichnungen, solange sie im Anfangsunterrichte noch unumschränkt herrschen, zu halten gebunden sind und weil wir es hier überhaupt mehr mit der Form als mit dem Inhalt der Sprache zu tun haben, also an und für sich nicht von dem Satzwert der Wortarten auszugehen brauchen."[89] Damit ist die

[83] Müller-F., Handbuch, S. 55.
[84] Ebd.
[85] Ebd., S. 79.
[86] Ebd., S. 81.
[87] S. u. S. 157.
[88] Satzbildend: Verben; satzbestimmend: Substantive, Adjektive, adverbiale Bestimmungen; satz- und wortverbindende; außerhalb des Satzgefüges stehende, anrufende Wörter.
[89] Müller-F., Handbuch, S. 91.

Stellung eindeutig geklärt: das Formale, das Veränderbare, das Gefügte an der Sprache steht im Vordergrund.

Bei der Besprechung der einzelnen Wortarten wird nach Geschlechtswort, Hauptwort, Eigenschaftswort, Zahlwort und Fürwort erst an sechster Stelle das Verb besprochen. Nach einer kurzen inhaltlichen Bestimmung derart, es sage von einer Person oder Sache aus, daß sie zu irgendeiner Zeit und auf irgendeine Art etwas tun oder leiden oder sich in einem Zustand befinden, folgen immer wieder neu historisch ausholend „Die Geschlechter", „Zahlformen", „Die Aussageweisen", „Die Zeiten" (sechs Zeiten). Eine Tabelle der Ablautreihen beginnt jeweils beim Gotischen.

Auch beim Satz wird das Sprachbuch nicht lebendiger. „Einen Satz nennt man ... im weitesten Sinne die lautliche Wiedergabe eines sich soeben ereignenden, aber in sich geschlossenen, einzelnen Gedankenvorganges, während ein Wort nur das Ergebnis einer früheren Gedankenarbeit wiedergibt."[90] Anschließend folgt die Aufspaltung in Satzarten. Der Ereignischarakter des Satzes wird zwar gesehen, der lebendige Satz aber stirbt unter dem Seziermesser des Sprachforschers. Da gibt es beispielsweise eine Regel über den Konjunktivgebrauch: „Sätze mit Konjunktiven der Gegenwart enthalten eine Forderung, solche mit Präteritalkonjunktiven geben meist eine nicht wirkliche Tatsache an, solche endlich mit gemischten Zeiten und Aussageweisen bezeichnen die Aussage als eine Vorstellung."[91] An Satzarten werden schließlich genannt: einfacher, nackter Satz, einfacher umkleideter, zusammengezogener, abgekürzter, beigeordneter Hauptsatz, Hauptsatz im Satzgefüge, Nebensatz für einen Eigenschaftswortbegriff, Kasussatz, Adverbialsatz.[92] Endlich kommt auch eine dreiviertel Seite mit Beispielen, auf deren Teile die einzelnen Satzarten angewendet werden.[93]

Überblickt man den grammatischen Kursus, den Müller-Frauenstein anbietet, stellt sich heraus, daß von dem Vorsatz, auch „die lebendige Rede in ihrem gegenwärtigen Wesen verständlich" zu machen,[94] nicht viel ausgeführt worden ist. Kern wird wohl genannt,[95] ohne daß sein System übernommen wird, zwar wird auch

---

[90] Ebd., S. 157.
[91] Ebd., S. 185.
[92] Ebd., S. 202.
[93] Ebd., S. 202 f.
[94] S. o. S. 124.
[95] S. o. S. 125.

das Problem der Sprachinhalte gesehen, das Objekt der Grammatik aber wird ganz einseitig als Beschäftigung mit der Sprachform festgelegt.[96] Mit dieser Auffassung steht Müller-Frauenstein auf der Seite Mensings, mit dem er auch den Aufbau Lautlehre, Wortlehre, Satzlehre und die Betonung der Sprachhistorie gemeinsam hat. Ein Unterschied besteht allerdings darin, daß Mensing den Stoff methodisch genau und folgerichtig aufschlüsselt, während Müller-Frauenstein ihn mehr komplexhaft bietet.

### 3. Neuansätze zur Umgestaltung des Sprachunterrichtes im Raum der Volksschule seit 1872

a) Abhängigkeit dieser Richtung von Rudolf Hildebrand

1894 erscheint in der vom Hauptorgan des deutschen (Volksschul-)Lehrervereins herausgegebenen Pädagogischen Zeitung ein Artikel von Edwin Wilke: Rudolf Hildebrand und seine Bedeutung für den deutschen Sprachunterricht.[97] Aus dem Material, das hier auf mehreren Seiten aufgeführt ist, aus der Liste der Verfasser, die in Anlehnung an Hildebrand geschrieben haben oder ihn direkt als Gewährsmann zitieren, ist ersichtlich, daß Hildebrands Ideen um 1890 weit verbreitet waren. Hildebrand war Volksschullehrer und wurde später Mitarbeiter am Grimmschen Wörterbuch (GK). Eins seiner Hauptwerke ist „Vom deutschen Sprachunterricht in der Schule und von deutscher Erziehung und Bildung überhaupt". Dieses Buch erschien erstmalig 1867, 1879 in 2., 1906 in 10., 1908 in 11. und 12. und 1950 in 24. Auflage. Paulsen urteilt 1897 über dieses Buch: „Ich kann mir nicht denken, daß ein Lehrer dies Buch ...lesen und aus der Hand legen kann ohne den Wunsch: statt Lehrer toter Sprachen... lieber Lehrer der lebendig gesprochenen und gefühlten Sprache zu sein."[98] Hier und in seinem Werk „Vom deutschen Sprachunterricht in der Schule und von etlichem ganz anderen, das doch damit zusammenhängt"[99] vertritt Hildebrand folgende Gedanken: Sprachunterricht soll Verbindung zum Leben haben, der Unterricht soll am Leben und an der Sprachpraxis der Schüler anknüpfen, die Schüler sollen die Ergebnisse selbst finden

[96] S. o. S. 125.
[97] Wilke, R. Hildebrand ..., 1894.
[98] Paulsen, Geschichte II, S. 664.
[99] Hildebrand, Vom deutschen Sprachunterricht ..., 1867.

können. „Das Hauptmittel, den Schüler selbst tätig zu machen, ist, wie Hildebrand an Beispielen deutlich macht: Anknüpfung an die Erfahrung des Schülers und an seine natürliche Ausdrucksweise."[100]

Diese Gedanken wurden aufgenommen und ausgeformt. Es wird sich im folgenden zeigen, wie mächtig sich dieser Neuansatz bis etwa 1925 bemerkbar machte. Wenn auch hier kaum neue Systeme zur Sprachlehre erarbeitet werden, so ist diese Richtung jedoch deshalb nicht zu umgehen, weil sie im Grundansatz neues grammatisches Denken vertrat, das andere übernehmen oder auf dem sie weiterbauen konnten. Zugleich zeigt sich an diesem lebendigen Sprachunterricht noch deutlicher, wie erstarrt und verstaubt das System war, mit dem die höhere Schule auch nach 1920 noch arbeitete. Es ist bei diesem folgenden Abschnitt nicht möglich, zwischen wissenschaftlicher und schulischer Grammatik zu trennen, denn die behandelten Verfasser vertreten eigentlich beide Seiten. Sie stellen ihre Erkenntnisse in einem allgemein-pädagogisch-wissenschaftlichen Rahmen dar. Weil sie aber Schulpraktiker sind, die für die Schule schreiben, werden sie in diesem Teil erwähnt, der sich mit der Schulpraxis beschäftigt.

b) Hugo Weber: Die Pflege nationaler Bildung durch den Unterricht in der Muttersprache[101]

1872 stellte die Diesterwegstiftung folgende Preisaufgabe: „Wie ist der Unterricht in der Muttersprache, besonders auch der grammatische in der Volksschule einzurichten, um die nationale Bildung unserer Jugend nach allen Seiten hin zu fördern."[102] Webers Buch bekam dabei den ersten Preis zuerkannt.

Das Buch ist ohne den Hintergrund der Reichsgründung von 1871 nicht verständlich. Der politischen Einigung nach allem Partikularismus und aller Kleinstaaterei soll endlich auch die Besinnung auf den Wert der alle Deutschen verbindenden Sprache folgen. Was äußerlich vollzogen ist, soll durch Aufdeckung der allen gemeinsamen Wurzeln des Denkens und Fühlens in der Sprache erst das rechte Fundament erhalten. Es geht primär gar nicht um eine methodische Frage, wie es uns heute scheinen könnte, sondern

---

[100] Wilke, R. Hildebrand, S. 149.
[101] Weber, Hugo, Die Pflege nationaler Bildung, 1872.
[102] Ebd., S. III.

zu allererst um eine nationalpädagogische mit dem Ziel, die deutschen Stämme zu einem deutschen Volk durch die Besinnung auf die gemeinsame Sprache zusammenzuführen. Damit ist von vornherein klar, daß das Buch den gesamten Unterricht in der Muttersprache zum Gegenstand hat und Probleme der Grammatik nur hin und wieder mit behandelt werden.

Weber mustert zunächst das analytische und das synthetische Verfahren, und kommt zu dem erstaunlichen Ergebnis, „daß der bei weitem größere Teil der deutschen Lehrer das von uns befürwortete (analytische) Lehrverfahren schon seit einigen Jahrzehnten handhabt".[103] Er kann damit hauptsächlich Volksschullehrer meinen, denn die grammatischen Standardwerke der höheren Schulen sind noch 50 Jahre später überwiegend grammatisch-logisch-synthetisch. Den Erfolg dieses Unterrichts umschreibt Weber schon 60 Jahre vor Sebald Schwarz[104] ähnlich wie dieser: „Die Erfolglosigkeit und die Einseitigkeit dieser bloß formalen Verstandesarbeit war und ist noch die Ursache der Unlust, mit welcher die Lehrer den deutschen Sprachunterricht erteilten und erteilen. Kinder und Lehrer fühlten dabei eine innere Leere; erstere blieben so spracharm wie vorher."[105] Den Vorteil der a n a l y t i s c h e n Methode sieht Weber folgendermaßen: „Die Sprache selbst kommt mit ihrem Inhalt mehr zu ihrem Recht; ein ausgiebiger Umgang mit der Schriftsprache wird herbeigeführt, und dieser ist bekanntlich der beste Sprachmeister; an Stelle des leeren, abstrakten Formalismus tritt die grüne, Herz und Geist erfrischende Weide der Lektüre... Der Geist der Muttersprache strömt aus einem schönen Sprachganzen, nachdem er durch zweckmäßige Betrachtung desselben gleichsam frei gemacht worden ist, in größerer Fülle in die Poren des Geistes und Gemütes der Jugend ein und erzeugt daselbst, gleichsam durch eine Art Wiedergeburt, Gedanken und Empfindungen, die dann fortzeugend eigenes Geistesleben gebären:"[106] Ausgehen vom Sprachganzen, seine adäquate Betrachtung, am Ende Verständnis, Aneignung und geistige Auseinandersetzung, darin eingeordnet die Grammatik als Dienerin zum Verständnis von geformter Sprache: Sachgerechter kann die Aufgabe

---

[103] Ebd., S. 42.
[104] S. u. S. 243 f.
[105] Hugo Weber, Die Pflege nationaler Bildung, S. 39.
[106] Ebd., S. 40 f.

der Sprachbetrachtung auch heute nicht formuliert werden. Daß neben diesem praktischen Zweck vor allem auch ein „ideales Ziel,"[107] nämlich die Förderung nationaler Gesinnung, erreicht werden soll, versteht sich nach der Gesamtanlage dieser Preisschrift von selbst, ist aber für den Bereich dieser Arbeit unerheblich. Der Weg zu diesem Ziel hat für Weber folgende Stationen: Der Lehrer soll, wie es auch später Greyerz vertrat,[108] an der Sprache des Kindes anknüpfen. „Die Sprache der meisten Kinder ... ist allerdings die Muttersprache, keineswegs aber das Hochdeutsch; sie ist entweder Mundart, ein mit Mundart versetztes oder ein verderbtes Hochdeutsch."[109] Der Unterricht soll dann langsam zum Hochdeutschen hinführen. Weber vertritt also nicht eine Mundartengrammatik wie Greyerz.[110] Später ist das Lesebuch mit heranzuziehen. Grammatikunterricht soll dabei wohl planmäßig sein, d. h. nie dem Zufall der Stunde überlassen bleiben. Er führt aber nicht zu einem eigenen grammatischen System, das für sich besteht: „Wenn wir sagen, der Unterricht in der Grammatik sei planmäßig, so soll er darum keine systematische Sprachlehre im strengen Sinne des Wortes sein... Planmäßig soll er insofern sein, als er vom Leichteren zum Schwereren ... fortzuschreiten hat, als er einen stufengemäßen, wohldurchdachten und kurz und bündig vorliegenden Lehrgang zu geben hat... Die wissenschaftliche Grammatik ist vorzugsweise historische Grammatik, welche mit der Laut- und Flexionslehre zu beginnen hat... Aber die Methode der wissenschaftlichen Grammatik gehört ... nicht in die Volksschule."[111] Ihre Methode soll analytisch-synthetisch sein. Schließlich referiert Weber Aufbau und Ergebnisse einer ihm zusagenden Grammatik von K. Panitz: „Leitfaden für den Unterricht in der Grammatik der deutschen Sprache. Für vierklassige Bürgerschulen in fünf konzentrischen Kreisen bearbeitet von K. Panitz."[112] Jeder dieser Kreise setzt mit dem Satz an. Dann folgen jeweils Wort-, Laut- und Wortbildungslehre. Eine Ausnahme macht lediglich der dritte Kreis, der sich fast ausschließlich mit der Wortlehre und hier vor allem mit den Verben beschäftigt. Aufschlußreich sind die Anforderungen

---

[107] Ebd., S. 48.
[108] S. u. S. 136.
[109] Hugo Weber, Die Pflege nationaler Bildung, S. 51.
[110] S. u. S. 138 f.
[111] Hugo Weber, Die Pflege nationaler Bildung, S. 199.
[112] Ebd., S. 207.

in der Satzlehre des fünften Kreises, der im 7. Schuljahr, dem die
Quarta entspricht, zu bewältigen ist: „1. Abschnitt: Satzlehre: Der
Gebrauch des Artikels, die Zahlform des Prädikatzeitwortes, besonderer Gebrauch von Zeitformen, Gebrauch des Konjunktivs
im Haupt- und Nebensatz. Subjektiver und objektiver Genitiv.
Unabhängige Kasus. Eingeschobene oder Schaltsätze, verkürzte
Sätze. Die Periode; Betonung, Wortfolge; Übersicht der Satzlehre, Übersicht der Satzzeichenlehre."[113] Manches dieser Themen
scheint doch recht anspruchsvoll zu sein. Grundsätzlich aber läuft
dieser Kursus darauf hinaus, aufzuzeigen und anzubieten, was
sprachlich vorhanden und möglich ist. Eine Überfremdung von der
lateinischen Grammatik her scheint vermieden. Der grammatische
Kurs wird durch eingestreute etymologische Längsschnitte aufgelockert und bereichert.

Hugo Webers Preisschrift ist ein bemerkenswertes Buch. Sie zeigt
in aller Schärfe, woran der herkömmliche Deutschunterricht, vor
allem der Grammatikunterricht, krankt. Zu dieser Zeit denkt die
wissenschaftliche Grammatik ungebrochen historisch, die Grammatik der höheren Schule seit Becker nahezu ausschließlich logisch-
deduktiv.[114] Es ist das Verdienst einsichtiger Lehrer vom Schlage
Webers, daß sie die Volksschule von beiden Richtungen frei machen
oder frei halten wollen. Weber zitiert dabei Comenius,[115] Pesta-
lozzi,[116] Fröbel[117] und Diesterweg,[118] die ja den Zusammenhang
von Kopf, Herz und Hand betonen und damit der Didaktik der
Volksschule sehr nahestehen. Der höheren Schule, die seit Wilhelm
von Humboldt auf Menschenbildung als geistig-charakterliche Bildung angelegt war, fiel es weitaus schwerer, die logisch-deduktive Grammatik aus dem Unterricht zu entfernen. Einmal sah man
in ihr eine wesentliche Hilfe für den Fremdsprachenunterricht,
zum anderen wollte man durch dieses logische System auch logisch-
formale Denkschulung betreiben. Schon 1872 jedenfalls hätte sich
die Grammatik der höheren Schule im grundsätzlichen grammatischen Denken von dem Buch Webers belehren lassen können.

---

[113] Ebd., S. 209.
[114] S. o. S. 108–127.
[115] Hugo Weber, Die Pflege nationaler Bildung, S. 67.
[116] Ebd., S. 66.
[117] Ebd., S. 104.
[118] Ebd., S. 103.

c) Richter: Der Unterricht in der Muttersprache und seine nationale Bedeutung[119]

Auch dieses Buch entstand im Zusammenhang des Preisausschreibens der Diesterweg-Stiftung. Es erhielt nach dem Buch von Hugo Weber den 2. Preis. Wie auf Grund des Preisausschreibens die Titel nahezu gleich sind, so sind es auch Grundkonzeption und erarbeitete Ergebnisse. Weber ist dabei allerdings systematischer und präziser. Auch Richter möchte den Sprachunterricht von der Gesetzesgrammatik frei machen,[120] will die Mundart als Ausgangspunkt berücksichtigt wissen,[121] will dann induktiv den Schüler Sprachgesetze und Regeln finden und erkennen lassen[122] und an geeigneten Stellen im Zusammenhang mit den übrigen Unterrichtsstoffen Etymologie treiben.[123] Praktisches und ideelles Ziel sind wie bei Weber mit Sprachverstehen[124] und nationaler Bildung[125] angegeben. In der Grammatik soll dabei allmählich ein System von Kenntnissen über die Sprache entstehen: „Das grammatische System, dessen auch der Schüler einer Volksschule Herr werden soll, entsteht durch die nach und nach erfolgenden Zusammenfassungen dessen, was die Analyse ergeben hat. Die verschiedenen Kapitel der Grammatik (Wortbildung, Wortbiegung, Satzlehre usw.) werden auf allen Stufen nebeneinander behandelt."[126] Es ist offensichtlich, daß sich die Ergebnisse Webers und Richters so sehr gleichen, daß ich auf das Richtersche Buch nicht weiter einzugehen brauche.

d) Hartnacke: Deutsche Sprachlehre im Dienste der Selbsttätigkeit und im Dienste der Sprachsicherheit[127]

Hartnacke war Bremer Schulinspektor, und er schreibt in erster Linie für Volksschullehrer. Seine grundsätzlichen Ausführungen im ersten Teil des Buches sind jedoch für die Situation und die Zielsetzung des Grammatikunterrichtes um 1920 von allgemeiner Bedeutung.

[119] Richter, Der Unterricht in der Muttersprache, 1872.
[120] Ebd., S. 31.
[121] Ebd., S. 33.
[122] Ebd., S. 48.
[123] Ebd., S. 52.
[124] Ebd., S. 55.
[125] Ebd., S. 41.
[126] Ebd., S. 59.
[127] Hartnacke, Deutsche Sprachlehre, 1918.

Schon im Titel sind Ziel und Weg umrißhaft gekennzeichnet: Sprachsicherheit und Selbsttätigkeit. Was Lotte Müller als Gaudigschülerin ausführlich darlegt,[128] ergibt sich bei Hartnacke unausgesprochen: Die neuen Bemühungen um den Grammatikunterricht in der Muttersprache um 1920 sind ohne die Anstöße Hildebrands, aber auch ohne die grundsätzlich-pädagogischen Bestrebungen der Arbeitsschulbewegung nicht zu verstehen. Während jedoch Müller dabei in übergroßer Betonung der Gaudigschen Gedanken die kindliche Aktivität zu sehr betont und systematisches Denken in bezug auf die Sprache von dieser pädagogischen Grundeinstellung nahezu ausschließt,[129] will Hartnacke den *Weg über die Grammatik zur Sprache* finden: „Auf der Grundlage der Verbindung von Einsicht und Übung, von Inhalt und Form soll das kindliche Sprachgut einerseits geordnet und gesäubert, andererseits erweitert und entwickelt werden."[130] Wie Greyerz[131] und Müller[132] kämpft er in Anlehnung an Rudolf Hildebrand gegen einen Grammatikunterricht, der sich von den klassischen Sprachen abhängig macht: „Glaubt man nun wirklich, daß man in den Ablauf der geistigen Vorgänge, die die lebendige, täglich gewohnte Sprache schaffen, durch Deklinations- und Konjugationsübungen, Reimregeln und dergleichen etwas wie Besinnungen, Hemmungen und Hilfen einschalten könne, wie bei der Tätigkeit des Übersetzens? ...Solange Sprachbücher mit den Deklinationen und Konjugationen beginnen oder in der Sicherheit in Konjugation und Deklination außerhalb des Satzzusammenhanges eine notwendige Grundlage zur Sprachrichtigkeit erblicken, solange wird sich die Sache nicht ändern. Dieses Verfahren heißt die lebendige Sprache erst totschlagen, sie dann in allen Teilen betasten, hin- und herbewegen... und sich dann wundern, daß dieser Körper keine selbständige Kraft und Bewegung hat."[133]
Hartnacke will vom eigenen Sprechen der Kinder ausgehen, ohne dabei nur auf den Dialekt einzugehen oder ohne nur kindliche Aktivität und Mitteilungsfreude anzuregen. Als zweiten Schritt soll das Kind den Sachinhalt dessen, was es sagt, sehen lernen. In An-

[128] S. u. S. 139.
[129] S. u. S. 143.
[130] Hartnacke, Deutsche Sprachlehre, S. V.
[131] S. u. S. 136 ff.
[132] S. u. S. 140.
[133] Hartnacke, Deutsche Sprachlehre, S. 5 f.

deutungen ist hier eine ähnliche Sicht wie später im Sprachspiegel vertreten, der vor aller Analyse eine rein inhaltliche Betrachtung von Sprachtexten fordert.[134] Zwar setzt Hartnacke die Akzente anders als der Sprachspiegel, aber die sprachinhaltliche Seite ist schon vor der „Wendung zur Sprache"[135] wenigsten angedeutet: „Es ist klar, daß wir den Grammatikunterricht nicht wohl ohne den Gesichtspunkt formaler Übungseinheiten betreiben können, wenn wir nicht auf den Holzweg des reinen Gelegenheitsunterrichtes geraten wollen. Als praktischer Weg bleibt m. E. nur der, innerhalb der formal gegebenen Übungseinheiten das Kind in möglichst intensiver Weise auch an dem sachlichen Inhalt zu beteiligen."[136] Nun sind allerdings diese „formal gegebenen Übungseinheiten" nicht mit Formalstrukturen der Sprache zu verwechseln, wie wir sie etwa im Klammerbau oder in der Normalform im Aussagehauptsatz kennen, sondern es sind nach methodischen Überlegungen vom Lehrer herausgegriffene Bereiche der Sprachlehre, die zur Behandlung anstehen. Einsicht in die Formalstrukturen will Hartnacke auch in der Volksschule durch „analytische Formalgrammatik" gewinnen lassen. Er bleibt also nicht wie Greyerz 1914 und 1921 in den beiden Auflagen seines Buches vom Deutschunterricht beim Sprachgefühl stehen, das sich wissenschaftlich kaum definieren läßt und deshalb dem grammatischen Bemühen entzogen ist,[137] sondern er will Sprachsicherheit über ein inhaltliches Erfassen und eben „analytische Formalgrammatik". Aus Gründen der Prägnanz will er dabei an den lateinischen Termini festhalten.
In der Einleitung zum zweiten Teil geht Hartnacke noch einmal auf das Verhältnis zur Fremdsprachengrammatik ein. Er will wieder ins Bewußtsein heben, daß die Sprache vor dem System war, daß aber die Grammatik, wie bei Mensing[138] vom System her denkt, das die Sprache zu erfüllen hat, dabei aber genuin deutsche Sprachphänomene nicht berücksichtigt. Dabei bezieht er sich ausdrücklich auf einen oben zitierten Passus bei Sütterlin,[139] hat also sicherlich von dessen Wendung zur deutschen Sprache der Gegenwart profitiert. Der nun folgende grammatische Einzelstoff gliedert sich in

[134] S. u. S. 201.
[135] S. o. S. 28 ff.
[136] Hartnacke, Deutsche Sprachlehre, S. 6.
[137] S. u. S. 138.
[138] S. o. S. 110 ff.
[139] S. o. S. 36.

zwei große Teile: „Satzteile erster Ordnung und was für sie eintreten kann"[140] und „Satzteile zweiter Ordnung oder entsprechende Sätze als Erweiterungen innerhalb des Rahmens anderer Satzteile".[141] Im ersten Kapitel sind Prädikat und Subjekt in dieser Reihenfolge die „notwendigen Teile des einfachen Satzorganismus",[142] zu denen als Angliederungen an das Prädikat Objekte und adverbiale Bestimmungen besprochen werden, während das zweite Kapitel sich mit allen sonstigen Erweiterungen beschäftigt. Wichtig ist dabei, daß hier von Erweiterungen, nicht von Abhängigkeitsverhältnissen die Rede ist, daß also Satzschemata, wie sie bei Kern, Mensing oder Müller zu finden sind,[143] hier nicht mehr konstruiert werden können. Wichtig ist auch, daß nicht mehr die formalen Kategorien, wie etwa Nebensätze oder Attribute, ohne Verbindung zueinander besprochen werden, wie es etwa bei Mensing der Fall ist, wo es in der Quarta einen systematischen Kurs „Nebensätze" gibt,[144] sondern daß sie als Aussagephänomene in gleicher Funktion etwa als Erweiterungen im Anschluß an Substantive erscheinen. So heißt es zu einem Beispiel mit Relativsatz: „Das Attribut ist durch einen ganzen Satz vertreten, der durch ein Fürwort eingeleitet wird, welches das näher zu bestimmende Hauptwort wieder aufnimmt."[145] Das strenge Grammatikschema ist also auf Grund der Lebendigkeit der Sprache aufgegeben. Auch an anderer Stelle, bei der Besprechung der Tempora, wird das deutlich: „Noch mehr als das Futurum I ist das Futurum II dem Deutschen sprachfremd. Das Futurum II ist daher lediglich in Rücksicht auf die fremden Sprachen zu behandeln."[146]
Die weiterhin gebotene grammatische Einzelarbeit ist nicht so geartet, daß ihre Darstellung noch wesentlich Neues bringen könnte. Es muß nur noch darauf hingewiesen werden, daß auch Hartnacke auf jede historische Sprachbetrachtung verzichtet. So bleibt als Ergebnis: Abrücken von einem grammatischen Systemdenken, Ausgang von der Sprachlebendigkeit, Berücksichtigung der Sprach-

140 Hartnacke, Deutsche Sprachlehre, S. 35 ff.
141 Ebd., S. 99 ff.
142 Ebd., S. VII.
143 S. u. S. 157, 142.
144 S. o. S. 118.
145 Hartnacke, Deutsche Sprachlehre, S. 102.
146 Ebd., S. 39.

inhaltsseite und Andeutung eines Weges über „analytische Formalgrammatik" zur Sprache.

e) Greyerz: Der Deutschunterricht als Weg zur nationalen
Erziehung[147]

Nach dem Vorwort zur zweiten Auflage ist das Buch bis auf einige
Texterweiterungen mit der ersten Auflage identisch. Trotzdem muß
der Titel bei der ersten Auflage 1914 völlig andere Assoziationen
ausgelöst haben als 1921. 1914 waren die Bemühungen Greyerz'
umfangen und getragen von einem intakten, wenn auch allzu pathe-
tischen deutsch-kaiserlichen Nationalbewußtsein, dem nun hier auch
der Deutschunterricht eingeordnet wurde. 1921 hat „nationale Erziehung" einen schärferen Klang: „Die Umschreibung des Deutschunterrichtes als Erziehung zu deutschem Fühlen und Denken drückt
eine Überzeugung aus, die seit dem Versailler Vertrag und seiner
Ausführung nur befestigt worden ist. Für das Recht, den Wert und
die Pflege der deutschen Sprache einzutreten, ist heute vermehrte
Pflicht aller, welche den tiefinnerlichen Zusammenhang mit der
deutschen Kulturgemeinschaft fühlen."[148]
Die Ausführungen selbst gehen von dem eigenen Spracherleben des
Verfassers aus und haben weithin persönlichen Klang. Greyerz
beginnt mit psychologischen Betrachtungen zur natürlichen Sprach-
begabung, geht über zur individuellen Sprachgeschichte jedes Menschen, wobei er fordert, daß ein Lehrer möglichst an sie anzu-
knüpfen habe, und kommt schließlich zu einem umfangreichen
Kapitel „Was die Geschichte des Deutschunterrichtes uns lehrt".[149]
Er will hier vor allen Dingen zeigen, wie sich seit dem ausgehenden
17. Jahrhundert der neu eingerichtete Deutschunterricht allmählich aus der Bevormundung des altsprachlichen Unterrichts gelöst
hat: „Die Geschichte des Deutschunterrichtes ist die Geschichte
seiner Befreiung vom Lateinunterricht."[150] Dieser Prozeß jedoch ist
für Greyerz 1921 keineswegs abgeschlossen: „Die Geringschätzung
der Muttersprache beim gelehrten Stande ist ein Erbteil jenes Zeit-
alters, wo sich der deutsche Geist ins Lateinische verirrte, wo er

---

[147] Greyerz, Der Deutschunterricht, 1921 (1. Aufl. 1914).
[148] Ebd., S. V.
[149] Ebd., S. 138–180.
[150] Ebd., Inhaltsverzeichn., S. VII.

seine Heimat verleugnete."[151] An anderer Stelle geht er in diesem Kapitel auf die Methode des Grammatikunterrichts seiner Zeit ein. Er sieht den Grammatikunterricht in Abhängigkeit von Erasmus: „Duplex cognitio rerum ac verborum, sagt Erasmus in Beziehung auf die Sprache... Durch die Wortkenntnis gelangt man erst zur Sachkenntnis. Was er aber unter Sachen versteht, zeigt der Zusammenhang: er spricht von grammatischen Figuren, von Grundsätzen der Metrik und Rhetorik. Also: um grammatische Figuren, um metrische und rhetorische Kunstmittel zu verstehen, muß ich zuerst ihre Namen und Begriffsbestimmungen verstehen. Das Verfahren ist noch heute im Schwang; hohe und niedere Lehrer üben es. Unbekümmert um das, was in den Köpfen ihrer Hörer vorgeht, diktieren sie Namen und Definitionen, Worte und Worte..."[152] Diese Äußerung ist deshalb so interessant, weil hier die im deutschen Humanismus wurzelnde erkenntnistheoretische Grundlage für alle deduktiv-synthetische Grammatik, also etwa die Sprachbücher von Müller-Frauenstein, Matthias, Michaelis und Mensing,[153] gegeben wird. Die Fehler eines Unterrichtes, der sich auf diesen erkenntnistheoretischen Unterbau stützt, möchte Greyerz mit diesem Unterbau selbst ausmerzen. Nach langer antithetischer Aufzählung falscher und richtiger Prinzipien für den Sprachunterricht kommt Greyerz zu folgendem summarischen Ergebnis: „Insbesondere muß der grammatische Unterricht s i c h v o n d e m l a t e i n i s c h e n V o r b i l d f r e i m a c h e n, das ihn so lange irregeführt hat. Die logische Einteilung der Redeteile, Satzteile und Satzformen muß statt an den Anfang eher ans Ende der Sprachbelehrung gesetzt werden und dafür durch vielfache und wohlberechnete Übung des Sprachgefühls für den richtigen Gebrauch gebildet und gefestigt werden."[154] Die Einzelschritte zu diesem Ziel sind im Anfangsunterricht Belebung des Sprachgefühls durch Spiel und Gesang, allgemein alles, was die Liebe zur Muttersprache weckt und fördert, im weiteren Kurs die Pflege des mündlichen Ausdrucks, Sprachlehre, Lesestoffe und schließlich Pflege des schriftlichen Ausdrucks durch Stilübungen. In unserem Zusammenhang muß das Kapitel „Sprachlehre" ausführlicher besprochen werden.

[151] Ebd., S. 141.
[152] Ebd., S. 148 f.
[153] S. o. S. 124 ff., 122 ff., 119 ff., 110 ff.
[154] Greyerz, Der Deutschunterricht, S. 178.

Härter und zorniger als oben geht Greyerz hier mit den Schulgrammatiken seiner Zeit ins Gericht. Die Sprache ist ihnen „Ver-
standessache": „Anwendung der allgemeinen Regel auf den einzelnen Fall."[155] „Das wirkliche Verständnis von Sprache und
Grammatik ist auf den Kopf gestellt: Die Sprache soll aus den
Grammatiken abgeleitet werden."[156] „Für wen sind solche Grammatiken eigentlich geschrieben? Offenbar für Leute, die zwar
Deutsch können, denen es aber ein Vergnügen bereitet, ihre Kenntnisse durch eine systematische Anordnung, gelehrte Terminologie
und allgemeine Formeln bestätigt und befestigt zu sehen. In dieser
Lage ist kein Schüler."[157] Diese Grammatiken sind also als Schulgrammatiken verfehlt. Man erwartet nun, daß Greyerz nach Besprechung des Negativen nun etwas Positives anbietet, das er als
eigenen Entwurf dem Alten entgegensetzt. Tatsächlich kommt
auch etwas Positives, ist aber, was Grammatik angeht, eine Null-
stelle: Kategorisierende Grammatik lehnt Greyerz ab, beschreibende Grammatik hält er für eine Fiktion, Grammatik überhaupt
hält er für überflüssig: „Gesetzt..., wir hätten eine beschreibende
Grammatik... und gesetzt (setzen mag man das ja immerhin,
wie jedes Unmögliche), diese Grammatik würde für alle dem
Schüler neuen und seltsamen Erscheinungen eine ihm einleuchtende
Erklärung geben, was wäre damit gewonnen? Ein dickleibiges
Lehrbuch und eine Schulqual ohne Ende; nur nicht das, was wir
erstreben müssen: Beherrschung der Sprache durch ein zuverlässiges Sprachgefühl, das unabhängig vom Buch das Richtige findet."[158] So geht Greyerz im folgenden auch nicht mehr auf grammatische Fragen ein. Für ihn überwuchert die Mannigfaltigkeit
der Spracherscheinungen, die er dazu noch primär als mundartlich
geprägte Erscheinungen sieht, jedes System einer Sprachreglemen-
tierung, ja, er hält auch Ansätze dazu für unmöglich und, wie oben
gesagt wurde, auch für unnötig. Als Gebiete der Sprachlehre nennt
er im folgenden unter anderem noch Sprachästhetik, Metrik, Poetik,
Synonymik, Etymologie. Sein Ziel ist Schulung des Sprachgefühls, der Ausgangspunkt die Ortsmundart. Grammatiken
für einen größeren Bereich, etwa für Preußen, hält er wegen der

155 Ebd., S. 258.
156 Ebd., S. 259.
157 Ebd., S. 259.
158 Ebd., S. 261.

Vielzahl der Dialekte in diesem Gebiet nicht für möglich. Wenn er am Schluß des Sprachlehre-Kapitels sagt: „Nur in der lebendigen Muttersprache treibt und blüht unser inneres Leben. Nur in ihr finden wir uns selber wieder,"[159] klingt das sehr programmatisch und modern. Es ist allerdings zu fragen, ob man ohne jegliche Systematisierung nicht nur sich selbst in der Sprache nicht findet, sondern nicht auch die Sprache als strukturiertes Gefüge, das sicherlich mit Logik zu tun hat, verliert.

### f) Müller: Vom Deutschunterricht in der Arbeitsschule[160]

Auch von diesem Buch ist nach seiner Gesamtanlage keine systematische Darstellung des schulgrammatischen Stoffes zu erwarten, sondern es ist eine Art Erfahrungsbericht über eine neue Art des Unterrichtens, vielleicht auch eine Art Rechtfertigung einer Lehrerin, die sich als Gaudig-Schülerin bekennt. Müller geht es in erster Linie um die Demonstration einer Methode und nicht um die Ausbreitung von Stoff. Deshalb nehmen auch protokollierte Unterrichtsgespräche den größten Teil des Buches ein. Zur Gesamtkonzeption heißt es: „Der Lehrer der Arbeitsschule ist nicht Übermittler des Stoffes; er stellt ihn nur bewußt und planmäßig bereit, daß ihn das Kind selbst erarbeiten kann ... Lehrer in der Arbeitsschule sein, heißt: Über das Stoffinteresse das psychologische Interesse stellen; neben umfassender Beherrschung des Unterrichtsstoffes eine gründliche Kenntnis der Kindereigenart erstreben und das Rüstzeug zur Erforschung des Einzelkindes wie auch der Klassengemeinschaft erwerben."[161] Der Schlußabschnitt des Buches „Von der psychologischen Arbeit des Deutschlehrers" zeigt noch deutlicher, wie grundsätzlich Müller etwa von der Arbeitsweise Mensings entfernt ist. Bei Müller heißt es: „Die freie Arbeit der Schüler gibt dem beobachtenden Lehrer tausendfach Gelegenheit, die Eigenart des Einzelnen wie auch der Klassengemeinschaft zu erfassen. Solche Kenntnis ist erforderlich, will er Stoffe und Arbeitsformen dem jeweiligen Stand der Klasse anpassen ... Eine Klassenchronik hält alle wichtigen Ereignisse der sozialen Gemeinschaft ‚Schul-

[159] Ebd., S. 280.
[160] Müller, Vom Deutschunterricht in der Arbeitsschule, 2. Aufl. 1922 (1. Aufl. 1921).
[161] Müller, Vom Deutschunterricht, S. 1.

klasse' fest ... Einzelpsychogramme geben ein möglichst umfassendes Bild jedes Kindes ..."[162] Das alles ist lediglich eine Variation des Gaudigschen Buchtitels von 1917: Die Schule im Dienst der werdenden Persönlichkeit.[163] Zur Arbeit in der Sprachlehre sagt Müller selbst: „Neben der Erziehung zur S p r a c h r i c h t i g k e i t hat die Arbeit in Sprachlehre die weitere Aufgabe, S p r a c h - v e r s t ä n d n i s in den Kindern zu wecken, daß sie mit den Gesetzen der Sprache vertraut werden und in ihr etwas Lebendiges, Entwicklungskräftiges, in langem Wachstum Gewordenes erkennen. Aus diesem Grund wird dann Freude an schöner Darstellung der Gedanken erwachsen, sei es bei der ästhetischen Würdigung der Gedichte, sei es im kleinen Gebiet täglichen Eigenschaffens. Das ist aber nur möglich, wenn die Schule den Lernenden den Weg weist, sich in der Sprache ein Werkzeug zu erarbeiten, das, je sorgfältiger es gepflegt wird, desto leichter dem Denken die Form gibt, die den Einzelmenschen mit seiner Umwelt verbindet ... Sprache ist Ausdruck; daher hat der Unterricht, wenn nur irgend angängig, auf die Sache selbst zurückzugreifen; das schließt nicht aus, daß gelegentlich (namentlich in Oberklassen) das Augenmerk auf die formale Seite der Sprache gelenkt werden kann, etwa beim Systematisieren."[164]

Diese sehr bemerkenswerten Äußerungen sind moderner als manche Grammatik, die 30 Jahre später entstanden ist.[165] Sie zeigen zweierlei: eine völlig neue Ansicht von der Sprache und damit verbunden eine neue Weise, um sie bewußt zu machen.

Die Sprache wird in ihrer expressiven Kraft gesehen, ihre Betrachtung hilft zur ästhetischen Erhellung der Dichtung, schafft aber auch zugleich ein Sprachbewußtsein, das sie über das Dasein als reines Kommunikationsmittel hinaushebt. Sie bleibt zwar Werkzeug, aber nicht Mitteilungswerkzeug, sondern formendes Medium des Denkens, schließlich sogar Verbindungsglied zwischen Mensch und Welt. Es geht sicherlich zu weit, hier schon die Auffassung von einer „sprachlichen Zwischenwelt" zu vermuten, wie sie Weisgerber wenig später vertritt,[166] daß aber die Sprache formende Kraft hat, daß also in ihr sprachgesetzlich nicht Faßbares vor-

---

[162] Ebd., S. 102.
[163] Gaudig, Die Schule im Dienst der werdenden Persönlichkeit, 1917.
[164] Müller, Vom Deutschunterricht, S. 44.
[165] Vgl. u. zu Florstedt-Stieber, S. 169 ff.
[166] S. o. S. 92 f.

handen ist, das den Menschen bestimmt, spricht Lotte Müller hier vor Weisgerber aus, der erst 1925 seine Antrittsvorlesung über „Das Problem der inneren Sprachform und seine Bedeutung für die deutsche Sprache" hält.

Eindeutig sind Sprachauffassung und Unterrichtsmethode Müllers aus Bestrebungen und Ansätzen herzuleiten, die keine unmittelbare Verbindung zu einer sich seit etwa 1900 anbahnenden neuen wissenschaftlichen Sprachbetrachtung haben. Diese können hier nur kurz skizziert werden.

Als wesentlichstes Merkmal des beginnenden 20. Jahrhunderts sieht Reble, daß es „den Gegenschlag des dynamischen Lebens gegen das verdinglichende 19. Jahrhundert" zu führen beginne.[167] Das äußert sich nicht nur in jedermann sichtbaren Erscheinungen, wie z. B. der Jugendbewegung, sondern auch in einer neuen Art naturwissenschaftlicher Betrachtung, in einer neuen Philosophie, in einer neuen Betrachtung des Menschen überhaupt.[168] Zwangsläufig bemüht man sich um neue pädagogische Formen und Methoden. Schlagwörter, die diese Zeit kennzeichnen, sind „Kunsterzieherbewegung", „Pädagogik vom Kinde aus", „Jahrhundert des Kindes" und schließlich „Arbeitsschulbewegung", zu der Müller sich als Gaudigschülerin bekennt. All diesen Richtungen und Bemühungen ist „der Gegensatz gegen die alte ‚Lernschule' des 19. Jahrhunderts, die auf Rezeptivität abgestellt war", gemeinsam.[169] Und hier ist die allgemein-pädagogische Grundlage zu suchen, die Müllers Art des Grammatikunterrichtes am meisten beeinflußt hat. Die grundsätzlichen Bestrebungen der Arbeitsschulbewegung laufen jedoch parallel mit Versuchen, auch wissenschaftlich auf neuen Wegen der Sprache gerecht zu werden. Schon seit Beginn des Jahrhunderts vertritt Voßler das Konzept einer „praktischen Grammatik" und fordert „ästhetische Sprachbeschreibung",[170] wobei erst sekundär auf die lebendige Sprache der „Schatten des Systems" fällt,[171] Wunderlich-Reis sehen 1924/25 schon in der dritten Auflage ihres Buches vom Satzbau das Sprechen als Lebensvorgang und den Satz als lebendige Erscheinung des geistigen Lebens,[172] schließlich vollzieht Ammann 1924 in „Die

---

[167] Reble, Geschichte der Pädagogik, S. 255.
[168] Hier und zum Folgenden: Reble, Geschichte, S. 256 ff.
[169] Ebd., S. 274.
[170] S. o. S. 35.
[171] S. o. S. 36.
[172] S. o. S. 37.

menschliche Rede"[173] die Wendung zur lebendigen Sprache als Rede radikal und theoretisch fundiert.

Müllers Grammatikunterricht ordnet sich dieser neuen wissenschaftlichen Forschung ein. Allgemein-pädagogische Grundlage und neue wissenschaftliche Sprachbetrachtung laufen hier — zumindest im Ansatz – parallel.

Das von Müller vertretene grundsätzlich Neue ist bedeutsamer als seine Ausgestaltung im Unterricht. So wird zur Formenlehre die Erarbeitung der Adjektive als neuer Wortart demonstriert. Das Ergebnis: „Die Eigenschaftswörter werden herausgehoben; das ruft ein Nachdenken über ihre sprachliche Eigenart hervor... Aus früher Behandeltem wissen sie (die Schüler), daß jede Wortart eine bestimmte Aufgabe hat; sie stellen dabei die Frage: Was erzählt uns die neue Wortart?"[174] Aufschlußreicher ist die Arbeit am Satz: „Die Eigenart des Stoffes bringt es mit sich, daß hier das Formale stark in den Vordergrund tritt."[175] Im skizzierten Unterrichtsgespräch wird der Satz *Unter den schattigen Bäumen auf der Debrahofwiese spielte gestern die wilde Klasse des Herrn R. ganz toll ein lustiges Spiel, Sackhüpfen* zergliedert.[176] Die Kinder stellen die einzelnen Satzteile dar: „Subjekt- und Prädikatwort kommen als Herren nebeneinander auf den erhöhten Tritt; das Subjektwort ruft seine Knechte, die näheren Bestimmungen; manch eines bringt gleich noch einen niederen Knecht mit... Jeder Satzteil reicht dem die Hand, von dem er abhängt..."[177] Das entworfene Satzbild zeigt folgende Abhängigkeitsverhältnisse:

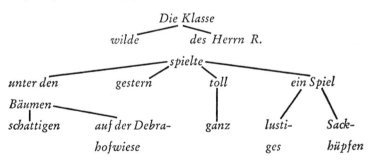

[173] S. o. S. 44 ff.
[174] Müller, Vom Deutschunterricht, S. 45.
[175] Ebd., S. 48.
[176] Ebd., S. 49.
[177] Ebd., S. 49.

Hier werden die Grenzen der Müllerschen Bemühungen evident. Die pädagogische Grundlage ist modern – aber in der steten Betonung kindlicher Aktivität zu überspitzt „vom Kinde aus", die Grammatik jedoch in ihrem Zentrum, der Satzlehre, antiquiert. Dieses Schema der Abhängigkeiten der Satzteile könnte auch bei Kern[178] oder Mensing[179] zu finden sein.

So bleibt als Fazit folgendes zu sagen: Lotte Müller geht vom Kind aus, von seinem ursprünglichen lebendigen Sprachhandeln. Dieses Sprachhandeln will sie lenken, erweitern und bewußt machen, wobei sie jede Regelgrammatik ablehnt und die inhaltliche Seite der Sprache einseitig betont.[180] Wo – wie in der Satzlehre — doch streng grammatisch gegliedert wird, übernimmt sie das herkömmliche zweiteilige Satzschema mit seiner Unterordnungs- und Abhängigkeitsstruktur.

## g) Lüttke: Sprachlehre als Anleitung zur Sprachbeobachtung[181]

Auch Lüttke ist Lehrer und teilt seine in der Schule gemachten Erfahrungen mit. In der Grundhaltung, die Schüler in induktiver Methode und durch Selbsttätigkeit auf einem gegen die logische Grammatik entworfenen Weg zu sprachlicher Bildung zu führen, steht Lüttke in der Linie der Volksschullehrer, die mit Hildebrand beginnt.[182]

Wie schon an Lotte Müller[183] unnd Greyerz[184] ersichtlich ist, scheint sich um 1920 das Bewußtsein durchzusetzen, daß Sprache für die Schüler primär Rede ist. Schon Weber[185] und Richter[186] wollen 1872 am mundartlichen Sprechen der Schüler anknüpfen und zur Hochsprache führen, und in verstärktem Maße will Greyerz sogar Mundartengrammatik treiben, den Schülern also die Sprachheimat des Dorfes völlig erschließen und verlebendigen. Auch Greyerz'

---

[178] S. u. S. 155 ff.
[179] S. o. S. 110 ff.
[180] So z. B. auch in: Deutsche Sprachkunde in der Arbeitsschule, 3. Aufl. 1927, S. 9: Kenntnis grammatischer Termini ist nur „Vorarbeit, die vor dem tieferen Eindringen in das Wesen der Sprache geleistet werden möchte ... Alle nur mechanischen Übungen können ohne jede Gefährdung der sprachlichen Bildung fortfallen."
[181] Lüttke, Sprachlehre als Anleitung, 2. Aufl. 1923 (1. Aufl. 1911).
[182] S. o. S. 127.
[183] S. o. S. 139 ff.
[184] S. o. S. 136 ff.
[185] S. o. S. 128 ff.
[186] S. o. S. 132.

Methode ist Sprachbeobachtung.[187] Er bleibt aber im eigenen
Sprachraum, und deshalb haftet seinen Bemühungen etwas Provin-
zielles an. Lüttke dagegen spannt einen weiteren Rahmen: „Wer
sein eigener Sprachlehrer sein will, benutzt als Bildungsmittel entweder die mündliche Rede der Gebildeten oder die Sprache der
Bücher oder auch beides: Er achtet genau auf die Ausdrucksweise
seines Vorbildes ... Das Wesentliche in diesem Verhalten zur Sprache läßt sich mit dem Worte Sprachbeobachtung bezeichnen ... Zur
rechten Sprachbeobachtung gehört vor allem die Beachtung der eigenen Sprache im mündlichen wie im schriftlichen Ausdruck, besonders aber im mündlichen."[188] Dabei erschließt sich ihm die Sprache
„als ein von den Vorfahren ererbtes Kulturgut, in dem reiche
Schätze des Geistes und Herzens eingeschlossen liegen".[189] In didak-
tisch-methodischer Verknüpfung wird dieser Sachverhalt so formuliert: „Die Sprachlehre steht in einem zweifachen Verhältnis zur
Sprachbeobachtung: Sie stützt sich auf die Sprachbeobachtung, weil
sie sprachliche Anschauung braucht, an der sie das Allgemeine und
Gesetzmäßige nachweist; und sie führt zur Sprachbeobachtung ...,
indem sie die Teilnahme weckt für Spracherscheinungen und den
Blick schärft für Einzelheiten an ihnen."[190]
Es zeigt sich, daß Lüttke bei diesem lebendigen Ansatz die herkömmliche Grammatik nicht völlig ablehnt, sondern sie lediglich
anders praktizieren will. An der Einteilung Laut-, Wort- und
Satzlehre hält er fest, betont aber, daß sie nicht scharf zu trennen
sind, und man sich bei der Behandlung von Wort und Laut immer
darüber klar sein muß, daß sie erst „bei der Betrachtung des Satzes
... zum eigentlichen Leben und zur vollen Entfaltung gelangen".[191]
So beginnt grundsätzlich alles grammatische Bemühen beim Satz.
Von Texten und Beispielsätzen ausgehend „hat die Sprachlehre
klärend und berichtigend einzugreifen, indem sie die sprachlichen
Mittel aufzeigt, die dem Gedanken und den Gedankenverhältnissen
angemessen sind. Dadurch gestaltet sie sich für den jugendlichen
Geist zu einer Art Logik, die das, was die wissenschaftliche Logik
durch ihre Lehre von Urteilen, Schlüssen und Beweisen denk-

187 Vgl. Greyerz: Aus meiner Sprachgeschichte, Greyerz-Festschrift 1923, S. 19 ff.
188 Lüttke, Sprachlehre als Anleitung, S. 3.
189 Ebd., S. 5.
190 Ebd., S. 7.
191 Ebd., S. 14.

mäßig feststellt, auf anschaulichem Wege gewinnt und praktisch nutzbar macht".[192]

In einem zusammenfassenden Teil seines Buches bringt Lüttke eine „übersichtliche Zusammenstellung des Lehr- und Übungsstoffes".[193] Der erste Kurs heißt Satz, Wörter, Silben, Laute,[194] anschließend bespricht er die Wortarten in aller Ausführlichkeit,[195] dann folgt wieder Satzlehre. Hier werden die Sätze zunächst nach ihrem Inhalt gesondert,[196] dann erst beginnt die Erarbeitung der Satzstruktur durch Bewußtmachen der Satzteile. Schließlich folgen Satzreihe und Satzgefüge.[197] Obwohl im einzelnen nicht ersichtlich ist, bis zu welchem Ergebnis die Einzelthesen geführt werden, läßt sich doch im ganzen sagen, daß dieser Kursus sachgemäß aufgebaut ist und nichts Unerreichbares fordert. Das Buch schließt mit Beispielen aus dem Sprachlehreunterricht.

### 4. Sprachbücher der höheren Schule mit dem Ziel, den deutschen Sprachunterricht von Deduktion und Sprachhistorie zu befreien

a) Überblick

Wie aus dem folgenden Abschnitt ersichtlich ist, gibt es schon vor 1900 Versuche, auch den deutschen Grammatikunterricht der höheren Schule aus dem Zwangssystem einer ihn überfremdenden Fremdsprachengrammatik zu entbinden. Wie sich diese Richtung des Sprachunterrichtes zur wissenschaftlichen Grammatikforschung dieser Zeit verhält, wird in einer späteren Übersicht dargestellt, teilweise an prägnanten Einzelpunkten aber auch schon bei der Besprechung der einzelnen Schulgrammatiken erwähnt. Diese Sprachbücher sind deshalb von besonderer Wichtigkeit, weil hier nicht nur allgemein-pädagogische Neuansätze vorliegen, sondern neue Methoden des Grammatikunterrichtes erarbeitet sind, deren Auswirkungen bis in unsere Zeit hineinreichen. Denn deutsche Grammatik ohne die Bevormundung durch die lateinisch-logische ist heute eine Selbstverständlichkeit, um 1900 jedoch erst ein Programm.

[192] Ebd., S. 16.
[193] Ebd., S. 167 ff.
[194] Ebd., S. 167.
[195] Ebd., S. 168 ff.
[196] Ebd., S. 175.
[197] Ebd., S. 177.

Deshalb ist es wohl erlaubt, in bezug auf diese Schulgrammatiken, die im Anschluß an Kern[198] und Sütterlin[199] geschrieben sind, von Reformgrammatiken zu sprechen. Die Darstellungen im Anschluß an Hildebrand[200] begnügen sich bis auf wenige Andeutungen mit einem allgemein-pädagogischen Programm. Sie wollen einen lebendigen Sprachunterricht, versagen aber vor der Aufgabe, einen grammatischen Kursus zu erarbeiten, an dem die neugewonnene pädagogische Grundhaltung sich bewähren könnte. Kern und vor allem Sütterlin-Martin und Florstedt-Stieber[201] machen es sich schwerer. Auch was sie nicht wollen, ist leicht gesagt: kein fremdes System, keine Deduktion, keine Historie, keine toten Beispielsätze. Dagegen nun ein neues System aufzubauen, das sich verantwortlich an die Stelle des alten setzen ließ, war ihre schwierige Aufgabe. Auch wenn die Einzelergebnisse nicht immer befriedigen, die Methode noch immer zu wenig Dynamik enthält oder zuläßt: Hier wurde den Schülern zum ersten Mal Sprachlehre angeboten, die vom Deutschen ausging und ohne Rücksicht auf andere Sprachen erkennen lassen wollte, was deutsche Sprache eigentlich sei. Nur so, aus dem Eifer des Neuanfangs, ist wohl auch die Häufung des Materials in Wort- und Beispielsammlungen zu verstehen.

Gegenüber den deduktiv arbeitenden Grammatiken wirken die neuen Sprachbücher merkwürdig blaß. Die Grammatiken alten Stils haben etwas Selbstbewußtes, weil sie von einem sicheren System herkommen und sprachliche Probleme für sie eigentlich nicht aufkommen können. Die neue Richtung arbeitet zunächst nur darstellend. Sie reiht Punkt an Punkt und wirkt dadurch ermüdend. Sie beginnt wohl schon, den Satz als übergreifende Einheit zu fassen, zergliedert ihn aber noch immer und tötet damit seine Dynamik. Erst die späteren Sprachbücher nach dem zweiten Weltkrieg finden Möglichkeiten, diese Einzelteile in ihrem spannungsvollen Verhältnis zueinander zu belassen. Daß sie das konnten, verdanken sie einer neuen Art wissenschaftlicher Grammatikforschung, nicht zuletzt aber der Freilegung dieser Einzelteile als Teile deutscher Sätze, wie sie die im folgenden Abschnitt behandelten Sprachbücher von etwa 1900 an erbrachten.

[198] S. u. S. 155 ff.
[199] S. o. S. 28 ff. und u. S. 158 ff.
[200] S. o. S. 127–145.
[201] S. u. S. 162 ff.

## b) Lyon: Handbuch der deutschen Sprache für höhere Schulen[202]

Daß sich im Raum der höheren Schule schon vor 1900 ein Wandel anbahnt und vollzieht, macht Lyons „Handbuch" deutlich. Dieses Sprachbuch hat sich in immer neuen Auflagen und Bearbeitungen über 50 Jahre lang in der höheren Schule gehalten. Noch in der Zeit zwischen den beiden Weltkriegen war es ein Standardwerk. Seine erste Auflage erschien 1885, die letzte 1936.[203] Es ist in seiner Anlage so eigenständig, daß es in keine Gruppe einbezogen werden kann. In der Tendenz, Bestände der Gegenwartssprache bewußt zu machen, ist es allerdings Sütterlin verwandt. Insgesamt läßt es sich zwischen den Gruppen um Mensing[204] und Kern/Sütterlin[205] einordnen.

Lyon beginnt mit der Satzlehre. Seine Methode ist deduktiv-analytisch. Sein Abschnitt „Satz und Satzteile" heißt: „Jeder Satz besteht aus einzelnen Satzteilen oder Satzgliedern. Um diese Satzglieder aufzusuchen, bedient man sich bestimmter Fragen, zu welchen die einzelnen Satzteile die Antwort bilden. Einen Satz in solcher Weise in seine Teile auflösen, heißt: einen Satz analysieren oder zergliedern."[206] Es folgen für die Sexta Subjekt und Prädikat, die Objekte und das Adjektivattribut. Lyon will den Sextaner das Gerüst des einfachen Satzes erkennen lassen. Er tut es an Beispielsätzen, bei denen er auf das gerade behandelte grammatische Phänomen aufmerksam macht. Einzelsätze, an denen die Schüler selbständig arbeiten sollen, schließen sich an. Schon hier bei der Übersicht über das erste Kapitel der Satzlehre wird die merkwürdige Zwischenstellung zwischen Deduktion und Denken von der Sprache aus, die für Lyon charakteristisch ist, offenbar. So sind diese genannten Satzglieder zunächst nicht an der Sprache beobachtet, sondern vom System her gegeben. Daneben heißt es aber plötzlich bei der Besprechung des Objekts: „In vielen Fällen bezeichnet das Prädikat eine Tätigkeit, welche das Subjekt ausübt, z.B. *der Schmied hämmert* ... Diese Tätigkeit richtet sich auf einen anderen Gegenstand, und das Prädikat muß dann durch diesen Gegenstand

---

[202] Lyon, Handbuch, Sexta–Tertia, 3. Aufl. 1891.
[203] 1. Aufl. 1885, Kayers Bücherlexikon verzeichnet für die Jahre 1907–1910 z. B. 7 verschiedene Ausgaben, das Deutsche Bücherverzeichnis für 1915–1920 14 verschiedene und für die Jahre 1926–1930 noch 2 verschiedene Ausgaben.
[204] S. o. S. 108–127.
[205] S. u. S. 155–162.
[206] Lyon, Handbuch, S. 1.

ergänzt werden. Wenn ich z. B. höre: *Siegfried schwingt,* so frage ich unwillkürlich: Was schwingt er? und der Satz erhält seine Abrundung erst durch den Zusatz: *das Schwert.*

Diesen Gegenstand, auf den sich die Tätigkeit des Subjekts richtet und der das Prädikat ergänzt, nennt man das Objekt oder die Ergänzung."[207] Das Objekt wird vom Sprechen aus, von einer Situation her gewonnen, wobei Lyon schon etwas von der „Wertigkeit" des Verbs spürt, die später für die Satzmodelle bei Erben[208] eine entscheidende Rolle spielen.

Das zweite Sextakapitel heißt „Einiges aus der Laut- und Wortbildungslehre".[209] Dazu schreibt Lyon im Vorwort: „Meine Darstellung der Lautlehre hat nur den Zweck, dem Schüler eine Ahnung und ungefähre Vorstellung von der geschichtlichen Entwicklung unserer Sprache und den großen Naturgesetzen dieser geschichtlichen Entwicklung zu geben ... Aber es kann nicht nachdrücklich genug betont werden, daß es unbedingtes Erfordernis ist, die Wissenschaft vor ihrem Eintritt in die Schule aufs gründlichste und sorgfältigste nach pädagogisch-didaktischen Grundsätzen umzuwandeln, um sie so dem höchsten künstlerischen Zwecke, der Erziehung des Menschen, dienstbar zu machen."[210] Im übrigen wehrt Lyon hier die Meinung ab, Universitätslinguistik gehöre in die Schule. Fast scheint es so, als sei dieses Kapitel diachronischer Sprachbetrachtung, das in der Tertia ausführlicher noch einmal aufgenommen wird,[211] nur noch ein kleines Zugeständnis an junggrammatische Methode und deren Ergebnisse, da für Lyon in der Schule die Sprache der Gegenwart im Zentrum der Betrachtung stehen soll.

Bevor der Sextaner mit der „Lehre vom einfachen Satz"[212] wieder zum Thema des Anfangs zurückfindet, werden im dritten Abschnitt sehr ausführlich die Wortarten besprochen. Dabei stimmen Schulmann und Wissenschaftler Lyon in der Methode zunächst darin überein, daß sowohl im Schulbuch als auch in der Deutschen Grammatik[213] die Wortarten in ihrer Funktion, Satzglieder darzustellen,

---

[207] Ebd., S. 2.
[208] S. o. S. 78.
[209] Lyon, Handbuch, S. 5 ff.
[210] Ebd., S. IV.
[211] Ebd., S. 232 ff.
[212] Ebd., S. 88 ff.
[213] S. o. S. 23 ff.

148

repräsentiert werden. Nach einigen Beispielen heißt es zum Substantiv: „In den vorstehenden Sätzen wird das Subjekt durch Wörter ausgedrückt, welche eine Person oder Sache bezeichnen. Solche Wörter heißen Substantive oder Hauptwörter. Äußerlich erkennt man die Substantive daran, daß man den Artikel … vorsetzen kann."[214] Es folgen die weiteren Eigenschaften dieser Wortart, ihre Einteilung, die Genera, die Deklination, Komposition und Derivation. Zum Adjektiv heißt es, wiederum nach vorangestellten Beispielsätzen: „In den vorstehenden Sätzen treten zu den Substantiven Wörter, welche Eigenschaften der betreffenden Substantive bezeichnen. Solche Wörter nennt man Adjektive oder Eigenschaftswörter. Äußerlich erkennt man dieselben daran, daß sie zwischen dem Artikel und dem Substantiv stehen oder wenigsten an diese Stelle gesetzt werden können."[215] Aufschlußreich ist hier ein Vergleich mit der Einführung des Attributs: „Zu dem Subjekt wie zu den Objekten können Wörter treten, welche sagen, wie der Gegenstand beschaffen ist. Diese näheren Bestimmungen, die überhaupt zu jedem Substantiv treten können, heißen Attribute oder Beifügungen."[216] Hieraus wird noch einmal deutlich, daß die Bereiche Satz- und Wortlehre nicht streng voneinander unterschieden werden. Weiter fallen aber auch die nahezu gleichlautenden Formulierungen zum Satzproblem Attribut und zum Wortartenproblem Adjektiv auf. Das Attribut sagt aus, „wie der Gegenstand beschaffen ist", Adjektive sind Wörter, „welche Eigenschaften der betreffenden Substantive bezeichnen". Mit anderen Worten: Die Satzlehre ist in diesem Punkt eine Wortlehre, in die lediglich der unklare Begriff „Gegenstand" eingeführt worden ist.

Bei der Einführung des Pronomens geht Lyon nicht mehr von der Satzlehre aus. Für ihn ist das Pronomen eine stilistische Notwendigkeit. Dazu heißt es: „Wenn man von einer Person oder Sache etwas erzählt, so würde die Erzählung bald sehr schwerfällig werden, wenn man immer den Namen der Person oder Sache wiederholen wollte. Man gebraucht daher kleine Wörter, welche man statt des betreffenden Personen- oder Sachnamens setzt, und nennt diese Wörter, da sie für ein Substantivum (Nomen) stehen, Fürwörter

---

[214] Lyon, Handbuch, S. 8.
[215] Ebd., S. 24.
[216] Ebd., S. 4.

oder Pronomen."[217] Verglichen mit den dürren Worten zur Einführung des Substantivs[218] liegt hier eine umfassendere Charakterisierung einer Wortart vor.

Schließlich soll noch kurz auf die Einführung der Verben hingewiesen werden. „Verben oder Zeitwörter nennt man diejenigen Wörter, welche aussagen, was eine Person oder Sache tut oder leidet. Man nennt die Verben daher auch Tätigkeitswörter. Zeitwörter werden sie genannt, weil sie zugleich die Zeit mit angeben, welcher die betreffende Tätigkeit angehört, z. B. *Die Blume blüht* (d. h. sie blüht jetzt)."[219] Lyon bestimmt diese Wortart punktuell von ihren inhaltlichen und formalen Möglichkeiten her. Dabei fällt diese Methode gerade im Zusammenhang des Verbs als besonders unangebracht und lähmend auf, weil die von der Definition gelieferten Ergebnisse genauso gut von Schülern entdeckt werden können. Daß Lyon zudem das Deutsche auch vom Lateinischen her betrachten kann, zeigt der Abschnitt über das Futur II: „Ebenso wie bei der Vergangenheit bezeichnet man auch bei der Zukunft die Zeitunterschiede genauer, und es gibt neben dem Futurum auch noch ein Futurum exactum, z. B. ich werde gekämpft haben, ich werde geschrieben haben. Das Futurum bezeichnet eine Handlung überhaupt als eine zukünftige, z. B. ich werde kämpfen, d. h. das Kämpfen geschieht in der Zukunft. Das Futurum exactum bezeichnet eine Handlung auch als eine zukünftige, setzt dieselbe aber in Beziehung zu einer anderen Handlung der Zukunft, und zwar sagt das Futurum exactum aus, daß eine Handlung bereits vollendet sein wird, ehe die andere Handlung eintritt."[220] Die Akribie bei der Besprechung eines grammatischen Phänomens, das es im Deutschen gar nicht gibt, fällt auf. Eben weil von der Sprache her das Futurum II als ausgebildete Zeitform nicht existiert, muß es, weil hier ein grammatisches System erfüllt werden soll, genauestens erklärt werden.

Lyon hat insgesamt vier Methoden, eine Wortart einzuführen: Das Substantiv gewinnt er vom Satz her in seiner Funktion, Subjekt zu sein, die Adjektive haben eigentlich gar keinen Wert für sich, sondern werden, ähnlich wie bei Mensing,[221] funktional auf

[217] Ebd., S. 33.
[218] S. o. S. 149.
[219] Lyon, Handbuch, S. 54.
[220] Ebd., S. 59 f.
[221] S. o. S. 118.

die Substantive bezogen. Auch Brinkmann z. B. kommt in den Einleitungssätzen zum Adjektiv auf das Substantiv zu sprechen, doch mit dem Zweck, das Adjektiv, hier am Beispiel der Steigerung, in seinem Eigensein darzustellen: „Wie das Substantiv hat das Adjektiv ein Lautgesicht mit veränderlichen Zügen, und wie das Substantiv kennt es Abwandlungen des Wortbildes an sich ... Wenn ein Substantiv mit verändertem ‚Stamm‘, in innerer Flexion, auftritt, handelt es sich darum, daß der gemeinte Begriff als Einheit *(Mann)* oder Vielheit *(Männer)* dargestellt werden soll. Wenn sich in innerer Flexion das Lautbild eines Adjektivs wandelt, erhält die mit dem Adjektiv ausgesprochene Stellungnahme jeweils eine andere Wendung."[222]

Auch das Pronomen wird auf seine eigene Weise entdeckt. Wiederum, und hier schon zum dritten Mal, sieht Lyon einen Bezug und eine Aufgabe, aber wieder ist die Funktionalität anders bestimmt: Das Pronomen erfüllt seine Aufgabe in der Rede. Es ermöglicht guten Stil. Die Einführung des Verbs schließlich bleibt inhaltlich-formal. Sie klärt, was Verben aussagen und wie man sie verändern kann.

Offenbar will Lyon eine Wortart n i c h t  v o m  S y s t e m  h e r  präsentieren, offenbar sucht er neue Wege der Einführung und der Darstellung. Aber der Befund dreier verschiedener Weisen von Funktionalität und das statisch-phänomenologische Vorgehen in einem Punkt bei vier untersuchten Wortarten kann nicht befriedigen.

Einheitlich wird die Darstellung erst wieder in der anschließenden „Lehre vom einfachen Satz".[223] Hier werden die Wortarten allesamt daraufhin untersucht, welche Satzgliedfunktion sie übernehmen können. Hier schwenkt das Schulbuch wieder voll auf die wissenschaftliche Linie der „Deutschen Grammatik" ein. Es ergibt sich für den Zusammenhang Wortarten–Satzglieder folgendes Schema:[224]

[222] Brinkmann, Die deutsche Sprache, S. 96.
[223] Lyon, Handbuch, S. 88 ff.
[224] Die Pfeile bedeuten dabei jeweils: ... kann die Stelle des ... besetzen.

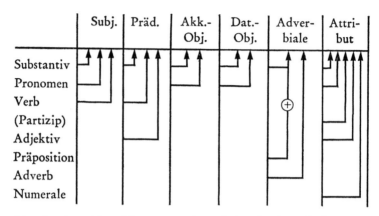

|  | Subj. | Präd. | Akk.-Obj. | Dat.-Obj. | Adverbiale | Attribut |
|---|---|---|---|---|---|---|
| Substantiv |  |  |  |  |  |  |
| Pronomen |  |  |  |  |  |  |
| Verb |  |  |  |  | ⊕ |  |
| (Partizip) |  |  |  |  |  |  |
| Adjektiv |  |  |  |  |  |  |
| Präposition |  |  |  |  |  |  |
| Adverb |  |  |  |  |  |  |
| Numerale |  |  |  |  |  |  |

Nun ist ein solches Schema ganz instruktiv, ähnelt auch dem, was etwa Rahn-Pfleiderer im Quarta-Band als „Baugesetz der Subjektsgruppe" demonstrieren: „Das Subjekt besteht aus einem Wort, wenn nur der Name des Geschehensträgers genannt oder durch ein Pronomen angedeutet werden soll. Wenn es der Sinn erfordert, muß es aber näher bestimmt werden. Die Aufgabe des Subjekts kann auch durch einen Nebensatz übernommen werden."[225] Deutlich zeigt sich aber der Unterschied: Rahn-Pfleiderer denken funktional von der Redeabsicht her, Lyon geht statisch vom Schema aus, bei Rahn-Pfleiderer ist diese Betrachtung der Subjektstelle eine Station zur Erhellung von „Zwang und Freiheit im Satz",[226] bei Lyon ist diese Übersicht Ergebnis der Satzlehre der ersten Klasse. Auch hier werden grundlegende Unterschiede deutlich.

In der Quinta wird sehr ausführlich weiter Wortlehre getrieben.[227] Das einzige Thema der Quarta ist „Der zusammengesetzte Satz".[228] Die Untertertia beschäftigt sich ausführlich mit „Laut- und Wortbildungslehre".[229] Die Besprechung von „zusammengesetzten Sätzen" wird beendet. Wie bei Michaelis erschöpft sich die komplizierte Satzlehre fast ausschließlich im Aufzählen der Nebensatzarten.[230] Im ganzen entspricht dieser Kurs einem „Entwurf eines Lehrplanes für den deutschen Unterricht in Realgymnasien" von 1896, den

[225] Rahn-Pfleiderer, Deutsche Spracherz. B III, S. 37.
[226] Ebd., S. 37 ff.
[227] Lyon, Handbuch, S. 120–181.
[228] Ebd., S. 205–229.
[229] Ebd., S. 232–253.
[230] S. o. S. 122; bei Lyon S. 198 f., 207–229, 254–268.

Lyon mit Hentschel und Matthias zusammen erarbeitet hat.[231] Hier schon geht er bei der Besprechung des Sextastoffes auf den fremdsprachlichen Unterricht ein: „Die grammatische Belehrung umfaßt in Rücksicht auf den auf solche Grundlagen angewiesenen fremdsprachlichen Unterricht den einfachen Satz und seine einfachsten Erweiterungen..., die wichtigsten Wortklassen und das Wichtigste von Deklination und Konjugation."[232] Noch deutlicher wird der Bezug in einer umgearbeiteten Auflage des Handbuches der deutschen Sprache von 1911 ausgesprochen, die von Willy Scheel besorgt ist.[233] Dort heißt es in einem Abdruck eines Vorwortes zu der Erstauflage der Neubearbeitung von 1902: „Die vorliegende Zusammenstellung versucht gerade auf derartige Schwierigkeiten (des Formenverständnisses) für den Schüler aufmerksam zu machen und durch den planmäßigen deutschen Unterricht dem der Fremdsprache vorzuarbeiten und ihn zu erleichtern."[234] Im übrigen bringt das Handbuch in der neuen Form nichts wesentlich Neues. Lediglich die Verbindung Wortarten–Satzglieder ist von vornherein noch enger gesehen.

So ergibt sich für Stoffauswahl, Anordnung und Gesamttendenz das Bild eines Sprachbuches, das einen eigenen Weg gehen will, das nicht unbedingt vom System her präsentiert, sondern neue Arten der Einführung sucht, das Wort- und Satzlehre nicht scheidet und beide Ebenen sich immer wieder berühren und durchdringen läßt, das aber schließlich doch nur zu einem statistischen Schema kommt, dem sich nichts Lebendiges mehr abgewinnen läßt, das deutsche Grammatik treiben will, der lateinischen dabei aber bewußt vorarbeitet und dabei zuweilen auch von ihr überfremdet wird. Verglichen mit Mensing wirkt dieses Sprachbuch lockerer, durch die angehängten Aufgaben weniger deduktiv, durch die ausführliche Satzlehre, vor allem in der Quarta und Untertertia, weniger historisch. Vor dem Hintergrund dessen, was Lyon wollte, erscheint das Ergebnis bescheiden, der Weg kaum beschritten. So schreibt Lyon in dem oben zitierten Entwurf eines Lehrplanes:[235] „Die grammatische Unterweisung hat im Deutschen stets und durchaus auf induktiv-heuristischem Weg zu erfolgen, der von den ein-

[231] Hentschel, Matthias, Lyon: Entwurf eines Lehrplanes, 1896.
[232] Ebd., S. 701.
[233] Lyon-Scheel, Handbuch, 1911.
[234] Ebd., S. III.
[235] S. o. S. 152.

zelnen Spracherscheinungen ausgehend den Schüler zur Auffindung des Gesetzes fortschreiten und aus Beispielen die Regel entwickeln läßt. Durch fortgesetzte Übung in der Analyse gegebener und der Bildung eigener Beispiele ist Sicherheit und Gewandtheit im Sprechen zu erzielen, und immer ist darauf zu achten, daß die grammatische Belehrung durch Mannigfaltigkeit der Übungen möglichst belebt wird."[236] Diesen sehr modern anmutenden Maximen entspricht die praktische grammatische Arbeit keineswegs. Der oben[237] schon einmal zitierte Passus, den die Sextaner bei Lyon zunächst einmal zu lesen bekommen, heißt: „Jeder Satz besteht aus einzelnen Satzteilen oder Satzgliedern. Um diese Satzglieder aufzusuchen, bedient man sich bestimmter Fragen, zu welchen die einzelnen Satzteile Antwort bilden. Einen Satz in solcher Weise in seine Teile auflösen, heißt: einen Satz analysieren oder zergliedern". Das läßt kaum Möglichkeiten heuristisch-induktiven Arbeitens. Das deduktive Prinzip herrscht vor.

Und noch einmal läßt sich der Theoretiker Lyon zitieren. In einem Aufsatz von 1891 über die Ziele des deutschen Unterrichtes fordert er, der Schüler müsse Einsicht in die Lebendigkeit der Sprache erhalten. Als Methode schlägt er „eine streng grammatische Schulung und sprachlich-stilistische Unterweisung in der Muttersprache" vor, „da ja unsere Schriftsprache auf grammatischer Regelung beruht und ein künstliches Gebilde ist, das von jedem sorgfältig erlernt und geübt werden muß, wenn er zu einiger Fertigkeit und Gewandtheit darin gelangen will".[238] Das scheint Deduktion in reiner Ausprägung zu sein. Aber Lyon sieht auch die Lebendigkeit der Sprache. Deshalb hält er zum anderen nun eine starre Regelgrammatik wieder nicht für möglich, auch nicht für wünschenswert, daß man im Deutschen wie im Lateinischen von „Ausnahmen" spricht, sondern er will den Begriff „sprachrichtige Schwankung"[239] einführen, um zu dokumentieren, daß es in einer lebendigen Sprache mehrere, nebeneinander richtige Sprachmöglichkeiten gibt. Nun merkt man im „Handbuch" von der Berücksichtigung „sprachrichtiger Schwankungen" nichts, aber man spürt das Unbehagen an der strengen Deduktion und die Hinwendung zu eigenen Wegen.

[236] Hentschel, Matthias, Lyon: Entwurf, S. 706.
[237] S. o. S. 147.
[238] Lyon, Die Ziele des deutschen Unterrichts, 1891, S. 15 f.
[239] Ebd., S. 18 u. ö.

Aus dem Gesagten läßt sich Lyons Stellung noch einmal folgendermaßen charakterisieren: Verglichen mit Mensing und den strengen deduktiven Grammatiken[240] läßt sich bei Lyon eine Tendenz zur Sprache, zum Wahrnehmen des deutschen Bestandes konstatieren, und zwar die Tendenz zur Sprachwirklichkeit, die die Historie zu ihrer Erklärung mit einspannt. So möchte ich Lyon als Schulgrammatiker nach dem Gesamteindruck zwischen Deduktion und „Wendung zur Sprache" einordnen.

## c) Kern und seine Bemühungen um den Deutschunterricht

Wie es um die Praxis, den Deutschunterricht in den Schulen, um 1890 ausgesehen haben muß, geht erschütternd aus der Vorrede Kerns zu seinen „Betrachtungen über den Anfangsunterricht"[241] hervor. Offenbar trieb man Grammatik wie zur Zeit des Tileman Olearius, den Kern auch zitiert. Die Erschließung des Satzes geht dabei so vor sich: „der nominativus gehet vor dem verbo her und regieret den numerum und personam ... dieser wird in dem bilde den Kindern gewiesen durch den König, der einen scepter in der Hand hat, damit sie allezeit auf den nominativum achthaben mögen: denn er ist der rectus, rex vel regens, er regieret und fehet an die construction".[242] Deutlicher kann die Abhängigkeit des Grammatikunterrichtes im Deutschen von der Fremdsprachengrammatik nicht demonstriert werden. Kern hat diesen Mißstand empfunden. Er will neue Vorschläge machen mit dem Gedanken, „daß die mit wissenschaftlicher Erkenntnis übereinstimmende Unterrichtspraxis nicht nur wirkliches grammatisches Verständnis von seiten der Schüler als Ergebnis, sondern auch in den Lehrstunden selber leichteres und freudigeres Lernen ... herbeiführen" soll.[243] Er will deutsche Grammatik, und er bemängelt, man habe oft „nach dieser oder jener Besonderheit des Lateinischen, für welche das Deutsche durchaus andere Mittel des sprachlichen Ausdrucks besitzt, die deutsche Satzlehre so gestaltet, daß häufig die deutsche Eigentümlichkeit verwischt und infolge davon wissenschaftlich Unhaltbares gelehrt wird".[244]

---

[240] S. o. S. 108 ff.
[241] Kern, Zustand und Gegenstand, Betrachtungen über den Anfangsunterricht in der deutschen Satzlehre, 1886.
[242] Olearius bei Kern, Zustand und Gegenstand, S. V f.
[243] Kern, Zustand und Gegenstand, S. III.
[244] Ebd., S. XIX.

Mit dieser Kritik trifft Kern genau die crux des deutschen Grammatikunterrichtes, die teilweise bis in die heutige Zeit besteht. Daß er erstaunlich modern denkt, zeigt sich in seiner deutschen Satzlehre.[245] Daß dieses seinem Charakter nach auch wissenschaftliche Werk im Bereich der Schulsprachbücher mit besprochen wird, hat seinen Grund darin, daß Kern selbst all sein Arbeiten ganz bewußt nur auf die Schule bezieht: „Meine Arbeiten bezwecken keine Förderung der Sprachwissenschaft, sondern eine Reinigung des deutschen Sprachunterrichts von unwissenschaftlichen Meinungen und unmethodischen Verfahren."[246]

Wortarten gewinnt er gleichsam von ihrem Satzrang her, auch wenn er diesen Terminus, der bei Glinz häufig verwendet wird,[247] nicht benutzt. Es ist nötig, ein längeres Stück seiner Satzlehre zu zitieren: „Unter den Wörtern zeichnet sich nun die Art vor allem aus, welche nicht wie die meisten übrigen nur Bestimmungen in Sätzen sind, sondern für sich allein schon Sätze bilden können, die finiten Verba, welche ... passend und verständlich Aussagewörter genannt werden können. Eine ganz besondere Stellung nehmen auch die Interjektionen ein, Wörter, welche nicht im Satz bestimmen, selber auch kein Ausdruck eines Gedanken, also kein Satz sein können, sondern Äußerungen von Empfindungen sind, deren Gegenstand immer nur aus dem Zusammenhang der Rede oder aus der Situation des Sprechenden verständlich ist. Also von allen übrigen Wörtern sind erstens diejenigen zu unterscheiden, welche die Verbindung einer Subsidenz mit einem Zustande und dadurch einen Gedanken ausdrücken, also satzbildend sind, die Aussagewörter, zweitens diejenigen, welche keinen begrifflichen Inhalt haben, auch nicht auf solchen hinweisen, welche nichts im Satz bestimmen oder verbinden, sondern ihrem Wesen nach außerhalb des Satzes stehen, ... die Interjektionen.

Alle übrigen Wörter haben begrifflichen Inhalt oder weisen auf solchen hin und dienen entweder zur Bestimmung im Satze oder nur zur Verbindung von Wörtern und Sätzen, ohne durch eigene Kraft irgend etwas im Satz zu bestimmen."[248]

---

[245] Kern, Die deutsche Satzlehre, 2. Aufl. 1888.
[246] Kern, Zustand und Gegenstand, S. VI.
[247] S. o. zu Glinz' Verfahren, S. 63.
[248] Kern, Satzlehre, S. 137.

Kern unterscheidet also Wortarten nach ihrer Valenz, satzbildend (Verben), satzmodifizierend oder nicht mehr satzbestimmend zu sein. Auffällig ist die Übereinstimmung der Begrifflichkeit bei Kern und Erben. Auch Erben faßt die Aufgabe der Verben so wie Kern.[249] Dieser kommt dabei zu folgendem Schema:

I. Satzbildende Wörter (Aussagewörter, finite Verben)
II. Satzbestimmende Wörter
  1. Substantivische Wörter (Substantive, Infinitive, substantivische Fürwörter, substantivische Zahlwörter)
  2. Adjektivische Wörter (Adjektive, Partizipien, adjektivische Fürwörter und Zahlwörter)
  3. Adverbiale Wörter (Adverbia, Präpositionen, adverbiale Fürwörter und Zahlwörter)
III. Satz- und wortverbindende Wörter (Konjunktionen)
IV. Außerhalb des Satzgefüges stehende Wörter (Interjektionen)[250]

Das hier theoretisch Gewonnene will Kern in seinem Buch über die Methodik des deutschen Unterrichts[251] auf die Unterrichtspraxis übertragen. Eine Fabel soll behandelt und Satz für Satz grammatisch durchleuchtet werden. Der erste Satz der Fabel heißt: *Eine alte Kirche, welche den Sperlingen unzählige Nester gab, wurde ausgebessert.* Nun wird Stück für Stück folgendes Schema von Abhängigkeiten entwickelt:

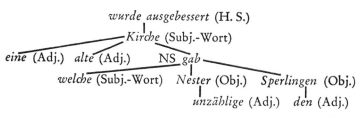

Dieses Schema zeigt, wie stark Kern selbst noch im alten grammatischen Denken steckt. Wenn er oben Olearius zitiert, nach dem im Satz alles vom „Nominativus" regiert wird,[252] so zeigt er selbst,

[249] S. o. S. 69.
[250] Kern, Satzlehre, S. 143.
[251] Kern, Zur Methodik des deutschen Unterrichts, 1883.
[252] S. o. S. 155.

daß es das Verb ist, das die Konstruktion beherrscht. „Regiert"
wird auch hier. Das gegebene Unterrichtsbeispiel mit Lehrer-
frage und Schülerantwort zeigt, wie wenig Selbständigkeit von
den Schülern verlangt wurde. Eine solche Erarbeitung setzt voraus,
daß die Schüler schon sämtliche grammatischen Phänomene parat
haben und auf den Satz bzw. seine Teile anwenden können. Die
im Satz selbst vorkommenden grammatischen Erscheinungen geben
dann Anlaß zu Exkursen, in denen möglichst der ganze Katalog
grammatischer Formmöglichkeiten behandelt werden muß. Eine solche Stunde wird zur toten Abfragestunde. Die S a t z s c h e m a t i s i e-
r u n g ist konstruiert, *eine, alte* und *gab* stehen z. B. als von Kirche
abhängige Wörter auf einer Stufe nebeneinander. Durch dieses for-
malistisch den Satz atomisierende Denken zerstört Kern den Satz
als Inhaltseinheit. Es bleibt ein Geflecht von regierenden und regier-
ten Wörtern, der eigene Ansatz, die Schüler durch Untersuchung
des Einzelsatzes „den wesentlichen Inhalt eines zusammenhängenden Lesestückes ... erkennen" zu lassen,[253] ist aufgegeben.
Wie Sütterlin-Martin[254] ist auch Kern Vertreter eines Übergangs
im grammatischen Denken. Schon vor 1900 hat er das Übel des
Grammatikunterrichts deutlich erkannt. Aber der neue Ansatz
wird nicht durchgehalten. Der Unterricht soll lebendig werden.
Vom Ansatz her sind alle Möglichkeiten dazu gegeben, wenn er
von Texten ausgehen soll und wenn der Satz in den Mittelpunkt
gestellt wird. Wenn aber der Satz wie bei den herkömmlichen Schulgrammatiken wiederum lediglich seziert und als Geflecht voneinander abhängiger Teile durchschaut wird, bleibt alles beim alten.
Es ist dasselbe, was im Grunde auch bei Lotte Müller zu beobachten war.[255]

d) Sütterlin-Martin: Grundriß der deutschen Sprachlehre[256]

Im Vorwort zu diesem Sprachbuch, das erstmals 1908 erschien,
also nicht nur zu dieser Auflage, heißt es: „Die landläufige deutsche Sprachlehre ist in vieler Hinsicht noch zu sehr auf das Lateinische zugeschnitten und voll logischer Widersprüche, erschöpft
auch den deutschen Sprachstoff nicht in dem für die Schule nötigen

---

253 Kern, Betrachtungen – Zustand und Gegenstand, S. 15.
254 S. u. S. 158 ff.
255 S. o. S. 142 f.
256 Sütterlin-Martin, Grundriß ... für die unteren Klassen höherer Schulen,
6. Aufl. 1916.

Umfang. Der vorliegende neue Versuch strebt, diese Fehler zu vermeiden. Er baut sich auf den Grundsätzen auf, die Sütterlin in seiner Deutschen Sprache der Gegenwart[257] zuerst verkündigt... hat."[258]

Die Verfasser unterscheiden zwischen systematischem und methodischem Vorgehen. Sie haben den Gesamtkurs des Buches vom Laut ausgehend bis hin zu den komplizierten Satzgebilden systematisch aufbauend gestaltet, wollen aber diesen Weg nicht von den Schülern beschritten sehen. Sie arbeiten genauso wie Lyon-Scheel,[259] die sich in der Ausgabe von 1911 sogar mit zwei Inhaltsverzeichnissen, einem „wissenschaftlichen" und einem nach methodisch-didaktischen Gesichtspunkten, behalfen. Offenbar war das von der Junggrammatik ausgearbeitete wissenschaftliche Schema der Sprachbetrachtung so beherrschend, daß man sich auch in der Schule nicht davon zu trennen wagte, auch wenn die Einsicht in die Sprache hier schon ein anderes Vorgehen gefordert hätte. Im folgenden soll dieser Weg der Schüler nachgezeichnet werden, wobei auch auf die wissenschaftliche Eigenart des Buches Bezug genommen wird.

Der Sextakurs beginnt wie bei Lyon[260] mit dem Satz. Obwohl der S a t z p r i m ä r a l s R e d e a b s c h n i t t mit einer bestimmten Grundabsicht und einer bestimmten Form definiert wird,[261] lernt der Sextaner ihn als etwas Isoliertes kennen, er wird sogleich auf die Innenstruktur gewiesen: „Ein Satz besteht gewöhnlich aus Subjekt und Prädikat: *der Vogel / singt.*"[262] Von hierher geht es zu den Einzelteilen, den Hauptwörtern mit Geschlecht, Zahlform, Fällen und verschiedenen Deklinationsarten. Beim Zeitwort werden die herkömmlichen sechs Tempora mit lateinischen Namen aufgeführt, wobei das Perfekt als Vergangenheitsstufe deklariert wird,[263] der Sextaner lernt starke und schwache Konjugation an Hand tabellarischer Übersichten kennen, dazu kommen einfache und zusammengesetzte Zeitformen. Es folgen die Pronomina. Auffallend ist, daß dem Sextaner Funktionaldenken noch nicht zugemutet wird. Der Kurs beginnt zum Beispiel mit den Fürwort-

---

[257] S. o. S. 28 ff.
[258] Sütterlin-Martin, Grundriß, S. III.
[259] S. o. S. 153.
[260] S. o. S. 147.
[261] Sütterlin-M., Grundriß, S. 36, § 83.
[262] Ebd., S. 37, § 87.
[263] Ebd., S. 21, § 55.

klassen,[264] das Grundsätzliche, daß das Fürwort „oft für ein Hauptwort" stehe,[265] wird aber noch ausgeklammert.

Zum Sextapensum gehören noch die Adjektive (Hinweis auf Deklination, Behandlung der Steigerung, Substantivierung, „fürwörtliche Adjektive", Zahlwörter),[266] Partikeln, die zwar nach ihrer Verwendung im Satz gegliedert, nicht aber nach ihrer Funktion für das Satzganze erklärt werden[267] und zwei Paragraphen zur Wortbildung (Wortfamilien, Grundwort und Sproßwort).

Nach diesem Sextakurs, der „Der einfache Satz" überschrieben ist,[268] folgt in Quinta „Der erweiterte Satz".[269] Wieder aber wird der Satz nur als eine Fügeinheit verstanden: „Ein erweiterter Satz ist ein Satz, in dem Subjekt oder Prädikat (oder beide) nicht mehr aus einem, sondern aus mehreren Wörtern bestehen."[270] Im folgenden werden Wortreihe und Wortgefüge mit allen möglichen Arten des Attributs behandelt. Den Abschluß bildet die Zerlegung des Satzes: *Der ganz kleine Vogel meines Bruders Fritz sitzt heute sehr still und traurig in seinem außerordentlich hübschen Käfig.*[271] Dazu wird wie bei Kern und Lotte Müller[272] ein graphisches Schema der Abhängigkeiten geboten.

Das Ouartapensum hat als Thema die Satzgruppe: „Wie mehrere Wörter zu einer Wortgruppe zusammentreten, so können auch mehrere (Einzel-)Sätze zu einer Satzgruppe vereinigt werden; die Satzgruppe besteht also aus mehreren Einzelsätzen."[273] Satzreihe und Satzgefüge werden in Analogie zu Wortreihe und Wortgefüge verstanden. Dabei wird streng zwischen Haupt- und Nebensatz unterschieden: „Hauptsatz ist ein übergeordneter Satz, der selbst nicht abhängig ist; Nebensatz ist jeder untergeordnete oder abhängige Satz."[274] In zehn Paragraphen wird das Abhängigkeitsverhältnis der Nebensätze untersucht (Subjektsätze, Prädikatsätze, Attributsätze...),[275] weiter werden die Nebensätze nach Form

---

[264] Ebd., S. 13, § 31.
[265] Ebd., S. 12, § 29.
[266] Ebd., S. 8, 16 ff., §§ 37, 38, 43—46.
[267] Ebd., S. 33, § 75.
[268] Ebd., S. IV.
[269] Ebd., S. IV.
[270] Ebd., S. 38, § 91.
[271] Ebd., S. 50, § 126.
[272] S. o. S. 142 und S. 157.
[273] Sütterlin-Martin, Grundriß, S. 129, § 127.
[274] Ebd., S. 53, § 132.
[275] Ebd., S. 54 ff., §§ 138 ff.

160

und Inhalt unterschieden. Damit ist der grammatische Stoff, den Sütterlin-Martin dem Deutschen abgewinnen, weithin erschöpft. Das zeigen die summarischen Angaben für die folgenden Klassen: In der Unter- und Obertertia soll das in den drei Klassen Erarbeitete wiederholt werden. Neu kommen hinzu Rückumlaut, Schwankungen in der Konjugation, Präterito-Präsentien und Grundstimmung und sachlicher Inhalt der Nebensätze.

So ergibt sich folgendes Gesamtbild: Dem Schüler werden zunächst Sätze vor Augen geführt, die dann zerlegt werden. Von einem schnellen Bild des Ganzen aus kommt man zu den Einzelteilen und setzt aus ihnen Gefüge zusammen, deren Bestandteile voneinander als abhängig empfunden werden, ohne daß aber von einem größeren Ganzen her eine ihren Sinn tragende, ermöglichende oder erschließende Funktion sichtbar wird. Die Hauptsache ist wohl noch immer, daß diese Gefüge genannt sind und daß man sie durchschauen kann.

Sütterlin-Martin entwerfen ihr Sprachbuch in einer Zeit, in der auch Mensings Standardwerk für die höheren Schulen in vielen Auflagen hintereinander erscheint.[276] Und wenn oben an der Gesamtkonzeption Kritik geübt worden ist,[277] so läßt sich auch gerade im Vergleich mit Mensing, Müller-Frauenstein[278] oder Michaelis[279] manches Positive sagen.

Obwohl auch Sütterlin-Martin im systematischen Aufbau die Reihenfolge Wortlehre–Satzlehre haben, beginnen sie doch mit dem Satz. Ihnen ist also klar, daß sich die wissenschaftlich notwendige Reihenfolge, so weit man sie damals für notwendig hält, nach methodisch-pädagogischen Gesichtspunkten in der Schule nicht rechtfertigen läßt. Immer wieder ist in diesem Sprachbuch vom Satz die Rede. Wenn er auch vorwiegend in seiner Innenstruktur zur Debatte steht, so wird er jedenfalls im Ansatz als Redeteil gewonnen. Das Sprachbuch geht nicht von Texten aus, sondern von konstruierten Beispielsätzen, aber die Wort- und Formenlehre hat nach der Satzlehre ihren Platz. Das ist, wie gesagt, neu, doch fehlt hier noch der lange Atem. Die Einzelabschnitte, etwa die Tempora oder die Wortlehre überhaupt, werden nicht in eine neue Auffassung davon, wie Schulgrammatik vorzugehen habe, integriert. Das Neue ist ge-

[276] S. o. S. 110.
[277] S. o. S. 159.
[278] S. o. S. 110 ff., 124 ff.
[279] S. o. S. 119 ff.

sehen — Sütterlin-Martin wollen deutsche Grammatik, die frei vom lateinischen Vorbild ist. Sie vermeiden allen historischen Ballast und wollen der Sprache der Gegenwart dienen. Aber die Einzelteile bleiben insgesamt gesehen zusammenhanglos nebeneinander stehen. Für sich betrachtet unterscheiden sie sich dann von entsprechenden Grammatiken anderer Verfasser kaum noch. Als Wissenschaftler ist Sütterlin als Vertreter einer Übergangszeit gekennzeichnet worden.[280] Ohne einem zwanghaften Schematismus zu verfallen, könnte man auch dieses Sprachbuch mit seinem neuen Ansatz, der aber nicht durchkonzipiert ist, als eine Übergangserscheinung ansehen.

### e) Florstedt-Stieber: Neue deutsche Sprachlehre[281]

Nach Auskunft des Verlages Diesterweg ist dieses Sprachbuch nach dem ersten Weltkrieg erarbeitet worden. Es erschien bis in die fünfziger Jahre und wurde dann durch das Sprachbuch von Thiel[282] ersetzt. Es handelt sich bei dieser Grammatik wie bei der von Mensing[283] um ein Standardwerk für die höhere Schule. Es ist so angelegt, daß der Grammatikstoff in den Klassen Sexta bis Quarta behandelt wird. In den anschließenden Klassen wird er vertieft, kaum noch ergänzt.

Florstedt-Stieber wollen, wie der gewählte Titel schon zeigt, Neues bieten. So heißt es im Vorwort der Ausgabe von 1935: „Die neue Sprachlehre geht nicht mehr auf die lateinische Grammatik zurück, sondern betrachtet in Anlehnung an die modernen sprachpsychologischen Forderungen unsere Muttersprache als den Ausdruck seelischer Vorgänge. Um diesen neuen Anforderungen zu genügen, muß der Lehrer sich in grammatischer und psychologischer Hinsicht umstellen."[284] Weiter nennen sie auch die Gewährsleute auf wissenschaftlicher Seite, von denen sie gelernt haben: „Die Verfasser stüt-

[280] S. o. S. 29 f.
[281] Florstedt-Stieber, Neue dt. Sprachl., 14. unveränd. Aufl. 1935; Neue dt. Sprachl., 1943; Deutsche Sprachl., 3. Aufl. 1951. Zeitlich parallel mit Florstedt-Stieber erscheint Probst-Caselmann: Deutsches Sprach- und Stilbuch für höhere Schulen. Zugänglich war nur das Heft für die 4. und 5. Klasse, 7. Aufl. 1938/39/40/41. Didaktisches Ziel ist, „die Sprache als Spiegel der Kulturentwicklung" lebendig und „die Verwurzelung im eigenen Boden und Volkstum" bewußt zu machen (S. 3).
[282] S. u. S. 199.
[283] S. o. S. 110.
[284] Florstedt-Stieber, Neue deutsche Spr., Aufl. 1935, Vorwort.

zen sich auf die Forschungen von Wundt, Paul, Sütterlin, Wunderlich, Reis, Harder, Voßler u. a."[285] Da das Sprachbuch nach seinem
Untertitel „auf Grund der Richtlinien für die Lehrpläne der höheren Schulen Preußens von 1925" erarbeitet wurde, ergibt sich, daß
neue Gedankengänge der wissenschaftlichen Grammatik etwa um
1920 auch Eingang in die Schulen gefunden haben. Es überrascht
allerdings, daß auch Hermann Paul in dieser Reihe genannt wird,
denn ihm schien es noch unmöglich, andere als historische Aussagen
über die Sprache zu machen,[286] Florstedt-Stieber bringen aber keine
historische Sprachbetrachtung mehr. Sie wollen sich also ebenfalls
der „Sprache der Gegenwart" zuwenden. Das läßt sich zumindest
aus der Erwähnung von Voßler,[287] Wunderlich-Reis[288] und Sütterlin[289] schließen, dessen Buch „Die deutsche Sprache der Gegenwart"[290] in der Auflage von 1923 auch im Vorwort der Ausgabe
von 1935 erwähnt wird.

Auch die Methode wollen die Verfasser anders gestalten: „In methodischer Hinsicht ist in Übereinstimmung mit den Richtlinien der
Satz Ausgang und Ziel aller Betrachtung."[291] Und: „Während die
alten Grammatiken im Anschluß an die wissenschaftlichen Werke
als Beispiele Belege aus der Literatur oder zusammenhanglose Sätze
bieten, haben die Verfasser ihre Beispiele möglichst dem Anschau-
ungs- und Sprachkreise des Kindes entnommen."[292] Die Bemühungen der Volksschulpädagogen, deren Reihe mit Rudolf Hildebrand
beginnt und zu der die Namen Weber, Richter, Hartnacke, Greyerz
und Lotte Müller gehören,[293] die zum Teil von der Arbeitsschulbewegung her einen lebendigen Sprachunterricht „vom Kinde aus"
wollten, scheinen nun endlich auch in die höhere Schule hinein
zu wirken. Jedenfalls werden die neuen Erkenntnisse schon einmal
programmatisch für einen neuen Grammatikunterricht formuliert.
Es soll zunächst die Ausgabe von 1935 besprochen werden. Der
grammatische Kurs beginnt, wie gesagt, beim Satz. Die Sätze werden nach ihrem Inhalt geordnet, dann wird der zweigliedrige,

[285] Ebd.
[286] S. o. S. 14 f.
[287] S. o. S. 34 ff.
[288] S. o. S. 36 ff.
[289] S. o. S. 28 ff.
[290] S. o. S. 28.
[291] Florstedt-Stieber, Neue deutsche Spr., Aufl. 1935, Vorwort.
[292] Ebd.
[293] S. o. S. 127–145.

aus Subjekt und Prädikat bestehende Satz besprochen, wobei die Möglichkeiten der sprachlichen Besetzung von Subjekt- und Prädikatsstelle vorgeführt werden. Dieses Verfahren erinnert an Lyon.[294] Dann folgen die Attribute und Objekte, die als Bestimmungsgruppen des Substantivs, Adjektivs, und des Verbs gefaßt sind.

Die Wortlehre der Sexta versucht zunächst, eine Verbindung zwischen den menschlichen Möglichkeiten der Umweltwahrnehmung und dem Wortschatz herzustellen. Die „Benennungen der Sinne" werden als Substantive, „die Bezeichnungen ihrer Tätigkeiten" als Verben und die „Eigenschaften des Wahrgenommenen" als Adjektive erkannt.[295] Florstedt-Stieber versuchen hier, psychologische Aspekte mit heranzuziehen. Sie bleiben aber als Vorbau der Wortlehre isoliert und sind in der Ausgabe von 1943 auch wieder aufgegeben. Schematisch-grammatisch werden die Wortarten in deklinierbare, konjugierbare und unveränderliche (Partikeln) unterteilt. Die Besprechung beginnt mit dem Substantiv. Der Charakter der Grammatik wird schon durch die gegebenen Überschriften deutlich. Unter „Genus" heißt es: 1. Das natürliche Geschlecht, 2. Das grammatische Geschlecht, 3. Schwankungen des Geschlechts, 4. Der Artikel. Ähnlich formal sind auch die folgenden Kapitel gehalten. Hier gibt es auch keine Beispieltexte mehr, sondern vorwiegend einzelne Beispielsätze und Wörtersammlungen. Dieses Verfahren wiederholt sich bei den Präpositionen, den Pronomen, den Adjektiven und den Verben. Der sprachliche Bestand wird gesichtet, geordnet und möglichst lückenlos dargeboten.

In der Quinta werden zunächst Satzreihe und Satzgefüge besprochen. Auch hier läuft alles darauf hinaus, daß es diese Möglichkeiten der Satzbildung gibt. Die Quarta behandelt als Abschluß der Satzlehre „Die Nebensätze als Satzteile".[296] Die Wortlehre der Quinta beginnt mit dem Kapitel „Die Redeteile nach Form und Bedeutung",[297] das merkwürdigerweise in der Ausgabe von 1943 nicht erscheint, aber 1951 wieder auftaucht.[298] Auch dieses Kapitel begnügt sich mit dem Feststellen sprachlicher Bestände und Bildungsmöglichkeiten. Die Quarta bringt Ergänzungen zur Deklination und zur Konjugation.

[294] S. o. S. 23 ff. und 147 ff.
[295] Florstedt-Stieber, Neue deutsche Spr., A. 1935, S. 41.
[296] Ebd., S. 30.
[297] Ebd., S. 89.
[298] S. u. S. 169.

Um ein Bild von der Fortführung des Sprachbuches zu haben, scheint es angebracht, auch die Ausgabe von 1943 und später die von 1951 genauer zu besprechen. Auf Grund des Neuen und des erhalten Gebliebenen wird dabei die Grundkonzeption deutlicher.

Die Ausgabe von 1943 bringt mehr Texte. Sie bekommt dadurch einen lockeren und frischeren Ton. Stofflich fällt auf, daß das grammatisch Grundlegende in der Sexta und Quinta so komprimiert besprochen wird, daß in der Quarta lediglich Übungen zur Vertiefung des Gelernten angeboten werden. Ähnlich wie bei Rahn-Pfleiderer[299] sind den Kapiteln jetzt mehr Übungstexte und Aufgaben beigegeben.

Der grammatische Kurs beginnt wieder beim Satz. Ohne Übergang oder verbindenden Text werden anschließend die Wortarten behandelt. Verb, Substantiv, Präposition, Pronomen, Adjektiv und Numerale werden in dieser Reihenfolge besprochen. Dabei wird das Verb am ausführlichsten behandelt. Zunächst wird wieder ein Text gegeben. Im Anschluß daran heißt es: „Das Zeitwort ist es, das ein Ergebnis oder eine Beobachtung besonders anschaulich und spannend werden läßt."[300] Dieser Satz über das Verb als einführender Satz zu seiner Funktion in der Sprache ist neu, er ist aber eigentlich nur auf den gegebenen Text hin konzipiert. Denn Anschaulichkeit und Spannung lassen sich wohl auch durch Verben, keineswegs aber nur durch sie und keinesfalls durch alle Verben erreichen. Die eigentliche sprachliche Leistung dieser Wortart wird also hier nicht getroffen. Erst nach ausführlichen Wortschatzübungen zu mehreren Verbgruppen kommen Florstedt-Stieber zu den Zeitstufen. Der Kernsatz: „Drei Zeitabschnitte gibt es: Zukunft, Gegenwart, Vergangenheit."[301] Hier fällt auf, daß dieses „es gibt" auch hier noch nicht an einem vorangestellten Beispieltext hergeleitet oder nachgeprüft werden kann, sondern in einer Einführung vorgegeben wird. Erst anschließend werden Texte mit den verschiedenen Zeitstufen gegeben. Im Anschluß an eine „Gegenwarts- und Vergangenheitserzählung", die neu aufgenommen sind, wird folgender Merksatz formuliert: „Aus der Formenbildung der Zeitwörter erkennen wir, ob eine Gegenwarts- oder Vergangen-

---

[299] S. u. S. 172 ff.
[300] Florstedt-Stieber, Neue dt. Spr., A. 1943, I, S. 17 f.
[301] Ebd., S. 22.

heitserzählung vorliegt."[302] Auch hier scheint der Blick ganz auf die Beispieltexte hin verengt. Wenn es weiter heißt: „Das Zeitwort muß sich ein Hilfszeitwort ... zu Hilfe nehmen, wenn es die Zukunft bezeichnen will"[303] und „man kann von einer Tätigkeit sagen, daß sie früher als eine andere stattgefunden hat, also vollendet ist. Das Zeitwort bildet diese Formen durch das Mittelwort mit den Hilfszeitwörtern haben und sein",[304] so haben diese Sätze deshalb einen etwas eigentümlichen Klang, weil sie zu sehr von der Einzelform ausgehen, die von sich heraus eine Zeitaussage als Verbform setzt. Die Form bleibt deshalb isoliert, weil die ihr vorausliegende Redeabsicht nicht in Erscheinung tritt. Ganz deutlich wird das auch beim Kapitel „Das Mittelwort bei der Bildung der Zeiten": „Wie sind diese (Verb-)Formen gebildet? Die Tatform mit einem Mittelwort und den Hilfszeitwörtern *haben* und *sein*, die der Leideform mit einem Mittelwort und dem Hilfszeitwort *sein*. Hier kennzeichnen die Mittelwörter eine vollendete Handlung. Sie werden gebildet mit der Vorsilbe *ge* und der Endung *t* oder *en*."[305] Auch hier fällt außer der philologischen Akribie für die Sexta der Blick auf die Einzelformen und ihre Bildung auf. Der Textzusammenhang ist vergessen. Die Form erhält nahezu einen Eigenwillen und fixiert z. B. „eine vollendete Handlung".

Erdrückend wird die Tendenz zum Formalen bei der Besprechung der Hauptwörter. Zunächst sollen in Verben versteckte Substantive aufgespürt werden,[306] dann folgen Sammlungen von Wörtern auf *-er*, *-heit*, *-keit*, *-schaft* und *-ung*, mit den Vorsilben *miß-*, *um-* und *ge-* und solche zur Zusammensetzung. Zur Pluralbildung heißt es: die Mehrzahlformen werden gebildet „1. mit Endungen *-e*, *-er*, *-(e)n*, 2. mit Umlaut im Stammvokal, 3. ohne jede Veränderung (Geschlechtswort in der Mehrzahl)".[307] Starke, schwache und gemischte Beugung schließen sich an.[308] Zu den folgenden Wortarten Präposition, Pronomen, Adjektiv und Numerale wird jeweils lediglich gesagt, daß es sie gibt und wie sie gebildet werden.

[302] Ebd., S. 23.
[303] Ebd., S. 26.
[304] Ebd., S. 27.
[305] Ebd., S. 30.
[306] Ebd., S. 35.
[307] Ebd., S. 38.
[308] Ebd., S. 39.

Eine Ausnahme scheint lediglich der neu aufgenommene Abschnitt „Die Aufgabe des Eigenschaftswortes im Satz" zu machen. Dort werden Sprichwörter als Beispielsätze gegeben, an die sich folgende Fragen und Aussagen anschließen: „In welchen Sätzen gehört das Eigenschaftswort zur Satzaussage, in welchen Sätzen ist es als Beifügung zu einem Hauptwort gebraucht? Im ersten Falle bleibt es unverändert; im zweiten Fall wird es mit dem zugehörigen Hauptwort gebeugt."[309] Auch hier wird nicht funktional gedacht, sondern lediglich registriert, welche Möglichkeiten syntaktischer Fügung in bezug auf das Adjektiv bestehen. Sofort kommt dann auch wieder der formale Gesichtspunkt hinzu.

In der Quinta folgen auf die Satzlehre wiederum Wort- und Formenlehre, dann kommt ein Abschnitt Sprachkunde. Hier wird anders als in der nur feststellenden Art der ersten Ausgabe der Übergang von der Satzreihe zum Satzgefüge schrittweise vollzogen. Man kann auch hier nicht sagen, daß er erarbeitet würde, sondern er wird demonstriert, wobei der Schüler vorwiegend zu folgen, nicht zu fördern aufgerufen ist. Die Satzlehre beginnt dabei diesmal mit der Besprechung einer Wortart, der Konjunktionen. Sie werden ganz in ihrer Funktion als Bindewörter b e h a n d e l t, aber die Chance, sie im Anschluß daran auch funktional zu besprechen, wird nicht wahrgenommen. Sie sind nur ein Hilfsmittel, von gleichwertig nebeneinanderstehenden Hauptsätzen zu den Satzgefügen von Haupt- und Nebensätzen zu führen. Die Ausführungen zum „Nebensatz" sind so gehalten, daß sie den Terminus an der Sprache verifizieren wollen. Sie entsprechen der sprachlichen Wirklichkeit nicht. Im Anschluß an einen Märchentext wird formuliert: „Im Wortlaut des Märchens sind die Sätze ebenfalls miteinander durch Bindewörter verbunden. Aber die angefügten Sätze unterscheiden sich von denen des ersten Beispiels: sie sind allein unverständlich und müssen sich stets einem Hauptsatz anschließen, unterordnen. Daher heißen sie untergeordnete Sätze oder Nebensätze."[310] Noch schablonenhafter ist die stilistische Konsequenz: „Das Märchen bedient sich der Nebensätze, weil es zwischen wichtigen und weniger wichtigen Tatsachen unterscheiden will: Das Wichtige kommt in die Hauptsätze, das Nebensächliche in die

[309] Ebd., S. 48.
[310] Ebd., S. 68.

Nebensätze."[311] Diese Maxime nehmen später Hirschenauer-Thiersch in ihrem Sprachbuch wieder auf,[312] wobei sie 20 Jahre nach Florstedt-Stieber angesichts der Literatur nach 1945 noch unhaltbarer geworden ist.

Der anschließenden Besprechung der Nebensätze räumen Florstedt-Stieber trotz der erwähnten Komprimierung einen ähnlich breiten Raum ein wie Mensing.[313]

In der Formenlehre werden die Modi des Verbs wie in der ersten Ausgabe besprochen: „In der wörtlichen Rede gebrauchen wir die Wirklichkeitsform, in der abhängigen die Möglichkeitsform."[314] Auch das ist schematisch gesehen, denn so wird durchgängig nicht gesprochen. Anschließend werden die Möglichkeitsformen der Gegenwart und der Vergangenheit durchdekliniert. Die Sprachkunde bringt ein Kapitel „Aus dem Bilderbuch der deutschen Sprache"[315] und „Wortfamilie".[316]

Heft II, das für die Klassen Quarta bis Obertertia bestimmt ist, bringt für die Grammatik nichts Neues. Das in den ersten beiden Klassen Erarbeitete wird lediglich durch „Übungen am Eigenschaftswort",[317] „Übungen am Satz"[318] usw. vertieft. Weiterhin werden die bekannten grammatischen Phänomene in ihrem stilistischen Gebrauch für die Aufsatzerziehung fruchtbar gemacht: Z. B. „Die wörtliche und die abhängige Rede als Stilmittel" (Sachberichte, Beschreibung, Erlebnisschilderung).[319] Passagen wie „Frage irgendeinen Großdeutschen, der einmal jenseits der alten Grenzpfähle sein Deutschtum verteidigen mußte! Er wird dir bekräftigen, daß die Muttersprache die letzte und festeste Stütze der völkischen Zusammengehörigkeit gewesen ist"[320] lassen ein nationales Pathos aufklingen, das an Franz Nikolais Finck[321] erinnert.

[311] Ebd., S. 69.
[312] S. u. S. 186.
[313] S. o. S. 118.
[314] Florstedt-Stieber, Neue deutsche Spr. I, S. 83, vgl. A. 1935, S. 84.
[315] Ebd., S. 84.
[316] Ebd., S. 88.
[317] Ebd., S. 1.
[318] Ebd., S. 11.
[319] Ebd., S. 16 ff.
[320] Ebd., S. 47.
[321] S. o. S. 27.

Die großen Themen der Obertertia sind schließlich nur noch „Erziehung zur Sprachgestaltung",[322] „Sprachsünden des Alltags"[323] und „Erziehung zum Sprachdenken",[324] die alle keinen Raum mehr für grundsätzliche grammatische Erwägungen lassen.

Die Ausgabe von 1951 muß unmittelbar nach dem 2. Weltkrieg erarbeitet worden sein, denn sie enthält einen Genehmigungsvermerk der Alliierten von 1947.

Auch hier wird an Texten gearbeitet, die Texte sind aber, verglichen mit denen der Ausgabe von 1943, schlecht und nicht auf der Höhe der Zeit. Sie bewegen sich teilweise in einer sentimentalen Handwerker- und Bauernwelt, teilweise stimmen sie mit denen der Ausgabe von 1935 überein.

Die beiden großen Teile Satzlehre und Wortlehre sind geblieben. Auch die Reihenfolge einfacher Satz (Sexta), Satzgruppen (Quinta) und Nebensätze als Satzteile (Quarta) ist übernommen, wobei hier der Stoff wieder auf drei Jahre verteilt ist. Parallel dazu läuft in allen Klassen die Beschäftigung mit der Wortlehre. Wie die alten Ausgaben bietet dieses Sprachbuch in einer Vielzahl von Paragraphen umfangreiches Material. Auch jetzt noch wird eine Art grammatischer Bestandaufnahme des Deutschen versucht. Zusammenfassende oder bewertende Zwischentexte fehlen immer noch. So werden z. B. zum Futur drei Möglichkeiten angeboten, die Zukunft auszudrücken:[325] a) Die Form mit *werden*, b) Umschreibung durch Verben der Modalität (*sollen, wollen*), c) Durch Präsensform des Verbs und adverbialen Zusatz. Hinweise auf Ausdruckswert, Aussageverschiedenheit und Häufigkeit des Gebrauchs fehlen aber. Das Wortlehrepensum der Quinta beginnt mit dem Abschnitt „Die Redeteile nach Form und Bedeutung".[326] Diese Überschrift verspricht 1951 eine Betrachtungsweise, die von der Rede als einer Ganzheit ausgeht, die Einzelteile in ihrer formalen Verschiedenheit aufspürt und ihre Bedeutung für die Redeganzheit wiederum fruchtbar macht. Der Beispieltext zur Einführung heißt aber: *Den Frühling feiern die Menschen als den Erwecker der Natur. Schon die alten Germanen feierten im Frühling das Erwachen der Natur. Auch in diesem Frühjahr wird die Natur zu*

---

[322] Florstedt-Stieber, Neue dt. Spr., A. 1943, II, S. 77.
[323] Ebd., S. 91.
[324] Ebd., S. 101.
[325] Florstedt-Stieber, Dt. Sprachlehre, A. 1951, S. 53 f.
[326] Ebd., S. 59 ff.

*neuem Leben erwachen. Im Frühjahr ruft die Sonne die Blümlein wieder wach.*[327] Die Wörter *Erwecker, Erwachen, erwachen, wach* sind dabei gesperrt gedruckt. Zunächst wird ersichtlich, wie farblos eigens für Schulgrammatiken erfundene Sätze sein können, es wird aber auch einleuchtend, daß sich an einem solch toten und holprigen Text nicht lebendige Grammatik treiben ließ. Das Fazit ist dann auch: „Die vier gesperrt gedruckten Wörter sind in ihrer Formenbildung verschieden: Deklination, Konjugation. Aber in ihrer Bedeutung sind sie verwandt."[328]

Auch an anderen Stellen wird deutlich, daß dieses Sprachbuch noch wenig geeignet war, die Lebendigkeit der Sprache aufzuschließen. Das soll nur noch an dem Beispiel der Demonstrativpronomen gezeigt werden. Hier wird als Text ein Gespräch gegeben: *Dieser Hut ist mir zu teuer! Was kostet denn jener? — Den würde ich nicht empfehlen, mein Herr! Dessen Form kleidet sie nicht. Zu denen aber dort kann ich ihnen raten. Deren Farbe ist sehr modern. – Und der da? – Das ist derselbe wie jener Erste! —Dann nehme ich den! der war doch der Beste!"*[329]

Man könnte Florstedt-Stiebers Grammatik eine präsentierende Grammatik nennen, wobei das für alle drei Ausgaben gilt. Denn alles, was es an Fügungen und Formenbestand im Deutschen gibt, ist im Rahmen des schulisch Möglichen geboten. Das Prinzip ist Reihung ohne verbindende Texte, und daher kommt es, daß dieses Sprachbuch so wenig eigenen Charakter hat. Es erscheint in den zwanziger Jahren parallel mit Mensings Sprachbuch, und Mensing arbeitet historisch-logisch-deduktiv. Sein Sprachbuch wirkt komprimiert und durchdacht, seine Methode ist nicht zu rechtfertigen, aber sie ist konsequent. Florstedt-Stieber lassen zunächst alles Historische beiseite. Damit könnten sie Raum für Neues gewinnen. Was aber ist methodisch weiterführend „moderner?" Daß Texte gegeben werden, ist ein Forschritt, aber die Texte werden kaum zur Bearbeitung durch die Schüler freigegeben. Die anschließenden Hilfen und Fragestellungen sind fast immer so, daß sie schon die Ergebnisse feststellen und festlegen, wobei der Text im folgenden auf die bekanntgemachten Phänomene nur abgesucht zu

---

[327] Ebd., S. 59; diesen Text übernehmen die Verfasser leider aus der Ausg. von 1935 (vgl. dort S. 89).
[328] Ebd., S. 59.
[329] Ebd., S. 46.

werden braucht. Im Grunde könnte er auch erst im Anschluß an die Hinweise der Verfasser gegeben werden. So könnte man diese Methode als Mischung aus Deduktion und Induktion bezeichnen. Daß in bezug auf die Sprache das Bestandhafte, Vorliegende präsentiert werden soll, ist schon gesagt worden. Auch wenn in Kapitelüberschriften Einflüsse modernen grammatischen Denkens spürbar sind, ist die Gesamtkonzeption statisch. Davon, die Sprache als energeia aufzufassen, wie es die wissenschaftliche Grammatik schon in den zwanziger Jahren tat,[330] ist dieses Sprachbuch noch weit entfernt. Das Buch enthält in der ersten Ausgabe Fragestellungen der Psychologie, wie die Erwähnung Wundts[331] erwarten läßt. Sie sind aber nicht organisch eingearbeitet und werden später wieder aufgegeben. Es enthält den Hinweis auf Wunderlich-Reis[332] und beginnt auch folgerichtig mit dem Satz. Die Einsicht von Wunderlich-Reis aber, daß „Satz und Sprache ... lebendiges Werden, kein totes Sein" sind,[333] hat sich jedoch als didaktisches und methodisches Prinzip nicht spürbar genug niedergeschlagen. Auch Voßler wird im Vorwort genannt.[334] Aber auch seine „praktische Grammatik", die im Dienst der Sprache arbeiten und ihre ästhetische Schönheit, ihren Kunstcharakter, erhellen sollte,[335] ist nicht verwirklicht, kann in der Schule vielleicht auch nicht verwirklicht werden. So bleibt als Vorbild, dem Florstedt-Stieber treu gefolgt sind, eigentlich nur Ludwig Sütterlin. Ausdrücklich gemeinsam ist beiden das Bemühen, die deutsche Grammatik von der Bevormundung durch das Lateinische zu befreien,[336] gemeinsam ist die Berücksichtigung des Sprachgebrauchs an manchen Stellen (auffallend ähnlich sind die Ausführungen bei der Besprechung des Futurs[337]), gemeinsam ist auch das sporadische Einfließen psychologischer Gedanken. Auch Sütterlin will in seiner „Deutschen Sprache der Gegenwart" darstellen, „was ist". Florstedt-Stieber betonen mit ihm den ergon-Charakter der Sprache.

[330] S. o. S. 40 ff., 44 ff.
[331] S. o. S. 29.
[332] S. o. S. 36 ff.
[333] S. o. S. 37.
[334] S. o. S. 163.
[335] S. o. S. 35.
[336] S. o. S. 36.
[337] S. o. S. 28 und S. 169.

## 5. Schulgrammatiken, die nach dem zweiten Weltkrieg erschienen sind, in denen sich Einflüsse neuerer wissenschaftlicher Grammatikforschung nachweisen lassen

a) Rahn-Pfleiderer: Deutsche Spracherziehung, Ausgaben B und A[338]

Die Ausgabe B dieses Sprachbuches erscheint seit Ostern 1958. Das Werk von Rahn-Pfleiderer ist ein Standardwerk des Deutschunterrichtes und soll deshalb am Anfang dieses Kapitels stehen.

Der Aufbau der Hefte ist zweigliedrig. Voraus geht die Sprachgestaltung, dann folgt die Sprachbetrachtung. Die Reihenfolge ist also anders als etwa bei Lyon,[339] der zunächst eine grammatische Durchdringung des Stoffes forderte, die er als Voraussetzung einer richtigen Sprachgestaltung ansah. Hier heißt es: „Du brauchst deutsche Grammatik nicht, um zu sprechen und zu schreiben. Du brauchst sie aber, wenn du Sprachen lernen willst."[340] Auffallend ist, daß deutsche Grammatik heute noch in den Dienst der Fremdsprachengrammatik gestellt zu sein scheint. Nach der unten angeführten Grundhaltung schon von Ausgabe A[341] kann man das Deutsche dabei allerdings nicht ausklammern: Auch die eigene Sprache soll im Sprachunterricht zum Gegenstand der Betrachtung gemacht werden. Sie wird damit bewußt, durchschaut, lebendig, gleichsam neu gelernt.

Der Grammatikkurs beginnt mit der Satzlehre. Von der Rede aus wird der Satz vom Wort unterschieden, beide werden unter „Aussage" gefaßt, aber „Aussagen, die aus einem Wort bestehen, versteht man im allgemeinen nur, wenn man dabei ist und sieht und hört, worum es sich handelt. Willst du genau sagen, was du meinst, mußt du einen ganzen Satz bilden".[342] Was aber ist nun ein Satz? „Das Verb allein macht noch keinen Satz. Die Worte:...*ist verunglückt*, das ist ein Satz ohne Kopf, also eben kein Satz, sondern nur ein Satzbrocken. Den Kopf eines Satzes nennen wir Subjekt."[343] Und: „Die Satzaussage, die durch das Verb gebildet wird, ist das Herz des Satzes. Wir nennen sie Prädikat."[344]

[338] Rahn-Pfleiderer, Deutsche Spracherziehung, Ausg. B, 1958 ff., Ausg. A, 1947 ff.
[339] S. o. S. 154.
[340] R.-P., Dt. Spr. B I, S. 14.
[341] S. u. S. 181.
[342] R.-P., Dt. Spr. B I, S. 15.
[343] Ebd., S. 18.
[344] Ebd., S. 19.

Von diesem Prädikat-Subjekt-Kern aus werden nun die übrigen Satzglieder gewonnen, wobei die Zweiteiligkeit des Satzes – nun Subjekt- und Prädikatgruppe – auch graphisch verdeutlicht wird.[345] Im Dienste der Fremdsprachengrammatik wird dem Prädikatsnomen ein eigener Paragraph gewidmet. Am Ende der Sexta soll der Schüler folgende Bestandteile der Satzlehre kennen: Satzarten, definiert nach ihrer Aussageabsicht (Aussage-, Frage-, Aufforderungssatz), Subjekt, Prädikat, Subjektsgruppe (Subjekt plus Adjektiv-, Genitiv-, adverbiales Attribut, Apposition), Prädikatsgruppe (Prädikat plus Dativ-, Akkusativobjekt, Adverbien, adverbiale Bestimmungen und Prädikatsnomen). Nebenher müssen auch die Wortarten Substantiv, Verb, Adjektiv, Pronomen und Präposition eingeführt werden, die in dem zweiten Teil der Sprachbetrachtung, in der Wort- und Formenlehre, genauer behandelt sind.

Die Grammatik hält hier an der herkömmlichen Teilung des deutschen Wortschatzes fest. Ausführlich werden die Substantive besprochen: Genera, Kasus und Numeri. Bei der Zusammenfassung zur Deklination heißt es: „Die Kennzeichen der Deklination im Singular sind sehr geringfügig. Wenn sie überhaupt vorhanden sind, so finden wir nur dreierlei: es, e und en. Substantive, die den Genitiv mit -en bilden, nennt man schwach."[346] Und: „Es gibt nur drei Pluralendungen: -e, -er, -en. Viele Wörter haben überhaupt kein Pluralkennzeichen. Die Pluralformen auf -en im Numinativ gehören zur schwachen Deklination. Die Veränderung des Stammselbstlautes bei der Pluralbildung (a zu ä ...) nennt man Umlaut."[347] Ähnlich klingt es beim Adjektiv, für das die Bezeichnung „Artwort" angeboten wird: „Jedes Adjektiv kann stark oder schwach dekliniert werden: stark – wenn kein Artikel oder die Form ‚ein' vorangeht, schwach – nach jeder anderen Artikelform."[348] Im Dienste des Lateinischen wird am „Adverb" festgehalten, obwohl aus der Anleitung zu seiner Ermittlung eindeutig hervorgeht, daß es in unserer Sprache eigentlich gar nicht mehr vorhanden ist. „Im Deutschen wird das endungslose (ungebeugte)

[345] Ebd., S. 22 f.
[346] Ebd., S. 41.
[347] Ebd., S. 42.
[348] Ebd., S. 47.

Adjektiv auch als Adverb verwendet. In den Fremdsprachen lauten beide verschieden. Um richtig in die Fremdsprache übersetzen zu können, mußt du dir überlegen, ob das Adjektiv ein Merkmal des Subjekts oder des Prädikats nennt."[349]
Ausführlich werden auch die Verbformen besprochen. Hier hält die Grammatik an fünf Zeiten mit den lateinischen Ausdrücken fest. In einer Fußnote wird auch auf die „vollendete Zukunft" hingewiesen,[350] es wird starke und schwache Zeitenbildung unterschieden, schließlich werden die drei Modi und die beiden Genera des Verbs eingeführt.
Der Satzlehreteil des Quintaheftes ist wesentlich kürzer als der für die Sexta. Die Themen sind „erweiterter Satz" (Wiederholung des Sextastoffes), „Satzreihe" (Reihung von Hauptsätzen durch Konjunktionen) und „Satzgefüge". Das Phänomen „Nebensatz" wird dabei aus früheren Sprachstufen hergeleitet, in denen „die Menschen alles in einfachen Sätzen ausgedrückt" haben.[351] Wenn dann weiter solche angegebenen Satzglieder zu Sätzen erweitert werden, vermischen sich Gesichtspunkte von Grammatik und Stilistik. In der Wort- und Formenlehre werden, auf den Sextakenntnissen aufbauend, zum Verb Aktiv und Passiv, die Modi, die sogenannten Hilfsverben und schließlich die Tempora behandelt. Dabei gehen Rahn-Pfleiderer hier mehr von der lebendigen Rede aus: „Wenn der Zusammenhang keinen Zweifel erlaubt, daß die Zukunft gemeint ist, vermeidet man meistens die schwerfällige Form des Futurs mit ‚werden'; dafür setzt man vor allem in der Sprache der schlichten Mitteilung das Präsens."[352]
In einem anschließenden kurzen Abschnitt über die Wortbildung soll der Schüler zum Erkennen von Wortfamilien geführt werden. Hier wird rein phänomenologisch-sichtend und nicht historisch verfahren.
Das Quarta-Heft nimmt noch einmal einen neuen Anlauf, um das Phänomen „Satz" zu klären. Diesmal zunächst nicht über seine schon in Sexta geklärten grammatischen Bestandteile, wie man sie gleichsam chemisch rein an eigens konstruierten Sätzen beobachten kann, sondern vom Gegenteil her, über die gegenüber der Vor-

---

[349] Ebd., S. 47.
[350] Ebd., S. 54.
[351] Ebd., Bd. II, S. 38.
[352] Ebd., S. 49; genauso z. B. bei der Behandlung Präteritum-Perfekt.

stellung des „vollständigen" Satzes als verstümmelt erscheinende Alltagsrede. Es wird herausgestellt, daß auch hier die Aussagen, auch wenn sie ungegliedert sind, durch eine Gesprächslage unterfaßt, Vollgültigkeit und Eindeutigkeit haben,[353] daß aber nur die entfaltete Aussage „Satz" genannt werden darf: „Wenn wir außerhalb einer Gesprächslage und unabhängig von ihr etwas Vernünftiges aussagen wollen, müssen wir einen Satz bilden."[354] Nach dem Sexta-Band konnte es so scheinen, als sei der Satz lediglich eine Fügeinheit grammatischer Teile, von hier aus erscheint er als Inhaltseinheit oder auch als Verständigungs- bzw. Mitteilungseinheit. So gefaßt sind seine Formen von der Sprache vorgegeben, die uns zwingt, „die Ur- und Grundform des Satzes einzuhalten, sie läßt uns aber auch die Freiheit, innerhalb der gegebenen Satzform alles auszudrücken, was wir wollen".[355] Schon einmal war die Grenze zwischen Grammatik und Stilistik berührt. Hier wird sie vollends fließend, ja muß im Laufe eines grammatischen Kurses fließend werden, denn das Bewußtmachen grammatischer Sprachrichtigkeit bezweckt ja schließlich deren stilistisch-souveränen Einsatz.

Unter diesem Gesichtspunkt ist das Kapitel „Zwang und Freiheit im Satz",[356] das sich vor allem mit den „Erweiterungen" befaßt, zu sehen.

Der „Zwang" wird vor allen Dingen durch die Schemata der drei deutschen Satzarten repräsentiert. Es sind: Kernsatz, Stirnsatz, Spannsatz,[357] jeweils nach der Stellung des Verbs so genannt. Der Zusammenhang zwischen R e d e a b s i c h t und zur Verfügung stehender S p r a c h s t r u k t u r wird aufgezeigt: „Die Aussageabsicht wird nicht nur durch die Wahl der Worte und die Betonung zum Ausdruck gebracht, sondern auch durch die Satzart."[358] Auch die indirekte Rede wird von der Aussageabsicht her verstanden: Sie „verlegt die ‚Haftung für Richtigkeit' vom Redenden zu einem anderen hin. Daher der Konjunktiv (manchmal) auch im Feststellungssatz".[359] Die Wort- und Formenlehre dieses Heftes übt

[353] Ebd., Bd. III, S. 35.
[354] Ebd., S. 37.
[355] Ebd., S. 37.
[356] Ebd., S. 37 ff.
[357] Vgl. Glinz, Innere Form, S. 96 ff.
[358] R.-P., Dt. Spr. B III, S. 54.
[359] Ebd., S. 54.

und festigt schon Dagewesenes. Der Abschnitt „Sprachkunde" klärt „Hochdeutsch", „Oberdeutsch" und „Plattdeutsch" und geht dabei an Beispielen auf die hochdeutsche Lautverschiebung ein, ein Abschnitt „Vornamen" arbeitet ebenso diachronisch an diesem den Schülern geläufigen Material.

Nach diesen drei Heften der Unterstufe erscheint es vielleicht ratsam, eine kurze Zwischenbilanz zu ziehen. Schon das erste Heft macht die Grundtendenz deutlich: Das Sprachbuch bringt gesicherte grammatische Ergebnisse in – bis auf wenige Ausnahmen — herkömmlicher Terminologie. Es geht aus von dem heutigen Deutsch, die Verfasser bemühen sich, auch die Umgangssprache zu berücksichtigen, sie sind aber – wie etwa der Duden – auf Bewahrung und Sprachpflege bedacht. In den beiden ersten Heften lassen sich kaum Niederschläge der neueren Grammatikforschung finden. Ihre Absicht ist es, die Schüler mit den wichtigsten grammatischen Phänomenen vertraut zu machen. Anders ist das schon im Quarta-Heft. Der Abschnitt „Zwang und Freiheit im Satz" erinnert sehr stark an einen fast gleichlautenden Aufsatz Erbens: Gesetz und Freiheit in der Hochsprache der Gegenwart,[360] in dem Erben nach „dem Grad der Verbindlichkeit und der Weite des Geltungsbereichs sprachlicher Normen" fragt.[361] Sein Fazit: „Auch beim Sprechen, d. h. beim Gestalten der Rede aus der Fülle muttersprachlicher Ausdrucksmöglichkeiten, gibt es einen ‚Spielraum der Persönlichkeit‘, gibt es schöpferische Bewegung, eine bereichernde Wechselwirkung zwischen Sprecher und Sprachgemeinschaft."[362] Diese Gedanken lassen sich auch bei Rahn-Pfleiderer wiederfinden, denen es in den ersten Heften mehr um den Zwang, um das Starre, das Vorgegeben-Richtige geht, die aber nach diesem Kurs der ersten Hefte im folgenden auf den stilistisch freien Einsatz des grammatisch Richtigen hinarbeiten, und die versuchen, die Funktion grammatischer Gegebenheiten in Texten aufzuspüren und für die Interpretation fruchtbar zu machen.

Der Sprachbetrachtungsteil des vierten Heftes befaßt sich im wesentlichen mit drei Wortgruppen: den Nomina, Pronomina und Verben. Zuvor gibt es ein Kapitel über „Baugesetz und Redeabsicht" und „Satzpläne". Dazu schreibt Bochinger im Lehrer-

[360] Erben, Gesetz und Freiheit, DU 1960, H. 5, S. 5–28.
[361] Ebd., S. 7.
[362] Ebd., S. 28.

176

heft:[363] „Die Übungen des Paragraphen sollen dem Schüler deutlich machen, daß er in seiner Sprachübung nicht völlig frei, sondern
mannigfaltig gebunden ist: die Sprache zwingt uns, die Wörter
sinngemäß zu verwenden; und sie verwirklicht unsere Redeabsicht
nur, wenn wir uns den in ihr angelegten redeabsichtlichen Möglichkeiten unterwerfen. Es gibt also ein Richtig und Falsch im seman-
tischen, im baugesetzlichen und im redeabsichtlichen Sinn ..." Dabei ist allerdings zu fragen, ob die Sprache wirklich „redeabsicht-
liche Möglichkeiten" parat hat, und was es heißt, „Wörter sinngemäß zu verwenden". Eins ist jedenfalls deutlich: Dieses vierte
Heft öffnet einen weiteren Horizont. Es sieht die sprachlichen
Einzelerscheinungen nicht mehr isoliert (wie etwa im Sexta-Heft),
sondern in ihrer Einbettung in den großen Zusammenhang der
Sprache. Die Fragestellung lautet somit nicht mehr: Wie wird das
Wort flektiert? welches Satzglied ist es?..., sondern: Was leistet
es im Satz oder im Hinblick auf eine andere Wortart? Das Sprachbuch selbst drückt es so aus: „Bisher haben wir in der Grammatik
betrachtet, wie unsere Sprache in ihren Sätzen gefügt ist. Dazu
lernten wir die Arten der Wörter, ihre Formveränderungen und
mannigfachen Fügungen kennen und benennen. Von jetzt an wollen
wir untersuchen, welche Kraft den einzelnen Wortarten, Formen
und Fügungen innewohnt und was sie daher für den Sinn, den
wir ausdrücken wollen, zu leisten vermögen. Wir fragen daher stets:
Was tragen sie dazu bei, daß mit dem Satz auch wirklich das ausgesagt wird, was gemeint ist."[364] Deutlicher als bei Bochinger wird
hier auf den methodischen Umschlag verwiesen: Nach vorausge-
gangener Analyse will die Sprachbetrachtung ab Untertertia – vorbereitet in der Quarta — nun vollends dynamisch-leistungsbezogen
sein.

An Einzelphänomenen werden erörtert: Grund- und Gegenstellung,
das Prädikat als Satzachse,[365] die Nennfunktion der Substantive,[366]
Substantivierung,[367] Fragen der Rektion, schließlich die Leistungen
der obliquen Kasus nach Glinz:[368] „Mit dem Genitiv bezeichnen

[363] R.-P., Dt. Spr. B, IV–VI, Sprachbetrachtung, bearbeitet v. R. Bochinger,
S. 3.
[364] R.-P., Dt. Spr. B IV, S. 37.
[365] Ebd., S. 41 f.
[366] Ebd., S. 42–45.
[367] Ebd., S. 45 f.
[368] Glinz, Innere Form, S. 165 ff.

wir ganz allgemein den Umkreis, den Bereich, die Zugehörig-
keit",[369] „mit dem Dativ bezeichnen wir die Anteilnahme oder
Anteilgabe",[370] „mit dem Akkusativ bezeichnen wir vor allem das
Ziel, auf das eine Handlung gerichtet ist oder sich erstreckt . . ."[371]
Dabei ist die Bestimmung der Substantive als Größen[372] nicht mit
vollzogen.

Genauso erinnert die Bestimmung der Personalpronomen an Glinz.
Da ihre „Inhalte das Allgemeinste darstellen, was wir uns als
Größe denken können, bieten sich als Namen ‚Personhinweise,
Größenrepräsentanten, Größenvertreter'".[373] Bei Rahn-Pfleiderer
heißt es: „Das Personalpronomen an sich ist inhaltslos; es gewinnt
immer erst Leben und Inhalt durch seine Beziehung auf ein bestimmtes Namenwort (Substantiv)."[374] Diese Formulierung läßt
auch an Erben denken, für den die Pronomen allgemein „inhaltsarme Formwörter" sind, „die erst der Bezug auf ein Gemeintes . . .
gehaltvoll" werden läßt.[375] Die Aufgabe der Einzelwortart wird
vom Sprachzusammenhang, in dem sie auftaucht, bestimmt. Das
geschieht bei Glinz experimentell und allmählich durch Untersuchung von Sätzen, bei Rahn-Pfleiderer gemäß dem Zweck einer
Schulgrammatik mehr thetisch.

Nach diesen zum Teil recht modernen Ausführungen enttäuscht
der Abschnitt „Von der Leistung des Verbs". Er ist zu uneinheitlich und untersucht nacheinander nominale und verbale Ausdrucksweise, Ausdruckskraft von Vollverben, Modalverben, Hilfsverben,
die Leistung der Vorsilben und das Verb in der Prädikatrolle als
die Keimzelle des Satzes, dazu kommen noch Anmerkungen über
die Modi und den Klammerbau. Einen wirklichen Eindruck von
der Leistung des Verbs wird der Schüler dadurch nicht bekommen.
Der abschließende Teil „Sprachkunde"[376] beschäftigt sich u. a. mit
dem Wortfeldbegriff und erörtert den Aufbau des Wortschatzes.

Heft 5 setzt noch einmal mit dem Verb ein. Wichtig ist hier vor
allem die Untersuchung des deutschen Tempussystems. Schon die

---

[369] R.-P., Dt. Spr. B IV, S. 50.
[370] Ebd., S. 51.
[371] Ebd., S. 51.
[372] Vgl. Glinz, Innere Form, S. 159–161.
[373] Glinz, Innere Form, S. 302.
[374] R.-P., Dt. Spr. B IV, S. 57.
[375] Erben, Abriß, S. 144.
[376] R.-P., Dt. Spr. B IV, S. 74 ff.

Unterscheidung zwischen Tempus und Zeitstufe macht deutlich, daß die zur Verfügung stehenden Bildungsmöglichkeiten nicht mehr starr auf eine Zeitstufe festgelegt werden. Die Grammatik orientiert sich hier ganz von der gesprochenen Sprache her und nimmt keinerlei Rücksicht etwa auf das Lateinische. Bei einem Vergleich mit dem Abschnitt „Das Verb" in Heft 1[377] wird deutlich, daß die Tempora vorgeführt und aufgezählt werden und bewußt gemacht wird, daß es sie gibt. Hier werden sie funktional durchschaut und in lebendiger Rede abgehorcht. Dabei ergibt sich, daß das „Präsens" „nicht nur ein gegenwärtiges Geschehen, sondern auch eine für alle Zeitstufen gültige Feststellung ausdrücken kann",[378] oder: „Zur Bezeichnung der Zeitstufe ‚Zukunft' wird die Verbform ‚Futur' nur gebraucht, wenn die Zeitstufe sich nicht aus der Sprachlage ergibt oder die Zukunft besonders gekennzeichnet werden soll. Im übrigen hat das Präsens oder das Perfekt die Aufgabe mit übernommen, die Zukunft auszudrücken."[379] Zumindest das, was zum Präsens gesagt wird, erinnert wiederum an Glinz, der es bei der Untersuchung der Leitgliedformen als feste allgemeine Sagform definiert, ihm also temporalen Wert kaum noch zuerkennt.[380] Beim Vergleich der Zeitform Imperfekt mit der von ihr ausgedrückten Zeitstufe gehen Rahn-Pfleiderer sogar noch einen Schritt weiter als Glinz. In der „Inneren Form des Deutschen" definiert Glinz „Präteritum" als „fest" – „vergangen".[381] Sicherlich ist es auch bei Rahn-Pfleiderer die Hauptfunktion des Präteritums, „Vergangenes" auszusagen. Sie untersuchen jedoch auch Sätze wie: *Wer war hier noch ohne Fahrschein?*, in denen die präteritale Form eine präsentische Funktion erfüllt.

In einem anschließenden Paragraphen wird der Bestand der Wortart „Verb" nach verschiedenen Ausdrucksmöglichkeiten der Aktionsart ausführlich gemustert. Hier stimmt die Grammatik mit Erben[382] und dem Duden[383] überein. Den Schluß des Sprachbetrachtungsteiles dieses Heftes bildet der Abschnitt „Wesen und Leistung des Adjektivs". Summarisch wird seine Leistung wie folgt

[377] R.-P., Dt. Spr. B I, S. 54.
[378] Ebd., V, S. 49.
[379] Ebd., S. 52.
[380] Glinz, Innere Form, S. 108 ff.; s. o. S. 63.
[381] Ebd., S. 108 ff.
[382] Erben, Abriß, S. 22 ff.
[383] Duden, S. 83 f, §§ 64–67.

umschrieben: „Das Adjektiv gibt nicht nur die Eigenschaft eines substantivischen Merkmalsträgers an, sondern es bezeichnet auch das Merkmal oder die Art einer Tätigkeit, einer Eigenschaft und eines Umstandes; dann hat es die Funktion eines Adverbs."[384] Im einzelnen folgen dann Adjektive als Prädikatsnomen und Attribut, die Funktionen der „Partizipien als Adjektive",[385] Steigerung und Vergleich[386] und schließlich das Adjektiv in der Wortbildung. Auf diese Einzeluntersuchungen folgt wiederum ein Kapitel mit der Perspektive „Satz": „Eingliederung und Anfügung."[387] Nominale und verbale Möglichkeiten werden an Beispielsätzen vorgeführt. Dabei wird die sprachliche Funktion der „Nebensätze" gewonnen: „Eingliederungen durch Nominalgruppen reichen oft nicht aus, die gedankliche Verbindung sprachlich auszudrücken. Hierzu stehen vielmehr in unserer Muttersprache vor allem die Nebensätze zur Verfügung."[388] Hierbei wird deutlich, daß Rahn-Pfleiderer wie Glinz vom Gemeinten ausgehen, das einem Redenden komplexhaft vorschwebt, dessen zufriedenstellende Artikulierung aber erst in der Ausformung eines „Nebensatzes" gelingt, wobei dieser seine besondere Aussagekraft erst durch die Polarität zur Nominalgruppe gewinnt. Die Funktion des „Fahrtsignals" Konjunktion ist dabei, „die Erwartung des Hörenden in die gemeinte Richtung (zu) lenken".[389] Auch hier stehen stilistische Fragen zur Diskussion, wenn die verbale Anfügung der lebendigen Darstellung und die nominale Eingliederung dem Bericht zugeordnet werden.[390] Die angefügte Sprachkunde führt wiederum wie im Quartaheft in diachronisches Denken ein, diesmal an den Ortsnamen und den Fremd- und Lehnwörtern.
Das 6. Heft hat zwei Themen: „Modusform und Modalität" und „Wortstellung und Stellenwert".
Rahn-Pfleiderer unterscheiden Konjunktiv I und II. Vom Indikativ und voneinander scheidet sie ihr verschiedenes Verhältnis zum „Wirklichen". Der Konjunktiv I sagt aus, „daß Zustand, Vorgang oder Handlung nicht einfach als solche gemeint sind, sondern in

[384] R.-P., Dt. Spr. B V, S. 56.
[385] Ebd., S. 58.
[386] Ebd., S. 59.
[387] Ebd., S. 64 ff.
[388] Ebd., S. 65.
[389] Ebd., S. 66.
[390] Ebd., S. 67.

180

der Art..., die von den verschiedensten Gefühlen und Vorstellungen bestimmt wird".[391] „Der Konjunktiv des Präteritums drückt regelmäßig aus, daß Zustand, Vorgang oder Handlung nicht wirklich, also irreal, sind."[392] Eine Zeitfunktion der Konjunktive wird nicht erwähnt. Die Funktion der Modi wird dann im einzelnen an ausgewählten Thomas-Mann-Texten geklärt.

Kennzeichnend für das zweite Thema („Wortstellung und Stellenwert") ist einer der Einleitungssätze: „Fest- und Orientierungspunkt zur Bestimmung des ‚Stellenwertes' ist dabei immer das finite Verb. Ferner wirkt das Verhältnis der einzelnen Satzteile zueinander".[393] Hier gelangt die Grammatik zu einem relativen Abschluß. Denn was hier untersucht oder angeboten wird, ist schon die Anwendung des grammatischen Handwerkszeuges bei der Interpretation. Die hier vorkommenden Einzelphänomene sind dem Schüler ohne Ausnahme bekannt. Er soll nun lernen, im Hinblick auf die Interpretationen der Oberstufe den Satz als Spannungsgefüge zu sehen, dessen Einzelteile zum Ganzen ihren Beitrag leisten, den es nun nicht mehr nur grammatisch zu nennen, sondern mit stilbewußtem oder sicherlich öfter mit stilbildendem Gespür aufzufinden gilt.

Obwohl die Ausgabe B der Deutschen Spracherziehung später erschienen ist, ist sie doch bei der Untersuchung vorangestellt worden, weil es ratsam erscheint, dieses heute sehr weit verbreitete Sprachbuch ausführlich zu betrachten und von ihm her die Abweichungen zur vorausgehenden Ausgabe (A) herauszustellen.

In dem zusammenfassenden Überblick zur Ausgabe B schreiben die Verfasser zum Ziel ihrer ersten Ausgabe: „Zuerst als reine Stil- und Aufsatzlehre geboten, erweiterte sich das Werk vor allem im letzten Jahrzehnt um die eigentliche Sprachlehre. Dabei verfolgte es das Ziel, auch die grammatische Belehrung einzubeziehen in die Aufgabe der Sprachgestaltung. Die damals erreichte Form einer funktionalen Sprachbetrachtung galt wohl zuerst als viel zu fortschrittlich, wurde dann aber bald eingeholt von den in den muttersprachlichen Unterricht einfließenden und sich durchsetzenden Ergebnissen der heutigen Sprachwissenschaft", die dann die Neube-

---

[391] Ebd. VI, S. 50.
[392] Ebd., S. 50.
[393] Ebd., S. 60.

arbeitung, die Ausgabe B, nötig machten.[394] Die sprachwissenschaftliche Grundkonzeption wird im Vorwort zur Ausgabe A noch genauer umrissen: „Die Sprache als die große Einheit von Form und
Gehalt, von Wort und Bedeutung, von Satz und Sinn, von Klang
und Symbol durchwaltet den ganzen Sprachunterricht. Und jede
Betrachtung des Einzelnen führt notwendig zum Ganzen zurück,
von dem es selbst nur wieder Glied und Funktion ist... Immer
nur vom Sprachganzen her erschließt sich der Satz als Aussageform,
vom Satz her das Wort als Bedeutungsträger, vom Wort die Silbe
und der Laut als sinnfähiges Klangelement, und all dies nie in umgekehrter Reihenfolge und nie abgelöst von seiner organischen Ein-
gebundenheit, seinem dienenden Charakter als Sinnträger."[395] So
scheint die Grundhaltung in den beiden Ausgaben gleich zu sein.
Bei genauem Zusehen offenbart sich allerdings doch auch eine grundsätzliche Verschiedenheit.
Zusammengefaßt sind die Verschiedenheiten zwischen Ausgabe B
und A folgende: In Heft 1 fehlen in A in der Satzlehre noch verbindende grundsätzliche Teile, wie sie etwa B in „Wort und Satz",
„Sinn der Beugung" oder „Die Verzahnung der Satzglieder" hat.[396]
Die Termini „Hauptglied" für Subjekt, „Zeitglied" für Prädikat
und „Nenn-Ergänzung" für Prädikatsnomen erscheinen in B nicht
mehr. Die beiden Quintahefte zeigen in Satz-, Wort- und Formenlehre kaum Differenzen. B bereitet in Heft 3 eine dynamische Satzbetrachtung durch die Kapitel „Zwang und Freiheit im Satz" und
„Das Baugesetz des deutschen Satzes"[397] schon vor. A beschäftigt
sich hier mehr normativ-feststellend mit der „Ordnung im Satz",
den notwendigen Ergänzungen und den Erweiterungen.[398] Die
Wort- und Formenlehre ist wiederum nahezu gleich. Größere
Unterschiede gibt es in den Untertertia-Heften. Die Schwerpunkte
liegen hier völlig verschieden. A führt zwar auch in die Lehre von
den Satzbauplänen ein, tut es aber — ohne die Vorbereitung im
3. Heft — auf einem Raum von nur zwei Seiten. Das gesamte Kapitel „Satz- und Wortlehre" beschränkt sich auf acht Seiten. Dafür
ist das Kapitel „Sprachkunde" mit 26 Seiten sehr umfangreich. In
B umfaßt es nur zehn Seiten. Breiten Raum nimmt hier die oben

[394] R.-P., Dt. Spr. B, Überblick, S. 3.
[395] R.-P., Vorwort z. Ausg. A, S. 7.
[396] R.-P., Dt. Spr. B I, S. 14, 20 f.
[397] Ebd. III, S. 37 u. 44.
[398] Ebd. A III, S. 32 ff.

skizzierte dynamische Sprachbetrachtung ein, bei der die Besprechung der Satzbaupläne durch das grundsätzliche Kapitel „Baugesetz und Redeabsicht" vorbereitet wird und die Wortarten in
ihrer Satzfunktion als Leistungsträger für den Satzzusammenhang
erwiesen werden. Dieses grundsätzliche Kapitel wird in A wohl
nachgeholt,[399] gliedert sich aber hier in die Übungsreihe „Stilübungen" ein, so daß der grundsätzliche Bezug zur Sprache zurücktritt.
Die kleine Verschiedenheit in der Gestaltung der Überschriften ist
hier schon kennzeichnend. In A heißt sie „Redeabsicht und Satzbau", in B eben „Baugesetz und Redeabsicht". Auch Heft 6 bringt
die wenigen „grammatischen" Aussagen in dem Kapitel „Stil-
kunde". B hat hier die grundsätzliche Trennung von Sprachgestaltung und Sprachbetrachtung durchgehalten. Die leistungsbezogene
Betrachtung wird hier vertieft, der Blick für Nuancen durch Untersuchung der sprachlichen Möglichkeiten zum Ausdruck von Modalität geschärft, die Satzstruktur noch einmal in ihrer Abhängigkeit
von objektivem Sprachgesetz und individueller Sprechabsicht
durchleuchtet.
Heft 7 von A wendet sich wieder der Satzlehre zu. Im Kapitel
„Grammatik und Stilistik" werden die gegenseitigen Aufgaben-
gebiete abgegrenzt. Dabei wird der normative Charakter dieser
Sprachbetrachtung sehr klar ausgesprochen, und es zeigt sich jetzt,
daß, obwohl auch A im „Überblick" und im „Vorwort" als funk-
tional-dynamisch vorgestellt wird, diese Funktionalität in der Auffassung nicht voll durchgehalten ist. Zu Grammatik und Stilistik
heißt es: „Die Grammatik verkündet das Gesetz. Stilistik zeigt
Möglichkeiten sprachlicher Freiheit innerhalb des Gesetzes. Aus
grammatischen Gesetzen ergeben sich eine Reihe von unverbrüch-
lichen Regeln, die beim Gebrauch der Sprache einzuhalten sind."[400]
Diese Gesetzesgrammatik ist in B nicht mehr zu finden. Andererseits spricht aber auch schon A sehr deutlich von der Aufgabenstellung moderner deutscher Grammatik: „Sie fängt da an, wo man
zu erkennen sucht, welche besonderen Möglichkeiten des Satzauf-
baus das Deutsche hat und welche sprachlichen Mittel in diesen
Möglichkeiten gegeben sind."[401] Die Fortsetzung dieses Satzes ver-
kürzt allerdings diesen allgemeinen Entwurf: „Zu einer wirklich

[399] Ebd., A V, S. 40–42.
[400] Ebd. VII, S. 33.
[401] Ebd., VII, S. 33.

deutschen Grammatik gelangt man erst, wenn man die Gesetze der Betonung in Betracht zieht."[402]

So ergeben sich als wesentlichste Unterschiede zwischen den beiden Reihen:

A hält die funktionale Betrachtung nicht voll durch. Sie ist noch nicht zum grundsätzlichen Fundament aller anderen grammatischen Aussagen geworden. Sprachbetrachtung und Sprachgestaltung sind nicht durchgängig getrennt. In wichtigen Teilen kann damit die primärbestimmende Kraft der Sprache nicht voll empfunden werden. Der Sprachbetrachtungskurs der sechs Hefte von B erscheint geschlossener und ausgewogener. Die Mitte bilden die Hefte drei und vier. Sie ermöglichen eine Wiederholung des Unterstufenstoffes nach den neuen Gesichtspunkten und bilden das Fundament für alles Kommende.

Schon im Vorwort zur Ausgabe A wird die Sprache als „Bildungsmacht" und als „Trägerin unseres gemeinsamen Weltbildes" gesehen.[403] „In und mit ihr", so heißt es da, „ist die Form gegeben, in welcher wir Welt und Leben uns zueignen, ... und diese Form umschließt als Leben und Gehalt unseren ganzen seit Jahrtausenden angesammelten Besitz an geistigen, seelischen und sittlichen Werten".[404] Diesen Prägecharakter der Sprache nimmt B noch ernster, sie sieht die Sprache mehr als Objekt, das man betrachtet, um sich in ihm selbst zu finden.

b) Hirschenauer-Thiersch: Deutsches Sprachbuch für Gymnasien[405]

Die Eigenart dieser Bände ist, daß sie in einzelne Übungskreise eingeteilt sind. Jeder Übungskreis ist wiederum in drei oder vier Themen unterteilt. So hat das erste Heft 22 Übungskreise, die jeweils in Sprech- und Schreiberziehung, Stil- und Aufsatzlehre, Arbeit mit dem Lesebuch und Sprachlehre gegliedert sind. Wichtig ist also auch hier wie bei anderen Grammatiken, z. B. bei Rahn-Pfleiderer und Schmitt-Martens,[406] daß grammatische Arbeit erst einsetzt, nachdem die Sprache als an Menschen und Situationen gebundene Rede bewußt gemacht worden ist.

---

[402] Ebd.
[403] Ebd. Vorwort z. Ausg. A, S. 1.
[404] Ebd.
[405] Hirschenauer-Thiersch, Dt. Sprachbuch f. Gymnasien, Hefte 1–6, 1965 f.
[406] S. o. S. 172 und u. S. 193.

Heft 1 setzt im Kapitel Sprachlehre bei den Wortarten an. Sie werden von Übungstexten her gewonnen. Es folgen Konjugation und Deklination, die Tempora und Genera des Verbs und die Satzglieder. Die Aufgliederung des Stoffes erscheint dabei ziemlich unübersichtlich. So ist vom Verb in den Übungskreisen 1 (Verb als Wortart), 2 (als Prädikat), 4 (Konjugation, Tempora, Partizipien), 5 (Stammformen, Konjugation, Modi), 6 (Prädikat), 17 und 18 (Genera und Tempora) die Rede. Unglücklich erscheint hier auch die Behandlung des einfachen Satzes schon im ersten Übungskreis, ohne daß den Schülern der neue Aspekt „Satz" ins Bewußtsein gebracht wird. Auch der methodische Weg scheint zu kleinschrittig in dem Bemühen, ein Unterrichtsgespräch nachzuzeichnen. Obwohl die Verfasser im Vorwort zum ersten Band schreiben, hier werde ein Weg beschritten, „der von ... der wissenschaftlichen Forschung und von der Sprache selbst vorgezeichnet" sei,[407] ist nicht erkenntlich, welcher wissenschaftlichen Grammatik der Nachkriegszeit sich das Werk anschließt. Trotz des Herleitens der grammatischen Einzelerscheinung aus Texten wird im ganzen mehr festgestellt, mitgeteilt und geübt, als wirklich am Text aufgespürt.

Das Hauptgewicht des zweiten Heftes liegt bei der Sprecherziehung. „In dem Arbeitsraum ‚Sprachlehre' vermeiden wir es, zu viele Regeln gleichsam als Rezepte aufzustellen, die auswendig gelernt, mechanisch angewandt werden."[408] Unausgesprochen auf Wilhelm von Humboldt und Weisgerber zurückgehend, formulieren die Verfasser: „Wir möchten .. nicht durch zu sehr betonte Sprachgestaltung nur der energeia der Sprache dienen, sondern auch dem ergon durch sinnvolle Sprachbetrachtung."[409] Das Heft enthält 23 Übungskreise, also auch 23 Sprachlehreteile. Übungskreis 1 beginnt mit dem Satz, vermischt aber sogleich inhaltliche und grammatische Aspekte, wenn hier „einfacher" und „ergänzter" Satz ohne Übergang neben Aussagesatz, Fragesatz, Ausrufesatz gestellt wird.[410] Die Unterscheidung von Präsens und Präteritum ist nicht haltbar. Vorausgegangen sind eine ausführliche Märchenfassung im Präteritum und Kurzfassungen im Präsens. Auf die Frage nach dem Tempus der Kurzfassungen kommt die Antwort:

[407] Hirschenauer-Thiersch, Dt. Sprachbuch I, S. 3.
[408] Ebd. II, S. 3.
[409] Ebd., S. 4.
[410] Ebd., S. 18.

„Die zusammenhängende Erzählung (steht) in der Erzählzeit-Präteritum (Imperfekt). Die anderen Stücke geben nur den Inhalt der vorliegenden Märchen wieder, deshalb sind sie im Präsens geschrieben."[411] Das ist sehr vereinfachend gesagt und sieht von allem ab, was die Nachkriegsgrammatik zum Tempussystem erarbeitet hat. Das angeführte Schema der Tempora[412] wirkt dann nur noch wie angeklebt. Es steht mit dem in diesem Abschnitt Erarbeiteten in keinem Zusammenhang. Genauso anfechtbar ist der Merksatz zur Unterscheidung von Aktiv und Passiv: „Das Aktiv ist in der Wirkung kürzer, kraftvoller als das Passiv! Gebrauche aber das Passiv, wenn es notwendig ist!"[413] Zu Indikativ und Konjunktiv heißt der Merksatz: „Wie der Gliedsatz vom Hauptsatz abhängig ist, so ist die nichtwörtliche Rede vom Sprecher abhängig."[414] Die Scheidung der beiden Konjunktive voneinander ist nicht klar.[415] In der Zeit nach Thomas Mann wirkt schließlich die Aufforderung: „Hauptsachen sollen in Hauptsätzen ausgesprochen werden, nicht in Gliedsätzen!"[416] nahezu kurios.

Heft 3 befaßt sich ausgiebig mit der Wortbildung. In der Satzlehre werden Satzgefüge, vor allem die einzelnen Arten der Gliedsätze, besprochen. Im übrigen suchen die Herausgeber Kontakt zu den anderen Fächern der Schule: „Aus der Vielfalt des Eindruckes und Ausdruckes in den verschiedenen Fächern suchen wir Einheit und Geschlossenheit eines Menschen- und Weltbildes zu erweisen."[417]

Nach dem Vorwort ist der Satz das Thema der Sprachbetrachtung des 4. Heftes: „Ganz besonders ist es uns darum zu tun, daß der geistige Bauplan des Satzes klarer und schärfer gesehen wird."[418] Der Satz wird als dynamische Einheit gefaßt, und es wird nach der Aufgabe der Satzglieder gefragt: Das Subjekt weist auf das Prädikat voraus, das Prädikat auf das Subjekt zurück. Aus dieser Beziehung Subjekt–Prädikat erhält der Satz seinen Sinn und Inhalt.[419] Im folgenden kommt unvermittelt das Umschlossensein von Welt in der Sprache hinzu: „In jedem Satz fangen wir ein Stück

---

411 Ebd., S. 18.
412 Ebd., S. 19.
413 Ebd., S. 23.
414 Ebd., S. 89.
415 Ebd., S. 104.
416 Ebd., S. 77.
417 Ebd. III, S. 3.
418 Ebd. IV, S. 3.
419 Ebd., S. 15.

Welt ein, das im einfachen Satz in der Beziehung dargestellt ist: Subjekt–Prädikat, ruhender Pol–veränderlicher Pol, Hauptglied–Zeitglied."[420] Die letzten vier Termini scheinen Neubildungen zu sein. Die Zweckmäßigkeit zumindest des zweiten Begriffspaares scheint zweifelhaft. Die Untersuchungen zu den Grundmodellen deutscher Sätze und zur Satzumklammerung schließen an Drach an.[421] Hier gehen die Verfasser kurz auch auf das Verhältnis von Sprechabsicht und Baugesetz ein: „Die Stellung der Teilaussagen in einem Satz wird bestimmt durch den Sinn, den der Sprechende in seine Aussage hineinlegen will."[422] Auch die Zusammenfassung zum Satz[423] faßt den Satz als dynamische Klang- und Sinneinheit, die zumeist Teil eines übergeordneten Redeganzen ist, nach dem sie sich ausrichten muß.

Heft 5 setzt diese dynamisch-leistungsbezogene Betrachtung fort. Das Phänomen „Satz" wird noch einmal ausführlich besprochen. Sprachgenetisch wird sein Ursprung – wohl nach Glinz – in den Lagewörtern gesehen. Glinz benutzt diesen Terminus in der Inneren Form des Deutschen synonym mit „Stellwörter". Sie bezeichnen alles, was nicht Vorgang, Größe oder Art ist. Sie vermitteln „den noch nicht durch besonders geprägte Glieder gegebenen ‚Rest der Situation'".[424] Zum Satzproblem heißt es in diesem Heft folgendermaßen: „1. Der Satz stellt sich dar als die zwischen Ding und Vorgang gegebene Spannung. Zur Darstellung eines Sachverhalts reichen jedoch nicht immer zwei Worte aus. Der Kern (Ding–Vorgang) kann erweitert werden. In das Spannungsfeld Satz fügen sich weiterwachsend neue Wörter und neue Beziehungen ein zur Orientierung in der Welt.

2. Die in jedem Satz gegebene Situation Raum–Zeit wird zu einer klaren Ordnung geführt. Diese Ordnung ist auch dargestellt durch die im Satz gegebenen Formen: Rhythmus, Melodie, Klang. Der Satz hat ein geistiges Profil."[425] Und zum Subjekt–Prädikat-Verhältnis heißt es: „In der Achse Subjekt–Prädikat hat das Subjekt eine grammatische Sonderstellung. Das Subjekt führt das Prädikat.

---

[420] Ebd., S. 15.
[421] Ebd., S. 28–30, 52; zu Drach s. o. S. 49 ff.
[422] Hirschenauer-Thiersch, Dt. Sprachbuch IV, S. 30.
[423] Ebd., S. 125.
[424] Glinz, Innere Form, S. 206.
[425] Hirschenauer-Thiersch, Dt. Sprachbuch V, S. 68.

Jede Wortklasse kann als Subjekt auftreten, muß aber in die Gestalt des Substantivs übergehen.
Die übrigen, einen Vorgang erhellenden Aussagen im Satz bezeichnen wir durch die Beugung des Nomens und des Verbums. Die Beugung zeigt hin auf den im Nominativ stehenden Ausgangspunkt: das Subjekt. Ihre Aufgabe besteht darin, das Gewebe des Satzes in seinen einzelnen Gliedern sichtbar zu machen."[426]
An diesen Text lassen sich einige Fragen stellen.
Zunächst fällt auf, daß das Verb hier einmal rein vorganghaft, zum andern in seiner Eigenschaft, Zeit aufzuschlüsseln, gefaßt wird. Beides aber ungeklärt und unverbunden nebeneinander. Die Auffassung des Satzes als gegebener Spannung „zwischen Ding und Vorgang" (s. o.) trifft das Satzproblem eigentlich überhaupt nicht, weil sie „Welt" und „Sprachwelt" nicht differenziert, ist aber doch wohl auch von Glinz beeinflußt, der den Satz als Verbindung verschiedener Sachkerne als Glieder eines Vorgangs auffaßt.[427] Nach dieser Auffassung ist aber der Satz schon immer der entfaltete Satz. Nur wenn man streng auf seine Zweiteiligkeit pocht, muß man überspitzt formulieren, „zur Darstellung eines Sachverhaltes" reichten „nicht immer zwei Wörter aus".[428] Zur Zweiteiligkeit aber sagt Glinz, mit dem Hirschenauer-Thiersch ja teilweise übereinstimmen, ein Satz müsse nicht unbedingt Subjekt und Prädikat enthalten, denn „die Prägung als Vorgangseinheit ist eben nicht das Grundgesetz, sondern nur ein . . . Entwicklungsziel unseres Satzbaues".[429]
Nach Hirschenauer-Thiersch fügen sich dem Ding-Vorgang-Kern neue Wörter und Bezeichnungen ein „zur Orientierung in der Welt".[430] Wie aber ist das gemeint? Der Terminus „Orientierung in der Welt" klingt nach Weisgerber, bleibt aber ohne nähere Erläuterung unklar. Auch der Satz: Die in jedem Satz gegebene Situation Raum–Zeit werde zu einer klaren Ordnung geführt[431] bleibt zu allgemein. Gemeint ist wohl, daß sich diese Ordnung während des Sprechvorganges einstellt. Dann aber ist auch die Raum–Zeit-Situation nicht „gegeben", sondern entfaltet sich im

[426] Ebd., S. 68 f.
[427] Glinz, Innere Form, S. 417.
[428] S. o. S. 187.
[429] Glinz, Innere Form, S. 420.
[430] S. o. S. 187.
[431] S. o. S. 187.

sprachlichen Nacheinander. Im Rückblick ist der Satz immer etwas Ganzes, etwa nach Glinz Einheit der Stimmführung, Sprecheinheit, Hervorbringungseinheit, Einheit des Bezeichneten, des Inhalts der Bedeutung,[432] seine spezifische Situation wird nicht mehr zur Ordnung geführt, sondern ist in einer grammatischen Ordnung gestaltet, deren spannungsvolle Dynamik vom betrachtend Interpretierenden nachvollzogen werden kann. Dieser Interpretierende wird sich dann allerdings zu fragen haben, ob „Rhythmus, Melodie, Klang" wirklich „im Satz gegebene Formen sind".[433] Wieso ist die Zweiheit Subjekt–Prädikat eine „Achse?"[434] Wenn im folgenden die Satzbaupläne mit Grundstellung und Gegenstellung von Drach übernommen werden,[435] ist das Verb allein die Achse, um die sich die übrigen Satzglieder gruppieren. Die Herausstellung des Subjekts mutet sehr altertümlich an. Schon Franz Kern zitiert 1886 Tileman Olearius, um ihn abzulehnen,[436] und es scheint angebracht, den schon oben angeführten Passus teilweise zu wiederholen. Olearius: „Der Nominativus gehet vor dem verbo her und regieret den numerum und personam ... er ist der rectus, rex vel regens, er regieret und fehet an die construction."[437] Es ist nicht ganz einleuchtend, wieso das Subjekt „führt", wenn man vorher von einem Spannungsverhältnis spricht.

Was sagen schließlich die Sätze: „Die übrigen einen Vorgang erhellenden Aussagen im Satz bezeichnen wir durch die Beugung des Nomens und des Verbums" oder: Die „Aufgabe (der Beugung) besteht darin, das Gewebe des Satzes in seinen einzelnen Gliedern sichtbar zu machen?"[438]

Im ganzen gibt es in dieser Zusammenfassung vom Satz eine Vielheit von Aussagen, die in ihrem Verhältnis zueinander noch weiter geklärt werden müßten. Störend ist vor allem das Nebeneinander von alt und neu. Aber auch die Übernahmen aus der neueren Grammatik müßten besser mit der Gesamtkonzeption des Sprachbuches abgestimmt werden. Diese wiederum müßte die Sprach-

---

[432] Glinz, Innere Form, S. 76; s. o. S. 62.
[433] S. o. S. 187.
[434] S. o. S. 187 f.
[435] Hirschenauer-Thiersch, Dt. Sprachbuch V, S. 69.
[436] S. o. S. 155.
[437] Kern, Zustand u. Gegenstand, S. V f.
[438] S. o. S. 188.

wirklichkeit im Auge haben, nicht aber eine Mischung aus Sprache und dinglich-konkreter Wirklichkeit.

## c) Hoppe: Unsere Sprache in Gestalt, Schrift und Rede[439]

Hoppes Sprachbuch erinnert in seiner Grundeinstellung zur Sprache und zum sprachlichen Gestalten stark an die Konzeption von Brinkmann. Hoppe geht zunächst nicht von Texten aus, um an ihnen sprachliche Phänomene zu entdecken, sondern sein Ansatz ist die Vorgegebenheit der Sprache, über die der Wissende dem Unwissenden etwas mitteilt. Er setzt Sprechen als ein Sich-Bewegen in der Sprache voraus. Das in allen Bänden durchgängig feststellbare Bestreben ist es nun, dieses Sprechen als Aktualisierung von in der Gegenwartssprache vorgegebenen Möglichkeiten bewußt zu machen und neue Möglichkeiten zu zeigen, die im Sprechen verlebendigt werden können. Das Brinkmannsche Anliegen, menschliche Existenzweisen am Material der Sprache und an ihren Verknüpfungsmöglichkeiten aufzudecken,[440] läßt sich hier wiederfinden: „Personen und Gegenstände in ihrem Zusammenhang und das Hauptwort im Satz",[441] „Kennzeichnung von Personen und Gegenständen durch das Hauptwort im zweiten Fall",[442] „Der einfache Sachverhalt, der einfache Satz"[443] oder „Der erweiterte Sachverhalt und die erweiterte Satzform (Der dreigliedrige Satz)".[444] Das sind einige Überschriften des 1. Heftes. Typisch ist dabei die Doppelheit von Lebenswirklichkeit und Sprachwirklichkeit, die sich gegenseitig bedingen. Diese Konzeption kommt z. B. an einer Stelle des 4. Bandes zum Ausdruck, die zu der Überschrift „Bezeichnung von Qualitäten und Ausdruck von Wertungen durch Formen und Wortbildung" gehört:[445] „Die Sprache stellt eine große Zahl von Mitteln zur Verfügung, um Dinge oder Vorgänge durch Wortbildung zu werten, umzuwerten, abzuwerten, zu vergleichen. Alle diese Aussagen sind zugleich Artaussagen. Sie gehören zum gram-

[439] Hoppe, Unsere Sprache, Teile 1–4 (5.–9. Schulj.), 1963 u. o. J.
[440] S. o. S. 81.
[441] Hoppe, Unsere Sprache I, S. 77.
[442] Ebd., S. 98.
[443] Ebd., S. 13.
[444] Ebd., S. 22.
[445] Ebd. IV. S. 34.

matischen Feld der Artaussagen hinzu. Dadurch ist dieses das weitaus umfangreichste grammatische Feld der deutschen Sprache."[446] Damit ist auch schon ein anderer, kennzeichnender Terminus dieses Sprachbuches gefunden: der des g r a m m a t i s c h e n  F e l d e s. Hier ist es das der Artaussage, also ein inhaltlich bestimmtes Feld. Heft 4 behandelt aber auch z. B. das grammatische Feld des Objekt-Zusammenhanges,[447] bei dem es durch die verschiedene Besetzung der Stellen „Geschehen" und „Ziel des Geschehens" im Satz auf diffizile formal-grammatische Differenzierung ankommt.

Alle grammatische Betrachtung soll zu eigener sprachbewußter Gestaltung führen. Vom Inhalt her betrachtet heißt das: „Wer rhythmisch, d. h. gut sprechen, lesen und schreiben will, der muß 1. die Sprache stetig fließend halten, 2. das Wichtige erkennen und betonen, 3. den Satz sinngemäß aufbauen."[448] Die Folgerung für die eigene Sprachstruktur lautet: „Dann ist die Sprache 1. stilistisch gut, 2. gedanklich klar, 3. grammatisch richtig."[449] Zusammengefaßt ergibt sich die Folgerung: „Der Rhythmus der Sprache entspricht ihrem Sinn: Heraushebung des Wichtigen an tonstarken Stellen, Betonung des Sinnwortes, Betonung der Sinnsilbe. Jeder rhythmischen Einheit entspricht wiederum die grammatische Einheit. Sprachrhythmus – Sinn- oder Denkrhythmus – grammatischer Bau der Sprache" sind untrennbar.[450] Die Einzelschritte zu diesem großen Ziel sind zusammengefaßt folgende:

Heft 1 geht von den Wortarten aus und kommt über ihre Rollen im Satz zum einfachen und zusammengesetzten Satz. Die Perspektive des dreigliedrigen Satzes öffnet dabei wie z. B. bei Erben[451] die Wertigkeit des Verbs. Es folgen Pronomen, Tempora, Deklination und Steigerung, jeweils mit eingefügten Gestaltungsübungen und Beispieltexten, die das grammatisch Erarbeitete verlebendigen sollen. Heft 2 hat als Thema die „Erläuterungen". Dazu einige Sätze aus der Einleitung zu diesem Heft, die zugleich auch Hoppes Auffassung zum Satz klarwerden läßt: „Der Satz ist wie ein gespannter Bogen. Seine Spannung kommt dadurch zustande, daß er aus dem Satzgegenstand (Subjekt) und der Satzaussage (Prädi-

---

[446] Ebd., S. 34.
[447] Übersicht ebd. IV, S. 128 f.
[448] Ebd., S. 45.
[449] Ebd.
[450] Ebd.
[451] S. o. S. 77 f.

kat) besteht. Durch seine Spannung wird der Gedanke, den wir aussprechen, abgeschossen wie ein Pfeil. Wir wollen Genaueres ...sagen. Der Gegenstand und der Vorgang oder die Tätigkeit (das Hauptwort und das Zeitwort) können näher erläutert werden, indem sich ihnen erläuternde Wörter oder Wortgruppen auf dem Satzbogen zugesellen. Es sind das Worterläuterungen (oder Satzerläuterungen) ... Die Erläuterungen des Wortsinns durch bestimmte Beugungsformen nennt man Formerläuterungen. Sie erläutern durch Formen."[452] Dabei ist die letzte Art von „Erläuterungen" wohl formal zu verstehen. Es wird jedenfalls deutlich, daß es hier um den erweiterten Satz geht. An bildlichen Darstellungen wird die Funktion des Verbs als Satzachse und beim Klammerbau deutlich gemacht.[453] Kleine Zeichnungen geben immer wieder Situationen, die der Schüler sprachlich ausgestalten muß. Das Zusammenspiel von Form- und Worterläuterung wird herausgestellt. So ist z. B. der Konjunktiv Erläuterung des Vorgangs, „den das Zeitwort meint".[454] Aber auch Adverbien (vielleicht, wohl...), Redewendungen (es ist möglich...) und Zeitwörter (mögen, wollen...) können die Möglichkeit ausdrücken.[455] Heft 3 schließlich führt von der Struktur des Einzelsatzes, die vom Inhalt bestimmt ist, zur „grammatischen Entfaltung im Sprachganzen":[456] „So wie der Satz in seinem Inneren folgerichtig aufgebaut sein muß, so auch eine ganze Geschichte. Die Geschehnisse und Gedanken müssen in der richtigen Reihenfolge erzählt werden. Darum müssen die Sätze richtig aufeinander folgen."[457] Und weiter, das Verhältnis von Grammatik und Stilistik betreffend: „Die grammatische Entfaltung steht im Dienste des sprachlichen Stils. Wähle die dem Satz jeweils angemessene Form."[458]

Heft 4 läßt die Betrachtung der in der Sprache vorgegebenen Formen langsam zurücktreten und betont mehr die Gestaltungsaufgabe durch den Schüler. Eine Übersicht „Denkweisen der deutschen Sprache und die Satzpläne"[459] faßt das Erreichte anschaulich zusammen. Abschließend dazu wird gesagt: „Der Satz zieht die

[452] Hoppe, Unsere Sprache II, S. 7.
[453] Ebd., S. 39 ff.
[454] Ebd., S. 83.
[455] Ebd., S. 84.
[456] Ebd. III, S. 54.
[457] Ebd. S. 55.
[458] Ebd., S. 56.
[459] Ebd. IV, S. 86 ff.

Worte, auf die es jeweils ankommt, an bestimmte Satzstellen. Er gehorcht dabei den sprachlichen Denkweisen der Heraushebung (Sinnklammer) und der Rahmenbildung (Rahmenform). Dadurch erhält der Satz eine eigentümliche Wechselwirkung von inhaltlicher und formaler Spannung, eine dynamische Kraft. Sie verursacht den Satzzwang, der sich auf die satzgebundenen Sprachelemente erstreckt. Innerhalb dieses festen Satzgerüstes aber besteht ein freies Spiel satzfreier Sprachelemente."[460] Hoppes Sprachbuch zeigt und fordert ein hohes Niveau. Vieles von dem, was die moderne Sprachbetrachtung der letzten Jahrzehnte an leistungsbezogener und dynamischer Sprachbetrachtung erbracht hat, ist hier verarbeitet, ohne daß man außer der Grundkonzeption und der Anlehnung an Drach bei der Satzanalyse[461] die Einzelheiten zu ihrem wissenschaftlichen Ursprung zurückverfolgen könnte. Die Arbeitsweise dieses Sprachbuches unterscheidet sich völlig von der bei Henss-Kausch: Dort wird ähnlich wie bei Glinz der Horizont „Sprache" durch Arbeit am Einzeltext, also an Rede, aufgebaut,[462] hier besteht der Überbau „Sprache" von vornherein. Texte und Beispiele sind ihre Aktualisierung, dienen zur Einsicht in das übergeordnet Objektive, entlassen dann wieder zu eigener Sprachbewältigung und Sprachgestaltung. Eine Frage ist, ob der Schüler diesen – mit Wissenschaft gepflasterten – Weg gehen kann.

## d) Schmitt-Martens: Deutsches Sprachbuch[463]

In den „Anregungen und Erläuterungen"[464] geht Martens unter der Überschrift „Die Sprachlehre im Deutschen Sprachbuch" grundsätzlich auf das Verhältnis ältere Schulgrammatik – Fremdsprachengrammatik – neuere Grammatik ein. Um zu verstehen, was das Sprachbuch von Schmitt-Martens bieten will, ist es gut, auch zu wissen, was es ablehnt. Es ist deshalb notwendig, hier ein längeres Stück zu zitieren: „Ältere Schulgrammatiken behandelten die Sprache als etwas Objektives, ein für allemal Feststehendes, das sich in

---

[460] Ebd., S. 87 f.
[461] Z. B. ebd. IV, S. 44.
[462] S. o. S. 62.
[463] Schmitt-Martens, Deutsches Sprachbuch. Ein Arbeitsbuch im Dienste der Stilbildung, Hefte 1–6, Titel des Heftes 7/9: Deutsches Sprachbuch, ein Arbeitsbuch zur Sprachbetrachtung und Sprachgestaltung, Neue Ausgabe 1962.
[464] Martens, Deutsches Sprachbuch. Ein Arbeitsbuch . . ., Anregungen und Erläuterungen zu Heft 1, o. J.

Formeln darstellen läßt. Die lateinische Grammatik – die Sprachlehre einer toten Sprache – bildet das große Vorbild, von dem man die Begriffe ableitete, das aber in Wahrheit den Blick auf die l e b e n d i g e Sprache verstellte.

Für den Deutschunterricht bedeutete dies, daß man den Schüler wie in einer Fremdsprache Deklinations- und Konjugationsschemata auswendig lernen ließ, dazu die Merkverschen über die Fälle nach den Präpositionen usw. In der Satzlehre gab man sich zufrieden, wenn der Schüler die Satzarten und die Satzglieder formal zu bestimmen wußte. Derlei um ihrer selbst willen getriebenen Übungen schrieb man formal-bildende Kräfte zu. Im Endergebnis führte diese Praxis beim Schüler zu einem Wissen um äußere Sprachregeln. Eine innere Begründung der Wort- und Satzlehre wurde nicht gegeben und konnte dieser Sprachauffassung nach nicht gegeben werden. Als Folge mußte sich eine Kluft ergeben zwischen dem Wissen ü b e r die Sprache und der eigenen Sprachformung.

In den letzten Jahrzehnten setzte sich die Überzeugung durch, daß eine lebendige Sprache anderen Gesetzen gehorcht als toten, abstrahierenden Regeln. Dies gilt besonders für die Satzlehre, die mit den geläufigen Mitteln allein nicht mehr zu erfassen war."[465]

Das Bemühen, eine lebendige Sprache auch lebendig zu erfassen, gestaltet sich nun im einzelnen folgendermaßen:

Die Verfasser gehen von der l e b e n d i g e n R e d e aus, von der echten Situation, in der man erlebt und spricht. Der Redezusammenhang steht deshalb an erster Stelle. Und der große Abschnitt A trägt die Überschrift: „Vom Erzählen und Schreiben". Erst dann folgen die Abschnitte „Vom Satz und seinen Gliedern"[466] und der umfangreichste Teil „Von den Wörtern".[467] Auch diese Abschnitte B und C „halten sich in ihren Beispielen und Übungen ebenfalls möglichst an natürliche Sprechsituationen oder Vorstellungskreise".[468] Die überlieferten deutschen – in Klammern dahinter lateinischen – Termini werden beibehalten, „solange sich in der Sprachwissenschaft keine besseren Bezeichnungen durchgesetzt haben".[469] Grammatische Gliederung ist nicht Selbstzweck: „Immer stand uns die Förderung der mündlichen und schriftlichen Aus-

---

[465] Martens, Anregungen und Erläuterungen, S. 7.
[466] Schmitt-M., Dt. Sprachbuch I, Abschnitt B, S. 20 ff.
[467] Ebd., Abschnitt C, S. 28 ff.
[468] Ebd., S. 3.
[469] Ebd., S. 4.

drucksfähigkeit unserer Jungen und Mädchen als höchstes Ziel vor Augen. Ihr Sprachgefühl zu wecken und die verschiedenen Ausdrucksmittel mit ihnen zu üben, um dadurch die Sprache zu beherrschen: das ist's, was wir wollen."[470]

Im Abschnitt B, „Vom Satz und seinen Gliedern", sind die einzelnen Schritte folgende: zusammenhängender Text, Satzarten in Verbindung mit den Satzzeichen, Satzmelodie, Satzgerüst als Prädikat und Subjekt, Ergänzungen, Umstandsbestimmungen und Beifügungen als Erweiterungen des einfachen Satzes. Dabei wird jedoch nur vom Satzgerüst, nie aber von der Zweiteiligkeit des Satzes gesprochen. Die gegenüber älteren Grammatiken andere Betrachtungsweise wird an den kleinen graphischen Darstellungen zur Struktur der Sätze deutlich. Das Schema zu dem Satz: *Bewegungslos ruht der kleine Teich in der flachen Mulde,* das bei Schmitt-Martens folgende Form hat:

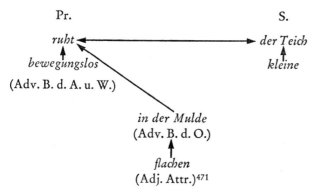

würde bei Kern oder Sütterlin-Martin[472] folgendermaßen aussehen:

Im zweiten Fall wird eine künstliche grammatische Abhängigkeit konstruiert, die schon an der umgekehrten Pfeilrichtung abzu-

[470] Ebd., S. 4.
[471] Schema ebd., S. 26; vgl. zu diesem Satzbild auch Grosse, Über die Versuche ..., S. 78.
[472] S. o. S. 157, 158 ff.

lesen ist. Bei Schmitt-Martens wird gezeigt, wie die Einzelteile im inhaltlichen Zusammenspiel das Satzganze als ein Aussage- oder Inhaltsganzes ergeben.

Genauso leistungsbezogen ist auch die Betrachtungsweise in dem Abschnitt „Von den Wörtern". Beim Verb sehen Schmitt-Martens die Leistung der Tempora darin, in der Zeitlichkeit gestufte Dauer und Vollendung auszudrücken:

|  | Vergangenheit | Gegenwart | Zukunft |
|---|---|---|---|
| Dauer | Imperf. | Präs. | Futur |
| Vollendung | Plusquamperf. | Perf. | — |

Dieses Schema läßt sich so in keiner der großen Grammatiken der Nachkriegszeit wiederfinden.[473] Es wäre wohl besser, das Futur aus dem Schema zunächst ganz auszuklammern.

Auch die übrigen Wortarten Substantiv, Artikel, Pronomen, Präposition, Adjektiv, Zahlwort und Umstandswort werden in dieser Reihenfolge jeweils als Leistungsträger in einem Text aufgespürt und erst dann grammatisch genauer bestimmt.

War die erste Stufe der Satz als Leistungseinheit der Rede, die zweite das Wort als Leistungseinheit im Satz, so folgt in dem Abschnitt „Wie die Wörter gebildet werden"[474] die Silbe als Leistungseinheit der Wörter. Hier gibt es z. B. den Abschnitt „Was Vorsilben leisten".[475] Damit ergibt sich eine große, einheitliche, leistungsbezogene Linie, die sich von dem Redezusammenhang über den Satz, die Satzteile, die Wörter bis hin zu den Morphemen spannt. Grundsätzlich befindet sich diese Grammatik daher in Übereinstimmung mit allen vier großen Grammatiken der Nachkriegszeit, die oben zu einer Gruppe zusammengefaßt worden sind,[476] in der konsequenten Betonung der Leistungsbezogenheit aber wohl am meisten mit Erben.[477]

Auf diesem Fundament wird in Heft 2 weitergearbeitet, wobei das grammatische Bemühen auch zum klanglich-ästhetischen Erfassen der Rede helfen soll. An neuem Stoff werden Satzreihe und Satzgefüge eingeführt. Heft 3 erarbeitet dann die Leistung

[473] Vgl. Glinz, Innere Form, S. 108; Brinkmann, Die dt. Spr., S. 319 ff., bes. z. Futur, S. 327; Erben, Abriß, Zus. d. Tempora, S. 43; Duden, S. 113 f., § 102.
[474] Schmitt-M., Dt. Spr. I, S. 55 ff.
[475] Ebd., S. 55, 57.
[476] S. o. S. 56.
[477] S. o. S. 58.

der Nebensätze. Sie werden nach „ihrer Bedeutung als Satzglieder, nach ihrer Stellung und nach ihrer Anknüpfung" behandelt.[478] Das Komplexhafte der Satzgefüge wird dabei durch Satzbilder verdeutlicht,[479] die gut geeignet sind, auch komplizierte Sätze in ihrer inhaltlichen und grammatischen Struktur aufzuschlüsseln.

Das vierte Heft beruft sich ausdrücklich auf Erich Drach[480] und Glinz.[481] Zu diesem Heft heißt es in der Einleitung zu Heft 2: „Wir glauben, daß dem Kind ein wirklicher Zugang zur neuen Satzauffassung erst vom achten Schuljahr ab möglich ist, nachdem in den drei vorhergehenden Jahren die Grundsteine gelegt sind."[482] Die Aufgabenstellung ist komplexer geworden. Vom Schüler wird verlangt, „das Verhältnis von Satzsinn, Satzbau und Satzmelodie" zu unterscheiden und zu synchronisieren. Wenn Schmitt-Martens von der „Ausdrucksabsicht des Sprechers"[483] ausgehen, nähern sie sich im grundsätzlichen Glinz.[484] Die weiteren Ausführungen zum Satz, seine Gliederung in Satzmitte (Prädikat), Vorfeld und Nachfeld, Ausdrucksstelle und Eindrucksstelle sind genauso wie die Unterscheidung zweier grundsätzlicher Satzbaupläne von Drach bestimmt.[485] Das angeschlossene Kapitel „Wandel in der Wortbedeutung" öffnet den Blick für die Diachronie.

Im verstärkten Maße geschieht das in der Obertertia und Untersekunda. 20 Seiten sind hier den Kapiteln „Sprachkreise und Sprachgeschichten", „Aus dem Leben der Wörter" und „Im Bildersaal der Sprache" gewidmet. Die Satzlehre wird demgegenüber nur auf zehn Seiten behandelt. Die drei Kapitel „Redeabsicht und Satzbau", „Die Umklammerung" und die „Übungen zur Stärkung des Satzgefühls", die mit einer Untersuchung des Kleistschen Satzbaus enden, vertiefen die Ergebnisse von Heft 4 und schärfen den Einblick in den Zusammenhang von Baugesetz und Redeabsicht. Typisch für diese Grammatik ist, daß alles planmäßig auf das eigene sprachbewußte – nicht sprachrichtige – Tun des Schülers ausgerichtet ist: „Jede gelungene Darstellung, sei es eine Erzählung oder ein Bericht, ist entsprechend der Redeabsicht des Verfassers

[478] Schmitt-M., Dt. Spr. II, S. 3.
[479] Ebd., z. B. S. 31.
[480] S. o. S. 49 ff.
[481] S. o. S. 60 ff.
[482] Schmitt-M., Deutsches Sprachbuch II, S. 3.
[483] Ebd., S. 3.
[484] S. o. S. 61.
[485] S. o. S. 52.

eine Einheit. Sinn, Bau und Melodie des Ganzen sind entscheidend. Dem hat sich auch der Bau des Einzelsatzes unterzuordnen."[486] Der Stoff der Klassen Obersekunda bis Oberprima ist in einem Heft zusammengefaßt. Es enthält einen ausgedehnten historischen Teil[487] und nach einem Kapitel „Von der Kunst des Übersetzens und der Verschiedenheit der Sprachen"[488] einen sprachtheoretischen Teil. Die Verfasser geben hier Texte zum Wesen der Sprache von Wilhelm von Humboldt, Bühler, Glinz, Snell, Cassirer und Weisgerber. Schließlich wird der Sinn aller vorausgegangenen Bemühungen um die Sprache unausgesprochen deutlich, wenn dieses Heft mit Interpretations- und Gestaltungsübungen schließt. Damit entsprechen Schmitt-Martens den Forderungen der neuen Richtlinien zur Sprachbetrachtung.[489]

Insgesamt gesehen ist das Sprachbuch Ergebnissen neuerer Grammatikforschung offen, es übernimmt aber nichts voreilig und unkontrolliert. Wohltuend in der Satzlehre ist der Verzicht auf das starre Subjekt-Prädikat(-Objekt)-Schema. Auch wenn die grammatischen Bemühungen durch ihre Ausrichtung auf die eigene Ausdrucksfähigkeit des Schülers relativiert werden[490]: Hier wird den Schülern an geeigneten Texten in einer geschlossenen Gesamtkonzeption und in vertretbarer Methodik ein gesicherter Fundus grammatischer Kenntnisse vermittelt.

e) Die Schulgrammatiken von Schablin, Henss-Kausch und Thiel und das Sprachbuch zu „Wort und Sinn"

Für diese Sprachbücher braucht nicht je ein eigenes Kapitel angesetzt zu werden, da die Konzeptionen weniger profiliert sind als die der besprochenen Schulgrammatiken und des Sprachspiegels, der anschließend betrachtet wird.

Auf knapp 90 Seiten versucht S c h a b l i n[491] eine Schulgrammatik zu bieten, die Weisgerber, Glinz, Erben und Brinkmann verpflichtet ist, die aber vor allem auf die Dudengrammatik zurückgreift. Sie ist vor allem für die Unterstufe gedacht und soll – das kennzeichnet sie als Ausnahme – eine „Art Nachschlagewerk"

---

[486] Schmitt-M., Deutsches Sprachbuch V/VI, S. 48.
[487] Ebd. VII/IX, S. 9–47.
[488] Ebd., S. 48–58.
[489] S. u. S. 262 f.
[490] S. o. zu Schmitt-M., Dt. Sprachbuch I, S. 194 f.
[491] Schablin, Kurze deutsche Grammatik, 1965.

sein,[492] soll aber auch die Wortformen und ihre Veränderungen in funktionaler Sicht vom Satz her beleuchten.[493] Bei einer vorwiegend belehrenden Grundhaltung bleibt wenig Raum für Eigentätigkeit des Schülers.

Das Sprachbuch von H e n s s - K a u s c h [494] zeichnet sich dadurch aus, daß alle Ergebnisse an Texten erarbeitet werden. Dieses richtige methodische Verfahren scheint hier übertrieben: Es werden so viele Texte mit jeweils verschiedener Thematik gegeben, daß die Schüler verwirrt werden könnten. Da die gewonnenen Ergebnisse auch optisch kaum hervorgehoben sind, erscheint die Gefahr groß, daß das Textinhaltliche im Bewußtsein der Schüler das von ihm Abstrahierte überwuchert. Henss-Kausch bieten im ganzen eine leistungsbezogene Sicht. Eine spezielle Ausrichtung nach einer wissenschaftlichen Grammatik ist nicht feststellbar.

Auch T h i e l [495] arbeitet mit Texten. Die grammatische Arbeit geht von ihnen aus und führt wieder zu ihnen hin. Die Ergebnisse fördern stufenweise die Einsicht in den Bau des einfachen und erweiterten Satzes, wobei Thiel auch die gesprochene Sprache der Gegenwart mit einbezieht. In der Satzlehre ist Drach das wissenschaftliche Vorbild. Im Quinta-Heft heißt es: „Um das finite Verb herum baut sich der Satz auf. Was ihm vorausgeht, nennen wir das Vorfeld, was ihm nachfolgt, das Nachfeld des Satzes."[496] Schon der Quintaner soll die Bezogenheit von Baugesetz und Redeabsicht durchschauen: „In unserer Muttersprache ist die Wortstellung frei, aber nicht willkürlich. Das Vorfeld ist die betonteste Stelle im Satz. Deshalb setzen wir das wichtigste Wort möglichst an den Anfang. Dabei müssen wir in zusammenhängender Rede allerdings auch darauf achten, daß sich der Satz sinnvoll an den vorhergehenden anschließt."[497] Auf der Höhe der Zeit ist Thiel auch bei der Erarbeitung von temporalen und modalen Aspekten beim Verb. Dieses Sprachbuch durchleuchtet wirklich die gesprochene Sprache der Gegenwart. Ergebnisse und Problemstellung erscheinen jedoch ab Heft 2 etwas verfrüht.

---

[492] Ebd., S. 3.
[493] Ebd., S. 3.
[494] Henss-Kausch, Deutsches Sprachbuch für höhere Schulen, Bde. 1 (5.–7. Schulj.), 2 (8.–10. Schulj.), 3 (11.–13. Schulj.), 1962, 64, 66.
[495] Thiel, Unsere Muttersprache, 8 Hefte o. J.
[496] Ebd. II, S. 29.
[497] Ebd., S. 33.

Das Sprachbuch zu „W o r t u n d S i n n"[498] ist nur im Zusammenhang mit dem Lesebuch „Wort und Sinn" zu benutzen. Sprachbetrachtung und Sprachgestaltung des Sprachbuches setzen die Lesestücke voraus und beziehen sich immer wieder darauf. Dieses ökonomisch richtige Verfahren wird der Forderung der Richtlinien nach Verbindung von Sprachunterricht und Interpretation voll gerecht.[499] Sprachgestaltung, mit der das Sprachbuch beginnt, und Sprachbetrachtung gehen ineinander über.[500] Der lebhafte Gestaltungswille und die vorhandene Gestaltungskraft der Schüler werden einbezogen. Wissenschaftlich ist das Sprachbuch von Glinz beeinflußt. Die Bezeichnung des Adjektivs als „Artwort",[501] die Fassung des Satzes als Atemeinheit, Aussage- oder Inhaltseinheit[502] und die Auflösung der herkömmlichen Wortartengliederung[503] verweisen auf die innere Form des Deutschen. Die Verfasser haben es besser als Hirschenauer-Thiersch[504] verstanden, neues und altes ohne Bruch miteinander zu verbinden. Trotz der Übernahmen von Glinz waren sie nicht bemüht, schulgrammatisch etwas völlig Neues zu bieten. Dieses Vorhaben realisiert als einziges deutsches Sprachbuch der Deutsche Sprachspiegel.

f) Der deutsche Sprachspiegel[505]

Der Sprachspiegel ist insofern eine Hapax, als er sich für seine gesamte Arbeit auf die wissenschaftliche Grammatikforschung der Zeit nach dem Kriege beruft, sie weithin verarbeitet und methodisch aufschlüsselt. Es ist nötig, dieses Neue ausführlich darzustellen.

„Eine Grammatik, die dem Bau des Deutschen wirklich gerecht werden und die organisch in die Interpretation des sprachlichen

[498] Wort und Sinn, Sprachbuch, H. I, 1966.
[499] S. u. S. 263.
[500] Vgl. dagegen Jägel, Deutsche Sprachlehre 1965, S. 3: „Systematik als solche ist unentbehrlich; Sprachgestaltung ohne Beherrschung grammatischer Regeln erscheint unmöglich."
[501] Wort und Sinn, S. 55.
[502] Ebd., S. 18.
[503] Z. B. Bestimmung des Artikels: Wort und Sinn, S. 62, in Übereinstimmung mit Glinz, Innere Form, S. 269, 292, oder der Partikeln: Wort und Sinn, S. 66, Glinz, Innere Form, S. 190 ff.
[504] S. o. S. 189.
[505] Deutscher Sprachspiegel, Hefte 1–4, 1964 u. 1966, Neubearbeitung Heft 1, 1966.

Kunstwerkes einmünden soll, muß in verschiedenen Stücken etwas anders aussehen, als die seit etwa 120 Jahren übliche traditionelle Lehre der deutschen Schulbücher."[506] Dieser Forderung nach Ausrichtung der Schulgrammatik an neuerer Grammatikforschung versucht der Sprachspiegel gerecht zu werden. Und wenn unter den Herausgebern bzw. Beratern Glinz, Brinkmann und Weisgerber erscheinen, ist eindeutig, wem sich diese Schulgrammatik verpflichtet fühlt. Sie will i n h a l t s b e z o g e n arbeiten. Was damit gemeint ist, macht wiederum ein Abschnitt aus dem Lehrerheft deutlich: „Für die rechte Wirkung kommt es immer wieder darauf an, die Schüler vor der bewußten Analyse ganz unreflektiert in die volle Sprache hineinzustellen und sie die Inhalte erleben zu lassen, bevor man die sprachlichen und geistigen Formen herausarbeiten läßt. Darum sehen wir als Anfang jeder grammatischen Arbeit eine rein inhaltliche Betrachtung des Textes.

Damit ist die Grammatik auch nicht mehr isoliert, sondern sie gehört schon auf dieser ersten Stufe als ein Bestandteil zur Aufnahme und Interpretation des sprachlichen Werkes; wir werden der wissenschaftlichen und didaktischen Forderung nach einer inhaltsbezogenen Grammatik gerecht..."[507]

Damit sind Ziel und methodischer Weg festgelegt. Die Grammatik verschafft Einsicht in das geistige Reich und die Struktur der Sprache, in der man sich zunächst selbstverständlich bewegt — sie bringt damit gleichzeitig eine Erhellung des eigenen Bewußtseins, sie geht von vorliegenden und nicht eigens konstruierten „gültig gestalteten"[508] Sprachwerken aus, und führt bei der Erhellung seiner spezifischen, sprachlichen und geistigen Struktur wieder zu ihnen hin. Hierin besteht eine vollkommene Übereinstimmung mit den Forderungen der „Richtlinien für den Unterricht in der höheren Schule (Deutsch)", die das Kultusministerium von NRW 1963 herausgegeben hat.[509]

Bei diesem Wege der Sprachbetrachtung sollen gleichsam als wichtiges Nebenprodukt auch n e u e g r a m m a t i s c h e T e r m i n i gewonnen werden. Denn das Kind beherrscht die herkömmlichen

---

[506] Sprachsp., Hinweise f. d. Lehrer, Heft 1, S. 13.
[507] Ebd., S. 13.
[508] Ebd., S. 3.
[509] S. u. S. 262.

Begriffe noch nicht, sie müßten ihm „beigebracht" werden, ohne daß sie vom Kind einsehbar wären. Deshalb soll der Schüler neue Begriffe erarbeiten, „und hier kommt es ... sehr darauf an, ob ihm ein geeigneter Name dabei hilft, oder ob ein ungeeigneter, irreführender Name nicht nur keine Hilfe, sondern im Gegenteil eine Erschwerung, eine Störung bedeutet".[510] Daneben werden aber auch die lateinischen Termini weiterbenutzt, und so will der Sprachspiegel „die Vorteile einer sachgemäßen, einheitlich konzipierten deutschen Terminologie ... mit den Vorteilen der lateinischen Terminologie" verbinden, „die auch den Übergang zu den fremdsprachlichen Grammatiken erleichtert".[511]

Die ersten drei Hefte des Sprachspiegels gliedern sich in vier Teile: „Hören" oder „Hören und Verstehen", „Gestalten", „Vom rechten Sprechen, Lesen und Vortragen" und „Einsicht in den Bau der Sprache". Schon diese Reihenfolge offenbart ein Prinzip: Angefangen von Hören, vom rechten Hören im Sinne der epischen Ursituation, kommt es zum Umsetzen des Aufgenommenen im eigenen Gestalten und schließlich zur Einsicht in das, was an Sprache allem eigenen Sprechen vorgegeben ist. Auch wenn dieses Kapitel „Einsicht in den Bau der Sprache" erst zum Schluß der Hefte behandelt ist, ist es doch ein fundamentales Kapitel, das allem Vorausgehenden Grundlage und Ausrichtung gibt.

Grundsätzlich gilt, daß alle grammatischen Ergebnisse von der Betrachtung größerer Redeteile aus gewonnen werden. Heft 1 kommt so zu Anfang zu der Erkenntnis des Satzes als Schritt oder Schrittfigur (einfacher und mehrgliedriger Satz) in der Erzählung. Als nächstes werden vom Satz als Geschehenseinheit her die Zeitwörter gefunden. Die am Geschehen beteiligten Wesenheiten werden von den Namenwörtern gekennzeichnet, die Artwörter (Adjektive) zeigen, „wie die Menschen oder Dinge usw. sind und wie etwas geschieht",[512] die Anzeigewörter (Pronomen) „bezeichnen wie die Nomen eine Person oder ein Wesen, ein Ding, eine Erscheinung usw., aber sie zeigen sie nur an, ohne den Namen zu nennen".[513] Schließlich folgen lagebestimmende Wörter (Partikeln), die „eine Lage ..., eine Bewegung oder einen

---

[510] Sprachsp., Hinweise f. d. Lehrer, S. 14.
[511] Ebd., S. 15.
[512] Sprachspiegel I, S. 54.
[513] Ebd., S. 59.

Zusammenhang" angeben,[514] und Empfindungswörter (Interjektionen) als Restgruppe, die „gar nicht zu einer im Satz bestimmten Wortart" gehört.[515]

Danach beginnt ein neuer Arbeitsgang wieder beim Verb. Es hat sechs Zeitformen und erscheint als Präteritum (vergangene Zeit), Präsens (allgemeine Zeit), Futur (ausstehende Zeit), Plusquamperfekt (vorvollendete Zeit), Perfekt (vollendete Zeit) und Futur des Perfekts (ausstehend vollendete Zeit). Das sind nicht einfach die Zeiten des Verbs, sondern „die Zeitformen im Satz",[516] damit auch in einem zusammenhängenden Text. Es geht dabei um Verteilung der Aufgaben, die die einzelnen Verbformen übernommen haben, es geht, wie die deutschen Termini gut zeigen, um die Auffächerung der Zeitachse in durch das Bewußtsein des Menschen funktional aufeinander bezogene Zeitabschnitte oder Zeitbereiche. Hier stimmt die Auffassung des Sprachspiegels voll mit der von Erben im „Abriß" überein.[517] Aber auch der Einfluß von Glinz ist spürbar, denn wie in der „Inneren Form des Deutschen" wird auch hier dem Präsens eine Sonderrolle abgehorcht.[518] Es ist „allgemeine Zeit", daneben wohl nur noch als Zugeständnis „Gegenwart" genannt. Diese Verbform hat bei sich selbst zu wenig zeitbestimmende Eindeutigkeit, als daß man ihr einfach das Etikett „Gegenwart" aufdrücken könnte. Konsequent geht man hier eben von der Sprache aus, nicht von einem System, in dem ein bestimmter Platz auch systemgerecht besetzt werden muß.

Das Neue wird bei einem Vergleich mit Aussagen zum Verb aus einer älteren Grammatik noch deutlicher. So schreiben Lyon-Scheel in ihrem „Handbuch" von 1911: „Verben oder Zeitwörter nennt man diejenigen Wörter, die aussagen, was eine Person oder Sache tut oder leidet. Man nennt die Verben daher auch Tätigkeitswörter. Zeitwörter werden sie genannt, weil sie zugleich die Zeit mit angeben, welcher die betreffende Tätigkeit angehört, z. B. die Blume blüht (d. h. sie blüht jetzt), die Blume hat geblüht, die Blume wird blühen."[519] Hier wird eine Scheidung von absoluter Bedeutung der Tempora und ihrem individuellen Ge-

---

[514] Ebd., S. 61.
[515] Ebd., S. 64.
[516] Ebd., S. 67.
[517] S. o. S. 73.
[518] Vgl. o. zu Glinz, S. 63.
[519] Lyon-Scheel, Handbuch 1911, S. 29, s. o. S. 150.

brauch nicht gemacht. Das Präsens wird ausdrücklich auf seine Gegenwartsbedeutung festgelegt. Ausschließlich seine Zeitaussagekraft wird gesehen, die Seite, die bei Glinz ganz in den Hintergrund getreten ist.[520]

Auch die Deklinationsformen werden im Sprachspiegel nicht isoliert betrachtet, sondern die Fälle werden von vornherein als „Ausdruck von Haltungen und Bewegungen" eingeführt.[521] Hier, wie bei der Behandlung des Tempussystems, kann der Schüler nicht bei der Einzelform stehenbleiben. Das Verb schlüsselt ihm die Zeitachse funktional auf, die Kasus gliedern die Ebene menschlichen Zusammenlebens. Sicherlich kann der Schüler der Sexta oder Quinta diese Perspektive nicht voll erfassen. Die Erarbeitung der Kasus aber, die zusammenfassende Erklärung danach und die zugehörigen Symbole können ihm aber im Ansatz den Blick dafür öffnen.

Mit der Behandlung des Konjunktivs bleibt die Betrachtung zunächst weiter auf dieser Ebene des menschlichen Zusammenlebens. Geht es im Bereich der Kasus um räumliche Aufgliederung der Welt, im Bereich der Tempora um ihr Zeitgefüge, so ist hier von der eigenen Einbettung in diesem Raum-Zeit-Komplex die Rede. In den Texten und in der Zusammenfassung[522] wird der Konjunktiv als Aussageweise vorgestellt, die deutlich macht, wie man sich im Sprechen zu dem stellt, was einen umgibt: Man nimmt es im Indikativ als sicher an, man distanziert sich davon im Konjunktiv I, man weiß um die Kluft zwischen Denken oder Wünschen und gegenüberstehender Realität im Konjunktiv II.

Die Formenlehre des Verbs wird durch die Behandlung von *Aktiv und Passiv* abgerundet. Und auch hier geht es, das wird an dem Text *Der Sprung auf die Tellsplatte* ganz deutlich, um Einbettung des Menschen in die „Welt". Allerdings nicht wie beim Problem Indikativ–Konjunktiv im freien Setzen der eigenen Haltung ihr gegenüber, sondern hier im Auf und Ab der Möglichkeiten von eigenem Bestimmen und Bestimmt-Werden. Die Verfasser unterscheiden drei Geschehensarten: Die Grundrichtung – das Aktiv, die Gegenrichtung – das Handlungspassiv und den Zustand – das Zustandspassiv.

[520] S. o. S. 63.
[521] Sprachspiegel I, S. 82.
[522] Ebd., S. 86 ff.

Die Gesamtbetrachtung nahm ihren Ausgang vom Satz. Sie kehrt am Ende nach der Behandlung einzelner Wortarten wieder zu ihm zurück, ohne ihn als übergeordnete Einheit je ganz aus dem Auge verloren zu haben. Dabei ist das Verb die Brücke. Nicht mehr als Wortart, sondern als Satzglied mit einer bestimmten Rolle und grammatischen Aufgabe: „Das Verb als Achse und Rahmen des Satzes."[523] Dabei wird nur die Stellung des Verbs behandelt, die Satzbaupläne kommen noch nicht zur Sprache. Am Anfang des Satzes steht der „Satz als Schritt in der Erzählung".[524] Das ist eine noch mehr umrißhafte Festlegung, die das Satzganze als Baustein einer größeren Einheit im Auge hat. Im vorletzten Kapitel erscheint der „Satz als Geschehen mit beteiligten Wesen und weiteren Angaben",[525] seine Struktur ist nun schon grammatisch geklärt. Aber auch seine grammatische Struktur macht nicht allein sein Wesen aus. Das hieße, ihn zu sehr zu isolieren oder zu sehr der zergliedernden Ratio ausliefern. Deshalb erscheint er am Schluß des Heftes „als Einheit von Sinn, Klang und Gliedbau".[526] Aufschlußreich ist die hier gegebene Aufgabenstellung: „Beobachte und bezeichne nun den ganzen grammatischen Bau, vom Gesamtrahmen der Rede über die Schrittfiguren und Einzelschritte der Sätze, die Satzglieder und die eingefügten Glieder bis hinunter zum letzten Wort."[527] Anschließend wird folgende Gliederungsstruktur eines Satzes aus der nacherzählten Odyssee gegeben:

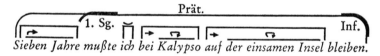

So erscheint der Satz nach dem Sprachbetrachtungskursus der ersten zwei Jahre als gegliederte, spannungsvolle, schließlich in sich ins Gleichgewicht gekommene Einheit.

Von diesem 1. Heft ist 1966 eine neue Bearbeitung erschienen. Da sich die Grundkonzeption nicht geändert hat, braucht die neue Ausgabe nicht noch einmal neu besprochen zu werden. Es sei lediglich darauf hingewiesen, daß der Kurs gestrafft worden

[523] Ebd., S. 101 f.
[524] S. o. S. 202.
[525] Sprachspiegel I, S. 103.
[526] Ebd., S. 126.
[527] Ebd., S. 126.

ist. Statt vorher sieben Kapitel enthält das neue Heft nur noch
vier: Der Satz und die Wörter, Die Formen des Verbs, Die Satzglieder und ihre Aufgaben und Schwierigere Formen des Verbs.
Die graphische Darstellung der Sätze ist vereinfacht:

*Hier eroberten wir eine Stadt und gewannen reiche Beute.*[528]

Offenbar sind die vielen Symbole weggelassen worden, weil sie
eine zu große Gedächtnisbelastung für die Schüler darstellen. Eine
Annäherung an die herkömmlichen Schulgrammatiken ist auch da-
durch erreicht, daß Begriffe wie „Präposition", „Konjunktion"
oder „Adverb" wieder aufgenommen werden.[529]
Das 2. Heft widmet sich ganz dem Satz. Auf 65 Seiten ist das
Thema immer wieder das Verhältnis vom Satzganzen zum Ein-
zelglied, von Ablauf im Ganzen und Folge im einzelnen, vom
Gesamteindruck und seinem Wachsen und Zusammentreten durch
Einzeleindrücke. Die Betrachtung beginnt vor dem Satz bei der
Redeabsicht. Sie endet über dem Satz bei der Sprache. Ausgehend
also von der Redeabsicht wird der Redekern bewußt gemacht.
Er ist Höhepunkt eines Gesamtablaufes, der seinerseits in Einzel-
schritten gestaltet ist. Der Stoff des Darzustellenden und die
Redeabsicht bestimmen dabei die Schrittlänge: „In der einfachsten
Sprechweise nimmt man für jeden Redekern (= für jedes wich-
tige, betonte Wort) einen besonderen Schritt.
Das wirkt aber bald eintönig und ermüdend, und es kann das
rechte Verständnis sehr erschweren. Oft sind nämlich für den
Redenden mehrere Redekerne so eng miteinander verbunden,
daß sie in lauter getrennten, unabhängigen Sätzen nicht zu ihrem
Recht kommen. Dann muß man sie in einem Gesamtsatz, oft
sogar in einem einfachen Satz zusammennehmen.
Darum gibt es in unserer Sprache nicht nur kurze, sondern auch
sehr lange Sätze, und nicht nur einfache Sätze, sondern auch Ge-
samtsätze mit oft vielen Teilsätzen."[530] Ganz deutlich ist für den
Schüler hier spürbar, daß es in der Grammatik nicht um starre
Regeln oder Einüben des Sprachrichtigen geht, sondern um einen
manchmal sogar kämpferischen Prozeß, das im gedanklichen Vor-

[528] Sprachspiegel I (neu), S. 109.
[529] Ebd., S. 88.
[530] Sprachspiegel II, S. 123.

griff komplexhaft Vorschwebende im sprachlichen Zugriff mit den bereitstehenden Möglichkeiten adäquat zu gestalten. Wichtig ist, daß nicht vor der Periode abwertend gewarnt wird, sondern daß sie von vornherein mit als eine sprachliche Möglichkeit der Gestaltung bewußt gemacht wird. Dabei befindet sich der Sprachspiegel in Übereinstimmung mit der modernen Sprachwissenschaft. Grosse nämlich hat die Satzperiode als genuin deutsch erwiesen: „Die von Beginn an vorhandene Möglichkeit, einen Gedankengang auch in der sprachlichen Form so zu entwickeln, daß ein Satz aus dem anderen herauswächst und wieder zum Ausgangspunkt zurückfinden kann, hat die deutsche Sprache aus ihrer syntaktischen Eigengesetzlichkeit heraus wahrgenommen und nicht in enger Anlehnung an das lateinische Vorbild. Auch in der Umgangssprache und in den Mundarten erscheint das mehrfach gegliederte Satzgefüge ... Der Sprechende denkt dabei nicht an das lateinische Vorbild. Er spricht aus der unmittelbaren Situation."[531]

Nach dieser grundsätzlichen Klarstellung zur Redeabsicht und Schrittlänge geht es nun ins einzelne. Die neuen Kapitel heißen: „Reihung und Fügung von Teilsätzen; Hauptsätze und Gliedsätze",[532] „Der Ablauf des Satzes; die Folge der Satzglieder"[533] und „Formen und Verbindungsmittel von Teilsätzen".[534] Ausführlich werden die Möglichkeiten des Satzanfangs, der Klammerbau und die Konjunktionen und „Lageangaben" (allerdings, freilich ...) in ihrer anreihenden und unterordnenden Funktion behandelt. Wichtig ist dabei, daß die gedankliche Abstufung der Aussage durch Haupt- und Gliedsatz herausgehoben wird: „Die Konjunktionen knüpfen den Gliedsatz nicht nur an den Hauptsatz an, wie das Relativ, sondern sie stellen ihn zugleich in ein bestimmtes Gedankenverhältnis zum Hauptsatz oder einem Teil des Hauptsatzes."[535] Dieses Gedankenverhältnis kann dann temporalen, konditionalen, modalen ... Charakter haben.

Diese Einzelergebnisse werden durch die beiden letzten Kapitel des 2. Heftes wiederum zusammengefaßt. Im vorletzten Arbeits-

---

[531] Grosse, Die dt. Satzperiode, S. 72.
[532] Sprachspiegel II, S. 124 ff.
[533] Ebd., S. 127 ff.
[534] Ebd., S. 137 ff.
[535] Ebd., S. 145.

gang – „Gesamtinhalt, grammatische Form und Verstehen der Gestalt"[536] – geht es dabei noch vorwiegend um den Einzelsatz, im letzten Kapitel „Der Satz als geistiges Bild. Die Leistung der Satzglieder"[537] mehr um das grundsätzliche Problem von Darstellung und Verständnis: „Jeder Satz – jeder Schritt oder Teilschritt beim Hören oder Lesen – setzt in unserm Innern etwas in Bewegung. Er leitet uns in eine gewisse Richtung, er führt uns etwas vor, er weckt in uns ein geistiges Bild, das aus kleineren Bildchen und Bildteilen – den Wörtern – aufgebaut ist."[538] Hier nun wird der Satz über alle Einzelheit der Rede allgemeiner gefaßt: „Fast alle unsere Sätze erscheinen im Bild eines Geschehens ... oder Seins, das von einem Wesen ausgeht oder an einem Wesen haftet";[539] und auch die Satzteile erhalten ihren allgemeinen funktionalen Wert: „Sehr viele Sätze sind so dargestellt, daß ein Wesen ein anderes erfaßt, ein anderes schafft oder verändert; dann enthalten sie neben dem Subjektnominativ (der Grundgröße) einen Objektsakkusativ (eine Zielgröße). Die Grundgröße zeigt dann das handelnde Wesen, den Täter; die Zielgröße zeigt das erfaßte, geschaffene, veränderte Wesen. Der ganze Satz zeigt das Bild einer Erfassung oder Handlung."[540] Im selben Sinn werden auch Dativ- und Genitivobjekt, die Zuwend- und Anteilgröße gekennzeichnet. Die Betrachtung mündet also wieder in die *Sprache* ein, die Verständnis und Einwirkung ermöglicht: „Durch die Sprache kann der Mensch gegenüber anderen Menschen und in sich selbst so viel wirken, wie er durch Mathematik und mathematische Naturwissenschaft und Technik gegenüber den Kräften der Natur wirken kann. Durch die Sprache, vor allem durch die Muttersprache, kannst du deine Mitmenschen verstehen und von ihnen verstanden werden."[541]
Schon im 3. Heft wird das Ziel der sprachbetrachtenden Arbeit, das der Sprachspiegel im ganzen hat, wenigstens zu einem Teil erreicht: Die Sprachbetrachtung tritt in den Dienst der Interpretation. Lieferten die Texte bisher immer noch Beispielsätze und gedankliche Abläufe mit Beispielswert, waren sie also sprach-

[536] Ebd., S. 159 ff.
[537] Ebd., S. 168 ff.
[538] Ebd., S. 169.
[539] Ebd., S. 170.
[540] Ebd., S. 172.
[541] Ebd., S 185.

liches Material, an dem sich etwas zeigen ließ, ohne daß der Bogen zum Text im ganzen zurückzuführen brauchte, so ist das in diesem Heft anders. In dem Kapitel „Einsicht in den Satzbau und unmittelbares Verstehen bei verschiedenen Texten",[542] das das übergreifende Kapitel „Inhalt und Satzbau" abschließt, werden Teile dieser Texte interpretiert, wobei als erster Höhepunkt aller bisher geleisteten grammatischen Arbeit die sprachlich-syntaktischen Formen und Fügungen für die Interpretation fruchtbar gemacht werden. Zwar sind es auch hier nur Textteile, und was vom Schüler verlangt wird, ist im Grunde nur eine Vorform der Interpretation, entscheidend aber ist, daß hier kein neues grammatisches Wissen an Texten erworben werden soll, sondern die Abfolge sprachlicher Formen über eine kurze Strecke zur besseren Einsicht in Bau und Aussage eines dichterischen Textes bewußt gemacht wird.

Diesem Abschnitt gehen einige Kapitel voraus, die sich noch einmal mit dem Satz beschäftigen. Wieder ist Ausgangspunkt die Redeabsicht: „Die richtige Auffassung der Redeabsicht ist das erste bei aller Sprachbetrachtung."[543] Von den drei Grundaufgaben der Sätze, Aussage, Frage und Wunsch auszudrücken, führt die Betrachtung noch einmal zum Satz, den Satzgliedern und „ganzen Satzgliederungsplänen".[544] Ziel ist das Verstehen, hier aber nicht so sehr als intellektuelle, sondern letzten Endes als charakterliche Forderung verstanden, als Anforderung, sich so unter das Gesprochene oder das Geschriebene zu stellen, daß deutlich wird, wie es der Sprecher oder Schreiber verstanden wissen wollte. Hier wird hinter allem Einzelnen deutlich, daß es dem Sprachspiegel mit dieser Forderung nach Würdigung des Gegenübers durch den Willen zur Sachlichkeit nicht um vom Menschen isolierte Grammatik zu tun ist, sondern um Menschenbildung.

Der zweite Arbeitsgang innerhalb des großen Teils „Einsicht in Bau und Leistung der Sprache" heißt „Deutscher Sprachbau in älterer Zeit; Wandel und Beharrung".[545] Er wird vorbereitet durch den Abschnitt „Menschen in der Sprache ihrer Zeit",[546] der bis

---

[542] Sprachspiegel III, 127 ff.
[543] Ebd., S. 112.
[544] Ebd., S. 113.
[545] Ebd., S. 134 ff.
[546] Ebd., S. 16 ff.

etwa 1200 zurückführt. Hier bekommt der Schüler nach langer synchronischer Betrachtung einen diachronischen Schnitt präsentiert. Der dritte Abschnitt zur Sprachbetrachtung dieses Heftes ist „Zeit und Geltung in Sprache und Wirklichkei".[547] Zwangsläufig führt diese Themenstellung noch einmal zu einer genaueren Bestimmung der verbalen Leistungen im Bereich der Tempora und der Modi. Was schon durch die Schwerpunktverteilung beim Temporalsystem des ersten Heftes deutlich wurde,[548] erscheint nun, durch Texte untermauert, völlig einsichtig: „... Die Zeitformen ... sind nicht streng auf das Zeitschema ‚früher-jetzt-später' bezogen, sondern sie geben vor allem die Einstellung des erlebenden und handelnden Menschen zur zeitlichen Lage und Geltung von Aussagen und Fragen."[549] Auch die Leistung des Konjunktivs wird abschließend geklärt, diesmal aber nicht mehr nur, wie in Heft 1, mit der Leistung der Stellungnahme,[550] sondern hier mit der Funktion der Sicherheitsabstufung in der eigenen Rede: „Entsprechend sind die Aussageweisen nicht auf ein Schema ‚Wirklichkeit–Möglichkeit' verteilt, sondern sie zeigen eine verschiedene Einstellung des Sprechenden zu dem, was er sagt ..."[551]

Auch Heft 3 schließt mit Bemerkungen zur Sprache. Am Ende von Heft 2 ging es um Verständnis und Einwirkung, hier geht es um das Ergriffensein durch die dichterische Sprache: „Das ... vom Sprecher (Sänger, Dichter, Schriftsteller, Erzähler überhaupt) geschaffene Gewebe von sprachlicher Zeit und Geltung ist so stark, daß es die an ihm Teilhabenden, Sprecher wie Zuhörer, völlig aus der Realzeit herauszuheben im Stande ist. Hier zeigt sich uns eine der wichtigsten Kräfte der Sprache überhaupt."[552] Diese Linie, den energeia-Charakter der Sprache weiter aufzudecken, verfolgt Heft 4 an Interpretationsaufgaben weiter. Einen eigenen Kurs der Sprachbetrachtung braucht es nach den ersten drei Heften nicht mehr zu geben.

---

[547] Ebd., S. 141 ff.
[548] S. o. S. 203.
[549] Sprachspiegel III, S. 155.
[550] S. o. S. 204.
[551] Sprachspiegel III, S. 156.
[552] Ebd., S. 161.

## 6. *Zusammenfassung: Schulgrammatiken von der Jahrhundertwende bis zum deutschen Sprachspiegel*

Wie bei der Zusammenfassung zur Darstellung der wissenschaftlichen Grammatikforschung[553] ist es auch für den zweiten Hauptteil der Arbeit aufschlußreich, die Situation des Anfangs- und Endpunktes miteinander zu vergleichen.

Die von K. F. Becker abhängige deduktiv-logische Grammatik betrachtet die Sprache mit Hilfe eines Begriffssystems, das aus der antiken Sprachphilosophie übernommen worden ist. Deutsche Sätze werden nach der Methode des altsprachlichen Unterrichtes betrachtet, die Auffassung von den Satzgliedern und den Wortarten des Deutschen ist aus dem Lateinischen und Griechischen übernommen.[554] Hauptkennzeichen der logisch-deduktiven Grammatik ist ihre Meinung, Sprachunterricht müsse die „dem Denken eigentümlichen Gesetze"[555] behandeln. Sein didaktischer Wert besteht in „formaler Bildung". Deduktiv-logischer Sprachunterricht im Deutschen ist damit 1. methodisch durch Übernahmen aus dem altsprachlichen Unterricht fremdbestimmt, 2. nach der Bildungskonzeption nicht auf Sprachverständnis, sondern auf Denkschulung und auf Vorarbeit für die Fremdsprachen[556] ausgerichtet. Die Sprache selbst kommt in der Wort-, Formen- und Satzlehre dieser Sprachbücher gar nicht zu Wort. Daran ändern auch Übernahmen aus der historischen Sprachwissenschaft nichts.

Zweck heutiger Sprachbetrachtung ist die Einsicht in den Bau des Deutschen. Ihre Didaktik ist nicht mehr fremdbestimmt, ihre Methode hat sich an der fortschreitenden Sprachwissenschaft orientiert. Die Entwicklung des Sprachunterrichtes im Deutschen von Mensing und Michaelis bis zu Schmitt-Martens und dem Deutschen Sprachspiegel läßt sich als Prozeß der Hinwendung zur deutschen Sprache und der Entdeckung ihrer Vielschichtigkeit beschreiben. Er beginnt um 1900 und ist bis heute nicht abgeschlossen. Sein Verlauf ist sprunghafter als die Entwicklung der Sprachwissenschaft. Neben die Deduktion tritt die reihend-präsentierende Grammatik durch Sütterlin und Florstedt-Stieber.

[553] S. o. S. 104.
[554] S. o. S. 108 ff.
[555] S. o. S. 111, 119.
[556] S. u. S. 216.

Nach dem zweiten Weltkrieg folgt eine übergangslose Neuorientierung.

Der folgende Teil zeigt, welchen Einfluß die Sprachwissenschaft auf diesen Wandlungsprozeß hatte, und wieweit und mit welchen Phasenverschiebungen die Schule ihre Ergebnisse aufgenommen hat.

# III. DAS VERHÄLTNIS VON WISSENSCHAFTLICHER UND SCHULISCHER GRAMMATIK ZUEINANDER SEIT DEM ENDE DES VERGANGENEN JAHRHUNDERTS

Schon während der Darstellung habe ich Zwischenbilanzen eingeschoben. Nach der Gesamtdarstellung wissenschaftlicher und schulischer Grammatiken über einen Zeitraum von etwa 80 Jahren soll nun in einem dritten Teil ein Fazit gezogen werden. Dazu muß ich noch einmal beim Ausgangspunkt, der historischen Grammatik, ansetzen. Sie reicht am weitesten ins 19. Jahrhundert zurück.

### 1. Das Verhältnis von historischer Sprachwissenschaft und logisch-deduktiver Schulgrammatik

1880 erscheinen Pauls „Prinzipien der Sprachgeschichte" in erster Auflage, 1932 kommt der vierte Band von Behaghels Syntax heraus.[1] Das ergibt mehr als 50 Jahre fruchtbarer grammatischer Arbeit mit dem Ziel, die Sprachhistorie zu erhellen. Erreichbare Denkmäler und Bruchstücke deutscher Sprache werden historisch geordnet und verglichen. Es ergeben sich dabei Laut- und Fügungsänderungen, die beschrieben und systematisiert werden. Diese Grammatik hat mit der modernen Glinzschen das gemeinsam, daß beide empirisch-operativ arbeiten. Glinz arbeitet dabei an Texten,[2] die Junggrammatik an sprachlichen Einzelphänomenen, Glinz versucht, das Zusammenspiel einzelner Satzteile aufzudecken, die dann nach ihrem Füge- oder Wirkbeitrag für den Satz auch neu benannt werden, die Junggrammatik übernimmt aus der Schulgrammatik die herkömmlichen grammatischen Termini und gebraucht sie als Gliederungsraster für die Sprache, weil sie Änderungen an der Sprache insgesamt nicht darstellen kann und darauf angewiesen ist, Veränderungen am Einzelphänomen

[1] S. o. S. 13 und S. 18.
[2] S. o. S. 62.

zu beobachten. Ohne Zweifel hat sich die Einteilung in Wortarten, auf die Ergebnisse gesehen, bewährt. Mit einer Auffassung der Wortarten als „Funktionsgruppen"[3] etwa hätte die Junggrammatik mit ihrer spezifischen Zielrichtung nichts anfangen können.

An der Aufgabe, etwas wirklich Erhellendes über die deutsche Syntax zu sagen, sind die Junggrammatiker gescheitert. Weil ihnen die Reihung einzelsprachlicher Phänomene wichtiger war als deren Zusammenschau in der Synchronie, geriet ihnen die Syntax aus dem Griff. Sehr deutlich wird das auch an einer Formulierung Erbens zu den Problemen „Satz" und „Syntax": „Den sprachlichen Gesamteindruck eines (dem Hörer bzw. Leser in einem abgeschlossenen Sprech- bzw. Schreibakt – als tatsächlich statthabend oder stattgehabt, möglich, wünschenswert, nötig, fraglich u. dgl. – bezeichneten) Geschehens oder Seins (ohne wesentliche Situationshilfe) nennen wir Satz ... Gegenstand der Syntax ist ... die vom Sprecher und den Bedingungen seiner Sprech-(bzw. Schreib-)Situation geformte Redeeinheit ... in ihrer formalen und funktionalen Struktur."[4]

Die Jungrammatik faßt den Satz nicht als situationsgeformte Redeeinheit, der sich die Einzelbestandteile fügen, sondern sie beobachtet Sätze z. B. nach ihrer Ausdehnung und klassifiziert sie als „nackt" oder „bekleidet": ,Die Sonne scheint' und ,Die helle Sonne bescheint die erfrischten Fluren'.[5] Das Zusammenspiel syntaktischer Bauelemente wird dabei weder empfunden noch bewußt gemacht. Die Syntaxkapitel in den Darstellungen der Junggrammatiker bleiben ohne innere Verbindung zur vorausgestellten Wort- und Formenlehre. Schon im Kapitel „Syntax im Banne der Junggrammatik"[6] wurde gesagt, daß z. B. Delbrück eine Fülle von Material bietet, ohne es zu einem System einer wirklichen syntaktischen Konzeption zu verbinden. Erben urteilt über diesen Tatbestand folgendermaßen: „Diese Darstellungen – bei all ihrem unschätzbaren Wert als Materialsammlung und als Fundgrube manch feiner Bemerkung – vermitteln kein übersichtliches Bild von der Sprachstruktur und ihren Wandlungen. Sie sind ihrem Aufbau nach uneinheitlich und relativ verworren,

---

[3] Vgl. o. zu Erben S. 69.
[4] Erben, Prinzipielles zur Syntaxforschung, bei Moser S. 517 f.
[5] S. o. zu Delbrück, S. 18.
[6] S. o. S. 17 ff.

ihrem Wesen nach abstrakt. Dies liegt einmal im Charakter dieser Darstellungen als ,Mischsyntax' begründet, d. h. in der mehr oder weniger willkürlichen Vermischung der ,Satzlehre' und der ,Lehre von Bedeutung und Gebrauch der Wortklassen und Wortformen'... Die zweite Hauptursache dieser mißlichen Erscheinung liegt in dem mangelhaften und fragwürdigen Werkzeug des Syntaktikers, den Termini und grammatischen Kategorien der lateinischen (griech.) Syntax. Während sich Laut- und Wortbildungslehre eine moderne, den Verhältnissen des Nhd. angepaßte Terminologie geschaffen haben, arbeitet der Syntaktiker im wesentlichen immer noch mit den am Altgriechischen bzw. Lateinischen durch philosophisch-logische Erwägungen entwickelten Begriffen und Bezeichnungen des ausgehenden Altertums."[7]

Es erhebt sich die Frage, was die Schulgrammatik von der junggrammatischen Richtung lernen konnte.

Zunächst aber muß geklärt werden, welche Ziele die höhere Schule selbst für ihren Sprachunterricht festgesetzt hat.

Hentschel, Matthias und Lyon entwerfen 1896 einen „Entwurf eines Lehrplans für den deutschen Unterricht im Realgymnasium".[8] Er sieht folgenden Kurs des Grammatikunterrichtes vor:[9]

Sexta: „Die grammatische Belehrung umfaßt in Rücksicht auf den auf solche Grundlagen angewiesenen fremdsprachlichen Unterricht den einfachen Satz und seine einfachsten Erweiterungen (die vier Arten der Hauptsätze, einiges über Subjekt, Prädikat, Objekt, Attribut, Adverbialien), die wichtigsten Wortklassen und das Wichtigste von Deklination und Konjugation".

Quinta: „Die grammatische Unterweisung nimmt die noch übrigen Erweiterungen des einfachen Satzes auf, entwickelt die Begriffe der Beiordnung und Unterordnung der Sätze, behandelt die einfachen koordinierten Satzverbindungen, das Satzgefüge, die Unterscheidung von Haupt- und Nebensatz und deren Kennzeichen". Dazu kommen Wortklassen- und Flexionslehre.

Quarta: Behandlung von Attribut, Objekt, Adverbialien, von Koordination und Subordination, Sonderung der Nebensätze nach Inhalt, Stellung und Form, Ergänzung der Formenlehre und

---

[7] Erben, Prinzipielles zur Syntaxforschung, bei Moser, S. 506 f.
[8] S. o. S. 152 f.
[9] Hentschel–Matthias-Lyon, Entwurf eines Lehrplans, S. 700 ff.

Abschluß der Flexionslehre mit Betonung dessen, was des richtigen Sprachgebrauches wegen Beachtung verdient.

Untertertia: Abschluß der Syntax, direkte und indirekte Rede, Satzbilder.

Obertertia: Periode und deren Gliederung, Satzbilder, Wortbildung und andere sprachgeschichtliche Themen, Wortfamilien.

Untersekunda: Grammatik in Berührung mit Stilistik.

Obersekunda: Vor allem Mittelhochdeutsch; dieses ist „vor allem zugleich dem Verständnis der Sprachentwicklung dienstbar zu machen, auf die schon von Sexta an in weiser Sparsamkeit, aber ununterbrochen ... hingewiesen" werden soll.[10] In den Primen gibt es keine grammatischen Probleme mehr.

Was also hat die Junggrammatik der Schule zu bieten? Wo ist in diesem Lehrplan ein grammatisches Problem, das von der Wissenschaft mit neuem Inhalt gefüllt werden könnte? Die Bemerkung zur Arbeit in O II gibt einen Anhaltspunkt: Erkenntnisse der Sprachentwicklung sind der Schule willkommen. Mehr haben aber Paul, Behaghel, Erdmann und Delbrück auch gar nicht zu bieten. Daß der Satz als eine Äußerung zu definieren ist, die aus mindestens zwei Gliedern besteht,[11] weiß die Schule längst. Zudem kann die Junggrammatik syntaktisch nicht über die um 1900 herrschende Schulgrammatik hinausführen, weil sie sich selbst deren Termini und Denkweisen bedient. So stellt Glinz nach einer Untersuchung der Behaghelschen Syntaxbände fest: „Er (Behaghel) gibt eine Aufzählung aller in Sätzen möglichen Elemente und Phänomene, in traditioneller Begriffsfassung und Reihenfolge." Dabei „ist er viel mehr im Banne K. F. Beckers, als er selber weiß", obwohl er es im Vorwort zu seinem 2. Syntaxband entschieden ablehnt, mit dessen Kategorien zu arbeiten.[12] Aber auch der Wert sprachhistorischer Kenntnisse für die Schule wird in dem oben erwähnten Lehrplan relativiert. Dort heißt es zu Beginn der Formulierungen für die Sexta und wohl grundsätzlich für den gesamten Sprachlehrekurs, er habe der Erlernung der Fremdsprachen vorzuarbeiten.[13] Setzt die deutsche Schulgrammatik hier den Schwerpunkt, und das hat sie offensichtlich um 1900

[10] Ebd., S. 705.
[11] S. Delbrück, Grundfragen, S. 145.
[12] Glinz, Dt. Syntax, S. 52.
[13] S. o. S. 153.

216

getan,[14] bleiben die von der wissenschaftlichen Grammatik bei-
gesteuerten sprachhistorischen Kapitel unintegrierte Anhängsel.
Diese Schlußfolgerung wird bei einem Blick auf die Schulgrammatiken bestätigt, die Sprachhistorie mit einbeziehen. Ihr Reprä-
sentant ist die Schulgrammatik von Otto Mensing. Unverbunden
laufen dort beide Linien nebeneinander. Mensing will keine
„systematische Darstellung der deutschen Grammatik", „sondern
nur die wichtigsten, dem Denken eigentümlichen Gesetze" behandeln.[15] Getreu dem Beckerschen Vorbild will Mensing, wenn schon
kein grammatisch-logisches System, so doch logisch-deduktive
Grammatik in Grundzügen. Wenn er zugleich noch „das Verständnis für die geschichtliche Entwicklung der wichtigsten Spracherscheinungen" fördern will,[16] so wählt er damit einen ganz anderen Ansatzpunkt. Logische Grammatik geht von abstrahierten
Begriffsstrukturen aus und überträgt sie auf das Sprachmaterial.
Diese Strukturen sind zwar von Sprache abstrahiert, aber von
der altgriechischen und lateinischen,[17] Mensing übernimmt sie als
formales Überlieferungsgut und wendet sie auf das Deutsche an.
Dieses Prinzip ist bei der Darstellung der Mensingschen Grammatik schon im einzelnen dargestellt worden.[18] Daß nun logisch-
deduktive und historische Grammatik nicht zu einer Einheit
werden können, liegt an dem Einsatz der sprachhistorischen
Forschung bei der Sprache selbst. Die Dimensionen sind grundverschieden: Dort abstrakt-geistige Kategorien, hier konkret-
operative Betrachtung am Sprachmaterial in seiner zeitlichen Erstreckung. Beide Bereiche könnten nur dann zur Einheit werden,
wenn die vorgegebenen grammatischen Kategorien bei ihrer Prü-
fung am Deutschen und seiner Geschichte modifiziert oder sogar
neu gefunden worden wären. Das aber lag ganz außerhalb von
Mensings Absichten, und Michaelis, Matthias und Müller-Frauenstein folgen ihm hierin.[19] Die Junggrammatik aber hatte diesen
Schritt nicht getan. Sie hat also insofern Einfluß auf die Schulgrammatik gehabt, als ihre Erkenntnisse in einzelne Sprachbücher

[14] S. o. „Deduktiv-logische Schulgrammatiken", S. 108 ff.
[15] S. o. S. 111.
[16] S. o. S. 111.
[17] S. o. zu Erben, S. 215.
[18] S. o. z. B. S. 113–115.
[19] S. o. S. 119–127.

aufgenommen wurden. Auf die Gesamtkonzeption schulischer Grammatik hat sie nicht einwirken können.

Das wird am deutlichsten an einem Sprachbuch, in das sehr viele Ergebnisse historischer Sprachforschung aufgenommen sind, an dem „Handbuch für den deutschen Sprachunterricht" von Müller-Frauenstein.[20] Müller-Frauenstein will eine Hinwendung zur lebendigen Sprache der Gegenwart, will sogar, „daß die lebendige Rede wie die Schriftsprache in ihrem gegenwärtigen Wesen verständlich gemacht" werden.[21] Zwei Hindernisse lassen ihn dieses Ziel nicht erreichen: Einmal sind die eingebauten sprachhistorischen Linien so beherrschend, daß sie die Gegenwartssprache nicht sichtbar werden lassen,[22] zum anderen läßt die Festlegung auf die Deduktion von formal-logischen Kategorien die lebendige Rede überhaupt nicht zu ihrem Recht kommen. Der Einfluß der wissenschaftlichen Grammatik auf Müller-Frauensteins „Handbuch" ist einer modernen didaktischen Konzeption sogar im Wege.

Es scheint fast so, als habe man in der Schule bald gespürt, daß die Sprachhistorie für ihr Bildungsziel des Sprachunterrichtes wenig oder nichts beizutragen habe. Denn schon Michaelis, dessen Neuhochdeutsche Grammatik in zweiter Auflage fünf Jahre vor Mensings Sprachlehre erscheint, bietet kaum noch Historisches.[23] Bezeichnenderweise ist das rein historische Kapitel mit einer kurzen Sprachgeschichte, die bis zum Neuhochdeutschen führt, dem eigentlichen Grammatikkurs vorangestellt.[24] Und obwohl Michaelis „unter Berücksichtigung der Sprachgeschichte den Erklärungen und Regeln eine bestimmte, kurze, leicht verständliche, aber auch ausreichende Fassung ... geben" möchte[25] und sein Buch nach junggrammatischem Muster in ein Laut- und Wortlehre-Kapitel, in Flexionslehre und Satzlehre unterteilt, bietet er ingesamt viel weniger Historisches in den einzelnen Kapiteln als Mensing. Ihm geht es fast ausschließlich um „das Wesen der grammatischen Grundbegriffe",[26] nicht um Sprachgeschichte und schon gar nicht um synchronische Betrachtung der Gegenwartssprache.

[20] S. o. S. 124 ff.
[21] S. o. S. 124.
[22] S. o. S. 125.
[23] S. o. S. 121.
[24] S. o. S. 122.
[25] S. o. S. 119.
[26] S. o. S. 119.

Ähnlich ist es in dem „Hilfsbuch für den deutschen Sprachunterricht" von Matthias[27] von 1892. Das „Praktische Lehrbuch der deutschen Sprache" von Bardey, das in zwei Teilen 1889 erscheint,[28] ist ebenfalls streng logisch-deduktiv, enthält aber keine Sprachhistorie. Bei der Ausschaltung des historischen Stoffes ist die höhere Schule allerdings nicht einheitlich verfahren, denn ein Literaturbericht von 1918 nennt noch vier Schulgrammatiken mit sprachgeschichtlicher Orientierung.[29]

Die Schule hat versucht, die junggrammatische Forschung in ihre Didaktik mit einzubeziehen. Sie hat dabei wohl Ergebnisse übernommen, grundsätzlich ist das Vorhaben nicht gelungen. „Je mehr daher die deutschsprachigen Schulen im 19. und noch im 20. Jahrhundert ein großes Gewicht auf den formalen Sprachunterricht nach Beckerschem Muster legten, desto größer wurde die Kluft zwischen ihnen und einer Germanistik, die auf Grimm zurückging und sich als reine Wissenschaft mit historischer Zielsetzung empfand."[30]

## 2. Mittelbare Einflüsse der wissenschaftlichen Grammatik auf die Schule durch Dittrich und Finck[31]

Beide Positionen, die junggrammatische und die logisch-deduktive der Schule, waren nach Methode und Ergebnissen so geschlossen und pointiert, daß eine Modifizierung im Detail, durch die man sich hätte näherkommen können, schlecht denkbar ist. Änderung war für beide Gebiete nur durch eine völlig andere grammatische Sehweise zu erwarten. Gleich mehrere neue Entwürfe liegen um die Jahrhundertwende vor. 1897 erscheint Lyons „Deutsche Grammatik",[32] 1899 Fincks Vorträge über den deutschen Sprachbau, 1900 und 1902 folgen Sütterlins „Deutsche Sprache der Gegenwart" und „Das Wesen der sprachlichen Gebilde",[33] und 1903 schließt Dittrich diese Reihe mit seinen „Grundzügen der Sprachpsychologie" ab. Alle vier Versuche, etwas über die deutsche

---

[27] S. o. S. 122 ff.
[28] Bardey, Praktisches Lehrbuch d. dt. Sprache, Teile I u. II, 1889.
[29] Weise, Lit.-Ber. 1918, S. 272–274, s. auch u. S. 241.
[30] Glinz, Dt. Syntax, S. 60 f.
[31] S. o. S. 30 ff., 25 ff.
[32] S. o. S. 23 ff.
[33] S. o. S. 28, 29.

Sprache auszusagen, sind völlig verschieden. Gemeinsam ist ihnen die Abkehr von der Junggrammatik. Dabei brauche ich wohl auf Dittrichs Erweis der Wissenschaftlichkeit auch synchroner Sprachbetrachtung[34] hier nicht näher einzugehen, denn unmittelbare Einflüsse auf die Schulgrammatik hat Dittrich nicht. Seine sehr wichtige Beweisführung hat ihren Platz innerhalb der Geschichte der wissenschaftlichen Grammatikforschung, obwohl sie im Grunde von außen, von der Psychologie her kommt. Einmal legitimiert sie die schon seit Kern[35] betriebene synchrone Betrachtungsweise auf allgemein-wissenschaftliche Weise, zum anderen bereitet Dittrich den in den zwanziger Jahren erscheinenden psychologischen Grammatiken von Wunderlich-Reis[36] und Kalepky[37] den Weg. Durch seine Bemühungen um wissenschaftliche Anerkennung der Psychologie wirkt er mittelbar auch in den schulischen Raum hinein,[38] ohne daß aber einzelne Linien nachgewiesen werden könnten.

Genauso mittelbar ist der Einfluß von Finck auf die Schulgrammatik. In den mir bekannt gewordenen Sprachbüchern lassen sich von ihm übernommene Gedanken nicht nachweisen. In der Methode und in den Ergebnissen seiner Sprachforschungen ist er der herrschenden logisch-deduktiven Schulgrammatik voraus, allerdings hat er auch eins mit ihr gemeinsam: Deduktion auf andere Weise. In einem nationalen Hochgefühl, das in den Ereignissen von 1871 und dem Glanz der Kaiserzeit seine Wurzeln haben kann, versteigt er sich dazu, deutsches Wesen über alles zu schätzen, und versucht, die den Deutschen auszeichnenden Eigenschaften in der Sprache zu entdecken und an der Sprache zu bestätigen. Psychologie und Sprache werden dabei schon ein Jahr vor dem Erscheinen von Wundts erstem Band der Völkerpsychologie vermischt. Die Problematik Sprache–Psychologie beschäftigt um 1900 mehrere Forscher.[39] Finck will bei seinen Sprachuntersuchungen sicherlich induktiv verfahren, will deutsche Sprache auf Eigen-

[34] S. o. S. 31.
[35] S. o. S. 155 ff.
[36] S. o. S. 36 ff.
[37] S. o. S. 38 ff.
[38] S. o. S. 139 f.
[39] Vgl. dazu den Anfang Delbrücks „Grundfragen der Sprachforschung", 1901, das Vorwort zur 4. Aufl. zu Pauls „Prinzipien", 1909 und schon Steinthals „Einleitung in die Psychologie und Sprachwissenschaft", 2. Aufl. 1881.

tümlichkeiten abhorchen und dann auf den deutschen Charakter schließen. Offensichtlich aber denkt er verkappt deduktiv, findet genau das, was er finden will, und läßt Engländer, Dänen und Schweden dabei sehr schlecht wegkommen.[40] Vermutlich beruht diese Ablehnung auf dem gespannten Verhältnis zu England gegen Ende des Jahrhunderts.

Trotz dieser Ergebnisse und trotz der Koppelung von Sprache und fragwürdiger Völkerpsychologie hat Kern etwas Richtiges gesehen. Auch wenn sein Vorgehen national-pathetisch gefärbt ist, ist sein Untersuchungsgegenstand doch die Sprache der Gegenwart, und auch wenn seine Ergebnisse in unsachlicher Weise umgedeutet werden, so sind sie doch Ergebnisse über den deutschen Sprachbau. Dazu löst sich Finck von jeder sprachhistorischen Beweisführung. Sein Betrachtungsgegenstand ist die Gegenwartssprache.

Unmittelbare Verbindungen zwischen Schulgrammatiken und Finck bestehen allenfalls im Ton, denn auch die Darstellungen von Weber und Richter[41] wollen Sprachunterricht unter nationalem Aspekt, wobei das 1872 unter dem Eindruck des deutschen Sieges und der Reichsgründung noch verständlicher ist als 1899. Im ersten Weltkrieg blüht dieses nationale Pathos noch einmal stark auf. In einem Aufsatz von Julius Richter heißt es 1916: „Unser Kaiser hat es einmal als die wichtigste Aufgabe der Erziehung bezeichnet, unsere Jugend mit dem Geiste der Freiheitskriege zu erfüllen."[42] Und: „Das nationale Ethos des deutschen Idealismus muß Ziel des deutschen Unterrichts werden."[43] Finck ist im Vergleich dazu sachlicher. Indem er die Sprache der Gegenwart untersucht und alle Sprachhistorie unbeachtet läßt, indem er das Deutsche im Kreise der übrigen Sprachen zum Problem macht, schärft er den Blick für die Synchronie. Unter diesem Aspekt kann er als Wegbereiter Sütterlins gelten, der dann unmittelbar auf die Schulgrammatik eingewirkt hat.

---

[40] S. o. S. 27.
[41] S. o. S. 128 ff., 132.
[42] J. Richter, Die Stellung des Deutschen, S. 177.
[43] Ebd., S. 178.

### 3. Synchronisation von wissenschaftlicher und schulischer Grammatik um 1900: Lyon, Kern und Sütterlin

Finck und Dittrich geben durch ihre synchrone Arbeit und den Erweis der Wissenschaftlichkeit dieses Verfahrens grundsätzliche Anstöße zu einem neuen Verständnis von Sprachbetrachtung, die dann in den zwanziger Jahren durch Porzig, Ammann, Weisgerber, Neumann und andere[44] aufgenommen und auf verschiedene Weise fortgeführt worden sind. Damit wirken sie, wie gesagt, mittelbar auf die Schulgrammatik ein, denn Drach setzt 1937 in seinen „Grundgedanken zur deutschen Satzlehre" einen vorläufigen Schlußpunkt dieser um 1900 beginnenden Entwicklung, und von ihm profitieren etwa die Schulgrammatiken von Hirschenauer-Thiersch[45] und Schmitt-Martens.[46] Es ist auffällig, daß es gerade in der Zeit des ausgehenden 19. und beginnenden 20. Jahrhunderts Forscher gibt, die die Schulgrammatik unmittelbar umgestalten wollen, indem sie ihre als Sprachwissenschaftler gewonnenen Kenntnisse didaktisch-methodisch für die Schule aufschlüsseln. Dabei scheint es bei Lyon und Kern so zu sein, daß neue Einsichten über den Sprachunterricht in der Schule und deren wissenschaftliche Fundierung zu gleicher Zeit konzipiert werden, denn Lyons „Handbuch" und seine „Deutsche Grammatik" erscheinen beide in den neunziger Jahren in 3. Auflage. Kerns „Deutsche Satzlehre" erscheint 1893. Im selben Jahr schreibt er für die Schule „Zur Methodik des deutschen Unterrichts."
In seinem Aufsatz über „Rudolf Hildebrand und seine Bedeutung für den deutschen Sprachunterricht" von 1894 bemerkt Edwin Wilke zu Lyon: „Einen Sprechsaal für Anhänger Hildebrands schuf der treffliche Otto Lyon, indem er 1886 die ‚Zeitschrift für den deutschen Unterricht' begründete."[47] Wenn auch die Lyonsche Schulgrammatik[48] mit den Büchern von Hugo Weber, Richter, Hartnacke oder Lotte Müller,[49] die sich als Vollstrecker Hildebrandscher Einsichten verstehen, wenig gemein hat, so sehen die Zeitgenossen bei ihm doch Anhaltspunkte eines Neuanfangs

[44] S. o. S. 44 ff.
[45] S. o. S. 187.
[46] S. o. S. 197.
[47] Wilke, R. Hildebrand, S. 166.
[48] S. o. S. 147 ff.
[49] S. o. S. 128 ff., 132, 132 ff., 139 ff.

der Sprachbetrachtung. Dieses Neue läßt sich bei Lyon schon an seiner Stellung zur Sprachgeschichte ablesen. Während Mensing in den Tertien über weite Strecken reine Sprachgeschichte bietet,[50] will Lyon durch Laut- und Wortbildungslehre dem Schüler lediglich „eine Ahnung und ungefähre Vorstellung von der geschichtlichen Entwicklung unserer Sprache ... geben".[51] Dabei betont er die Notwendigkeit, die wissenschaftlichen Erkenntnisse „vor ihrem Eintritt in die Schule aufs gründlichste und sorgfältigste nach pädagogisch-didaktischen Gesichtspunkten umzuwandeln".[52] Und wenn er der wissenschaftlichen Sprachforschung ausdrücklich einen Platz in der Schule abspricht, so geht es ihm in Laut- und Wortbildungslehre sicherlich nicht um Vermittlung historischen Stoffes, sondern um Einsicht in die Lebendigkeit der Sprache. Er hat damit schon um 1890 eine didaktische Konzeption, wie sie noch heute vertreten wird. So heißt es im Kapitel „Sprachkunde" bei Rahn-Pfleiderer: „Der Wortschatz der deutschen Sprache hat sich im Laufe der Jahrhunderte aus rein germanischen Anfängen zu seinem heutigen Reichtum entwickelt. Durch Berührung mit fremden Völkern und Volksteilen drangen zahllose Wörter und Wendungen in den deutschen Wortschatz ein und behaupteten sich hier, teils in ihrer ursprünglichen Gestalt, teils in veränderter, der deutschen Sprache angeglichenen Lautform."[53] Lyons Verdienst ist, daß er eine brauchbare Synthese findet, die heute noch akzeptabel ist: Sein Ziel ist die Betrachtung der Gegenwartssprache. Wissenschaftlich gewonnene Ergebnisse über die Sprache nimmt er aber dankbar an, wenn sie helfen, diese Gegenwartssprache zu verlebendigen. Wie sehr Lyon dabei auf der Scheide zwischen alt und neu steht, zeigt sein Aufsatz über „Die Ziele des deutschen Unterrichts in unserem Zeitalter" von 1898.[54] Er geht dort von der Lebendigkeit des Deutschen aus. Damit die Schüler davon ein rechtes Bild bekommen, ist es wichtig zu erkennen, „daß eine strenge grammatische Schulung und sprachlich-stilistische Unterweisung auch im Unterricht in der Muttersprache unerläßlich ist, da ja unsere Schriftsprache auf grammatischer Regelung beruht und ein künstliches Gebilde ist, daß von

[50] S. o. S. 118.
[51] S. o. S. 148.
[52] S. o. S. 148.
[53] Rahn-Pfleiderer B V, S. 75.
[54] Lyon: Die Ziele des dt. Unterrichts, 1898.

223

jedem sorgfältig erlernt und geübt werden muß, wenn er zu einiger Fertigkeit und Gewandtheit darin gelangen will ... Neben der gesetzgebenden soll man vor allen Dingen auch der historischen Grammatik Tür und Tor in unseren Schulen weit öffnen ... Die geschichtliche Betrachtung der Sprache allein führt uns in ihr wahres Leben ein und kann den Schüler nach und nach zu der Erkenntnis bringen, wie sehr sich eine lebende Sprache von einer toten unterscheidet und wie eine lebende Sprache in wirklich vollendeter Weise zu handhaben ist".[55] Hier vermischen sich mehrere Gesichtspunkte: Vorhanden ist die Anschauung von der Lebendigkeit der Gegenwartssprache. Darin ist Lyon den Syntaktikern Delbrück, Erdmann und Behaghel[56] voraus. Mit ihnen verbindet ihn seine Hochschätzung der Historie. In ihrer Relativierung im Dienst an eben dieser Verlebendigung der Gegenwartssprache ist er aber ebenfalls „moderner". Grundsätzlich laufen Lyons programmatische Sätze auf eine Verschmelzung von Synchronie und Diachronie im Bereich der Schule hinaus. Daß dieser Ansatz fruchtbar ist, zeigt z. B. Hempels Untersuchung des deutschen Perfekts.[57]

Das Tasten nach neuen Wegen zeigt sich besonders bei Lyons Versuchen, die Wortarten einzuführen. Eine Untersuchung seines „Handbuches" zeigte bei vier Wortarten vier verschiedene Arten des Vorgehens. Einmal präsentiert er statisch-phänomenologisch, für Substantiv, Adjektiv und Pronomen bietet er drei unterschiedliche Arten funktionaler Betrachtung an. Er beginnt mit dem Satz und verbindet Satz- und Wortlehre und arbeitet dabei grundsätzlich schon den nach dem zweiten Weltkrieg erscheinenden Schulbüchern vor. Andererseits ist dieses Verbindung recht mechanisch,[58] und mechanisches Systemdenken zeigt sich auch noch bei der Behandlung der Tempora nach lateinischem Vorbild.[59] Methodisch denkt er vorwiegend deduktiv-analytisch, dann auch wieder von der Sprache aus,[60] wobei er schon funktionale Ansätze findet.

---

[55] Ebd., S. 15 f.
[56] S. o. S. 17 ff.
[57] S. o. S. 43.
[58] S. o. Schema, S. 152.
[59] S. o. S. 150.
[60] S. o. zum Prädikat-Objekt-Verhältnis, S. 147 f.

Im Gesamtzusammenhang dieser Arbeit möchte ich Lyon folgende Stellung geben: Als Schulgrammatiker ist er der herrschenden wissenschaftlichen Grammatik voraus, indem er die Gegenwartssprache zum Objekt der Betrachtung macht, die Sprachhistorie relativiert und verschiedene Methoden erprobt, dem Schüler die Naivität gegenüber seiner Sprache zu nehmen. Das spiegelt sich in der wissenschaftlichen Konzeption der „Deutschen Grammatik". Auch hier steht die Satzlehre am Anfang und sind Satz- und Wortlehre, wenn auch in der gleichen starren Weise wie im „Handbuch", miteinander verbunden, indem die Wortarten als Repräsentanten von Satzgliedern vorgestellt und dann im einzelnen besprochen werden. Dabei ist Lyon die Verschmelzung von Synchronie und Diachronie nicht gelungen, denn „Deutsche Grammatik" und „Kurze Geschichte der deutschen Sprache" sind nicht wie im „Handbuch" ineinandergearbeitet und durch eine didaktisch-methodische Konzeption verschmolzen, sondern lediglich addiert. Insofern hinkt der Wissenschaftler Lyon dem Schulmann nach, ist also im persönlichen Bereich ein Abbild der Verhältnisse im großen.

Kerns Verfahren, von der Betrachtung der deutschen Sprache her den Wortarten einen neuen funktionalen Wert für die Satzfügung zuzuweisen, ist neu. Ihm geht es darum, den deutschen Sprachunterricht von den Einflüssen des Fremdsprachenunterrichtes zu befreien. Das herkömmliche System gilt ihm nichts, und er hat keinerlei Bedenken, es seinen neuen Erkenntnissen zu opfern. Lyons „Handbuch" bleibt in bezug auf Ergebnisse und Terminologie näher bei der herkömmlichen Grammatik, obwohl er Satz- und Wortlehre verbindet und stellenweise funktional vorgeht. Kern geht einen Schritt weiter. Er löst die herkömmliche Wortartenlehre auf und gruppiert den Wortbestand nach seiner Leistung für die Satzstruktur. Sicherlich ist das grundsätzlich neue Verfahren dabei höher einzuschätzen als die Ergebnisse, denn die Gliederung in „satzbildende", „satzbestimmende", „satz- und wortverbindende" und „außerhalb des Satzgefüges stehende Wörter"[61] ist zwar methodisch sauber, indem sie nur einen Gesichtspunkt zur Herausarbeitung von Unterschieden zuläßt, sie scheint aber doch zu wenig differenziert, um zu befriedigenden

[61] S. o. S. 157.

Einsichten über die Wortarten zu kommen. Das gilt vor allem für die Gruppe II, die satzbestimmenden Wörter. Insgesamt werden hier Substantive, Infinitive, substantivische Fürwörter, substantivische Zahlwörter, Adjektive, Partizipien, adjektivische Fürwörter und Zahlwörter, Adverbia, Präpositionen, adverbiale Fürwörter und Zahlwörter eingeordnet, also alles, was nicht Verb, Konjunktion oder Interjektion ist.[62] Der von Kern gefundene Terminus „satzbestimmende Wörter" ist sinnmäßig schwer zu bestimmen, zudem so allgemein, daß z. B. Substantive und adverbiale Zahlwörter unter ihm subsumiert werden können. Zudem gelingt Kern auch lediglich eine neue Gruppierung der Wortarten, die er weiter mit den lateinischen Termini nennt. Durch Bindung zu neuen Gruppen entselbständigt er sie wohl und ist in diesem Punkt Lyon verwandt, der die Wortarten als Repräsentanten von Satzgliedern sieht,[63] er mußte sich aber darüber klar sein, daß diese Neuordnung von dem Eigenwert, den die dank der Weiterbenutzung herkömmlicher Termini erhalten gebliebenen Wortarten besaßen, überspielt werden würde. Konsequent wäre eine neue Namensgebung gewesen, die das gewonnene System für die damalige Zeit wohl noch unakzeptabler, aber in sich geschlossener gemacht hätte. Immerhin ist aber Kerns Begriff „Aussagewörter" für die finiten Verben[64] so zutreffend, daß ihn auch Erben verwenden kann.[65] Grundsätzlich modern ist Kerns Bemühen, Wortarten von ihrer Leistung für den Satz her zu gewinnen.

Kern will eine Verlebendigung des Deutschunterrichtes. Als Ziel der grammatischen Unterweisung formuliert er, die Schüler sollten „ein klares Bewußtsein davon haben, welche Bedeutung für den Satz jedes einzelne Wort hat, welches andere Wort durch dasselbe bestimmt wird".[66] Methodisch sollen ihre Einsichten in den Satzbau darin gipfeln, „daß sie von dem Satz ein Schema entwerfen, das nur grammatische Termini enthält und in welchem die Abhängigkeit bezeichnet wird durch Striche".[67] Ein solches

---

[62] S. o. S. 157.
[63] S. o. S. 152.
[64] S. o. S. 157.
[65] S. o. S. 69.
[66] Kern, Dt. Satzlehre, S. 110.
[67] Ebd., S. 110.

Schema ist oben dargestellt,[68] nur daß dort die Sprachteile und die zugehörigen Termini noch nebeneinander stehen. Eine Beurteilung dieses Verfahrens ist ebenfalls oben schon gegeben worden.[69] Es zeigt sich deutlich, daß Kerns Ansatz, die Wortarten neu zu gliedern, für seine grammatische Arbeit selbst wenig erbracht hat. Zumal geht in seinem Schema die Terminologie ganz durcheinander, wenn dort nebeneinander die Bezeichnungen Subjektswort, Objekt und Adjektiv erscheinen. Wie wenig Kern mit seinem Ansatz, vom Deutschen her zu denken, verstanden wurde, macht ein Passus aus einer Methodik von 1909 deutlich. Dort heißt es nach einer kurzen Darstellung seiner grammatischen Arbeit: „Allein es ist zu bedauern, daß Kern seine Betrachtungen und Vorschläge, die in ihren wesentlichen Teilen für alle flektierenden Sprachen Gültigkeit haben, auf das Deutsche beschränkt und nicht auf die übrigen Sprachen, welche für die Schulpraxis in Betracht kommen, ausgedehnt hat; ja, daß er überhaupt vom Deutschen und nicht von einer der klassischen Sprachen ausgegangen ist. Denn einmal ist diese ganze grammatische Theorie und die ihr entsprechende Terminologie im Unterricht offenbar nur dann durchzuführen, wenn sie gleichzeitig auf alle betriebenen Sprachen angewandt wird: Sonst entstehen ja überall Widersprüche, die den Schüler verwirren müssen. Man kann nicht im Lateinischen den Terminus Copula anwenden, im Deutschen ihn beanstanden..."[70]
Noch 1909, als diese Sätze geschrieben wurden, war der Einfluß der logischen Grammatik im Stile Mensings so stark, daß man Kern wohl referieren, ihn aber nicht verstehen und schon gar nicht akzeptieren konnte. Sein Einfluß auf die schulische Sprachbetrachtung ist gering. Immerhin aber ist sein Neuansatz so grundlegend, daß er noch 1909, also 26 Jahre nach Erscheinen der „Deutschen Satzlehre", erwähnt wird.
Eins unterscheidet Ludwig Sütterlin von Lyon und Kern: Er zieht Bilanz. In der Vorrede zu seiner „Deutschen Sprache der Gegenwart", mit dem Untertitel „Handbuch für Lehrer und Studierende" schreibt er: „Doch will ich auch hier noch ausdrücklich Zeugnis dafür ablegen, daß ich für die Behandlung des Ganzen

[68] S. o. S. 157.
[69] S. o. S. 158.
[70] Lehmann, D. dt. Unterricht, 1909, S. 124 f.

und des Einzelnen besonders H. Pauls Arbeiten viel verdanke, insonderheit seinen Prinzipien und seinem Wörterbuch, für die Darstellung der Lautlehre und der Wortbildung der deutschen Grammatik von Wilmanns, für die Schilderung der Syntax den Arbeiten von Erdmann, Wunderlich und Mensing. Die Beschreibung der Satzbetonung und die geschichtliche Darstellung der Wortbiegung, zum Teil auch die der Lautentwicklung sind beeinflußt von Behaghels Arbeit im Paulschen Grundriß, die Behandlung der Wortbildung, besonders der Eigennamen von seiner Geschichte der deutschen Sprache im ‚Wissen der Gegenwart'... Aber so sehr ich mich auf meine Vorgänger stütze, so habe ich doch ihre Darstellungen alle erst reiflich geprüft und davon nur das übernommen, was ich für überzeugend und sicher halten konnte. Wenn ich daher von einer Absicht überhaupt nicht rede oder sie etwas verändert darstelle, geschieht das in der Regel deshalb, weil ich mich ihr nicht oder nur bedingt anschließen kann. Selbstverständlich habe ich auch vieles Eigene in dem Buch verwertet, besonders bei der Behandlung allgemeiner Dinge und bei der Heranziehung der Mundarten."[71] Sütterlin selbst versteht seine Aufgabe so, das bisher vorliegende und gesicherte Material sprachwissenschaftlicher Forschung zu mustern, zusammenzufassen und, versehen mit eigenen Erkenntnissen, neu zu ordnen. Bezeichnend ist der letzte Satz des oben angeführten Zitates aus der Vorrede. Sütterlin selbst spürt wohl, wie leicht man ihm den Vorwurf, lediglich Eklektiker und Kompilator zu sein, machen könnte. Deshalb erwähnt er ausdrücklich noch seine eigenen Verdienste.

Die schulgrammatische Tradition, der er sich zuordnet, reicht weit ins 19. Jahrhundert zurück. Er sieht sich in der Linie „des geschichtskundigen R. Hildebrand und des klaren, scharfsinnigen Denkers F. Kern".[72] Wie weit er aber z. B. von Kern entfernt ist, zeigt ein Blick auf den grundlegenden Teil von Sütterlins Satzlehre. Zunächst geht es um Gefühle und Vorstellungen, dann kommt er über diesen psychologischen Umweg zum „Begriff des Satzes": „Diese geistigen Vorgänge, die Gemütsbewegungen (Gefühle) und Vorstellungen, drängen den Menschen – wenigstens ursprünglich – zu äußerlichen Bewegungen: zu Gebärden, zur

<hr />

[71] Sütterlin, Die dt. Sprache, 1907, S. VII.
[72] Ebd., S. V.

Gebärdensprache und zum gewöhnlichen Sprechen ... Diesen geistigen Vorgängen entsprechen nun abgeschlossene, lautliche Gebilde von größerem und geringerem Umfang ... Sie ordnen sich etwa zu der folgenden Musterreihe an: 1. *Ei! Au!* 2. *Feuer...* 7. *Komm!* 8. *Welch schönes Fest!*"[73] Kern ging es nicht um sprachpsychologische Hypothesen bei der Erklärung von Spracherscheinungen, er untersuchte vorliegende Sprache und wollte neue Kategorien zu ihrer Ordnung finden. Sütterlin argumentiert beim Satz zunächst psychologisch, außerdem in Wort- und Satzlehre geschichtlich, zum größten Teil einfach darstellend. Dieses gleichförmige Darstellen gibt dem Werk Sütterlins etwas Ruhiges, Neutrales, Steriles, Lexikonhaftes, und genau denselben Eindruck macht auch die Schulgrammatik von Sütterlin–Martin. Sütterlins Verdienst besteht ohne Zweifel in seiner Erkenntnis der Lage, daß der deutsche Sprachunterricht vom ihn überfremdenden System der lateinischen Grammatik gereinigt werden müsse.[74] Er hat wissenschaftliche Umschau gehalten und übernommen, was zu übernehmen war, und ist darin gewissenhafter als Kern und Lyon. Er hat Wissen, das er für gesichert hielt, in seine Schulgrammatik einfließen lassen, aber sowohl dem Wissenschaftler als auch dem Lehrer Sütterlin fehlt eine weiterführende Konzeption. Trotzdem wurde das Schulbuch von Sütterlin-Martin als Alternative zu Mensing und Lyon als brauchbar empfunden. Von 1908 bis 1916 erschien es in sechs Auflagen.

Bei einem Vergleich dieser drei Versuche, um 1900 wissenschaftliche und schulische Grammatik zu synchronisieren, erscheint Kern am originellsten, Sütterlin am gewissenhaftesten und Lyon am erfolgreichsten. Kerns Einsichten sind für die Zeit zu neu, er findet mit seinem Versuch einer Neubestimmung der Wortarten vom Satz aus, wie es nach Einsicht in andere Schulgrammatiken dieser Zeit scheint, keine Nachfolger. Sütterlin jedenfalls, der sich ausdrücklich auf ihn beruft, erwähnt diesen Ansatz nicht einmal. Lyon bleibt in der Nähe des herkömmlichen Systems, das von Müller-Frauenstein, Matthias, Michaelis und Mensing vertreten wird, koordiniert Satz- und Wortlehre, denkt zugleich vom System und der Sprache her und hat damit Erfolg. Sütterlin hält Bestandsaufnahme, sichtet, reinigt und ordnet, verwirft in seiner

[73] Ebd., S. 283.
[74] S. o. S. 36.

Schulgrammatik alle Logik und Deduktion, sein Denken von der Sprache her ist aber noch zu blaß, um das alte System wirklich überflüssig zu machen. So vielleicht ist es zu erklären, daß Mensings Sprachbuch von 1903 bis 1926 25 Auflagen erlebte.

### 4. Von Rudolf Hildebrand ausgehende grundsätzliche Neubesinnung auf Art und Methode des Sprachunterrichtes im Raum der Volksschule

Ausgangspunkt dieser Linie grundsätzlicher grammatischer Besinnung ist das Jahr 1867, in dem Rudolf Hildebrands Buch vom deutschen Sprachunterricht erscheint.[75] Auch Sütterlin beruft sich auf Hildebrand, ohne jedoch seine Gedanken zu entfalten, weil er an einer Bestandsaufnahme in anderer Richtung interessiert ist,[76] und auch Lyon wird in Zusammenhang mit Hildebrand gebracht,[77] aber auch er denkt nicht an eine radikale Neugestaltung des Sprachunterrichtes an der höheren Schule, sondern modifiziert lediglich das bestehende System. Gefolgsleute bekommt Hildebrand hauptsächlich im Raum der Volksschule.

Den äußeren Anstoß für das Neue bringt das Preisausschreiben der Diesterwegstiftung von 1872.[78] Zu motivieren ist aber auch diese gestellte Preisfrage „Wie ist der Unterricht in der Muttersprache, besonders auch der grammatische in der Volksschule einzurichten, um die nationale Bildung unserer Jugend nach allen Seiten hin zu fördern?"[79]: Einmal durch die politischen Verhältnisse und die nationale Hochstimmung in Deutschland nach der Reichsgründung, zum anderen durch das Unbehagen am Unterricht im Deutschen. Etwa 25 Jahre vor Sütterlin, der 1900 in der „Deutschen Sprache der Gegenwart" formuliert, alles, „was die lateinische Grammatik als merkwürdig bezeichnet und benannt" habe, sei auch in bezug auf die deutsche Sprache „festgestellt und gewissenhaft benannt", umgekehrt aber das Deutsche „oft noch eigentlich nicht gekannt" sei,[80] versucht die Volksschule eine radikale Umgestaltung des Grammatikunterrichts im Rahmen einer

[75] S. o. S. 127.
[76] S. o. S. 228.
[77] S. o. S. 222.
[78] S. o. S. 128.
[79] S. o. S. 128.
[80] S. o. S. 36.

gesamtdidaktisch-methodischen Neubesinnung über den Unterricht in der Muttersprache. Die Argumente, die dabei gegen den herkömmlichen Sprachunterricht angeführt werden, sind über einen Zeitraum von 55 Jahren[81] nahezu gleich. Sie heißen „Erfolglosigkeit und Einseitigkeit dieser bloß formalen Verstandesarbeit" (Hugo Weber),[82] Totschlagen der lebendigen Sprache (Hartnacke),[83] Ableitung der Sprache aus der Grammatik (Greyerz)[84] und „nur mechanische Übungen" (Müller).[85] Synthetisches Vorgehen, das vom sprachlichen Einzelteil her denkt, wird zunächst völlig abgelehnt, das analytische Verfahren befürwortet (Hugo Weber).[86] Als Regeln gefaßte Einsichten in den Bau der Sprache werden zum Teil völlig verworfen (Greyerz, Müller),[87] zum Teil aber auch zugelassen, wenn sie induktiv gewonnen werden (Lüttke).[88] Es ist erstaunlich, daß sich in der Reihe der Untersuchungen für die Frage, wie sich Unterricht in der Sprache oder über die Sprache im Raum der Volksschule abzuspielen habe, kaum ein Fortschritt feststellen läßt, wenn man Fortschritt hier als allmähliche Herausarbeitung eines neuen Systems auffaßt. Hartnacke und Hugo Weber gehen hier neue Wege, indem sie wohl das Alte, also die formal-deduktive Sprachbetrachtung ablehnen, aber auch einen neuen Grammatikkurs anbieten.[89] Sonst sind die Ziele lediglich allgemein angegeben. Richter deutet wohl an, daß sich ein System ergeben müsse, das „durch die nach und nach erfolgende Zusammenfassung dessen, was die Analyse ergeben hat", entsteht,[90] expliziert es aber nicht. Genauso will Lüttke im Bereich grammatischer Arbeit zu einer neuen „Logik" kommen,[91] gibt aber nur den methodischen Weg dazu an. Hartnacke will Erweiterung und Entwicklung des kindlichen Sprechgutes „auf der Grundlage der Verbindung von Einsicht und Übung,

---

[81] 1872 die Bücher von Hugo Weber und Richter, 1927 die Deutsche Sprachkunde in 3. Aufl. von Lotte Müller.
[82] S. o. S. 129.
[83] S. o. S. 133.
[84] S. o. S. 138.
[85] S. o. S. 143, Anm. 180.
[86] S. o. S. 129.
[87] S. o. S. 138, 143.
[88] S. o. S. 144 f.
[89] S. o. S. 135, 130 f.
[90] S. o. S. 132.
[91] S. o. S. 144.

von Inhalt und Form",[92] gibt dann aber doch Andeutungen grammatischer Arbeit. Greyerz möchte „Beherrschung der Sprache durch ein zuverlässiges Sprachgefühl, das unabhängig vom Buch das Richtige findet"[93] und lehnt alle systematische Grammatik grundsätzlich ab. Lotte Müller schließlich will „Sprachrichtigkeit" und „Sprachverständnis" als Voraussetzung für die „Freude an schöner Darstellung der Gedanken".[94] Mit Greyerz glaubt sie, daß „die Freude an unserem Sprachgut, die Neigung, sich immer tiefer in die Sprache zu versenken,[95] wertvollstes pädagogisches Ergebnis sein müsse".

Alle Vertreter dieser Richtung wissen genau, was sie nicht wollen. Das ist für sie einfach, denn die Misere des Sprachunterrichtes steht ihnen vor Augen. Zudem ist für sie die Ablehnung des alten Systems ohne größere Schwierigkeiten durchführbar, weil sie im Raum der Volksschule keine Rücksicht auf den fremdsprachlichen Unterricht zu nehmen brauchen. Weiter haben sie auch das neuhumanistische Bildungsideal, das gegen Ende des 19. Jahrhunderts in der deutschen höheren Schule noch verpflichtend ist, nicht zu vertreten, ein Bildungsideal, in dem die Aufhebung alles Konkreten in logisch–philosophischen Kategorien eine beherrschende Rolle spielt. Zusammenfassend sagt Reble zum Erziehungsgedanken Wilhelm von Humboldts, von dem das Erziehungsziel des deutschen Gymnasiums und der deutschen höheren Schule des 19. Jahrhunderts maßgebend beeinflußt ist: Für ihn ist „der wahre Zweck des Menschen ... die höchste und proportionierlichste Bildung seiner Kräfte zu einem Ganzen. Daß Bildung formaler Natur sei, daß es sich um die Ausbildung von Kräften und nicht um Füllung mit Stoffen handeln soll, ist ein weiterer, für ihn charakteristischer Gesichtspunkt".[96] „Weil die Welt der alten Sprachen für uns ‚klassisch' ist und weil unser Abstand zu ihnen die Einsicht in den Aufbau der menschlichen Sprache überhaupt, um die es Humboldt darüber hinaus geht, sehr fördert, sind sie die gegebenen Fremdsprachen des Gymnasiums. Wiederum wird der formale Gesichtspunkt dem materialen im ganzen übergeordnet ...

[92] S. o. S. 133.
[93] S. o. S. 138.
[94] S. o. S. 140.
[95] Müller, Deutsche Sprachkunde, 3. Aufl. 1927, S. 9.
[96] Reble, Geschichte d. Pädagogik, S. 179.

Die Universität führt diesen Prozeß dann weiter dadurch, daß sie zum eigenen, selbständigen Forschen anleitet und den jungen Menschen zur Einsicht in den großen Zusammenhang der Wissenschaft bringt. Dadurch wird für Humboldt... die Philosophie zum beherrschenden Zentrum der Universität."[97] Wenn auch dieses philosophische Denken erst auf der Universität zur vollen Entfaltung kommen soll, so sind die Strukturen dafür sicherlich schon auf dem Gymnasium zu bilden, so daß ein bruchloser Übergang von einem Bereich zum anderen möglich wird. Zu der Zeit der Industrialisierung, zu der das ausgehende 19. Jahrhundert mit gehört, stellt Reble fest, daß das humanistische Gymnasium Humboldtscher Prägung noch nach den alten Ideen arbeitete, wenn es auch durch das Eindringen der Naturwissenschaften und die Auseinandersetzung damit einen Substanzverlust hinzunehmen hatte.[98]

Noch 1926 ist folgendes Urteil möglich: „Das Ethos des Gymnasiums war bisher das Ethos seiner Wissenschaftlichkeit. Das Gymnasium in seiner praktischen Arbeit sah seine Hauptaufgabe in der Bereitstellung der Bildungsmittel für den gelehrten Betrieb der Wissenschaft."[99]

Die Reihe der Volksschullehrer, die in Anlehnung an Hildebrand schreiben, übt Kritik am Sprachunterricht und im größeren Rahmen auch am Deutschunterricht herkömmlicher Prägung. Unterstützt wird diese Kritik noch durch radikalere Stimmen, die um 1900 die Bildungsarbeit des Gymnasiums überhaupt in Frage stellen: „Latein und Griechisch sind schwere Sprachen, ihre Grammatik nimmt die ganze Kraft der Schüler in Anspruch, die Übungen darin gehen durch die ganze Schulzeit und lassen der Lektüre einen verhältnismäßig geringen Raum. Diese ist mühselig und zeitraubend, sie schreitet langsam fort und kann sich immer nur über ein kleines Gebiet erstrecken. Man darf wohl rechnen, daß zwei Drittel aller Schularbeiten, wenn man Unterricht und häusliche Vorbereitung zusammenfaßt, neun Jahre hindurch mit sprachlich-formalen Übungen hingehen ... Wie wenig Zeit wird dagegen auf den sachlichen Inhalt verwendet ... Schon der Umstand, daß sich die Lektüre einer kleinen Schrift durch ein ganzes

[97] Ebd., S. 181.
[98] Ebd., S. 237.
[99] Frankenberger, Der Deutsche Unterricht, S. 161.

Semester hinschleppt, hindert die Übersicht. Aber auf eine solche wird am Gymnasium auch kein besonderer Wert gelegt. Die sogenannte geistige Gymnastik der sprachlichen Übungen ist die Hauptsache. Mag man diese nun aber in ihrer Art noch so hoch schätzen, so muß sie durch ihre unablässig fortgesetzte Ausdehnung und Einseitigkeit zur Qual werden. Der Jüngling schmachtet nach Wirklichkeit, nach Dingen, nach Geschehnissen, nach Anregungen der Phantasie und des Gemüts."[100] Expressis verbis wird hier der Fremdsprachenunterricht und seine Methode attackiert, mitgemeint ist hier jedoch auch die Sprachbetrachtung des Deutschunterrichtes mit ihrer vom Fremdsprachenunterricht entlehnten Regelgrammatik.

Die oben angeführten Vertreter der Volksschule sind weit weniger radikal. Ihre Kritik richtet sich lediglich auf einen Punkt: die deduktiv–logisch–synthetische Regelgrammatik. Um 1920 wird das Bedürfnis nach einem neuen Weg wohl besonders groß: 1911 schreibt Lüttke sein Buch „Sprachlehre als Anleitung zur Sprachbeobachtung",[101] das 1923 in 2. Auflage herauskommt, 1914 erscheint Greyerz' „Deutschunterricht als Weg zur nationalen Erziehung", 2. Auflage 1921,[102] 1918 Hartnackes „Deutsche Sprachlehre im Dienste der Selbsttätigkeit",[103] und von 1922 bis 1927 erscheinen die Bücher von Lotte Müller.

Aus einer Übersicht bei Paulsen geht hervor, daß es 1895 in Deutschland 434 Gymnasien, 130 Realgymnasien und 33 Oberrealschulen gab.[104] Trotz dieser Differenzierung aber wird noch um 1920 sowohl von den Vertretern der Volksschule als auch von Sütterlin und Wunderlich-Reis[105] der Sprachunterricht der höheren Schule schlechthin abgelehnt. Noch in der 4. Auflage der „Deutschen Sprache der Gegenwart" wiederholt Sütterlin den oben angeführten Passus von der Überfremdung des deutschen durch den fremdsprachlichen Unterricht,[106] und Wunderlich-Reis kämpfen noch 1924 gegen Sprachbetrachtung nach aus der Antike

---

[100] Varow, Res non verba, S. 24.
[101] S. o. S. 143.
[102] S. o. S. 136.
[103] S. o. S. 132.
[104] Paulsen, Geschichte des gelehrten Unterrichtes II, S. 700.
[105] S. o. S. 36 f.
[106] S. o. S. 36; Sütterlin, Die dt. Spr. d. Gegenw., 4. Aufl. 1918, S. X.

überkommenen logisch–rhetorischen Kategorien.[107] Daraus läßt sich schließen, daß die alte Gymnasialmethode und das im Gymnasium bestehende didaktische Ziel in der deutschen Grammatik ohne große Änderung in den beiden anderen Schultypen übernommen worden war, zumal dort für neue Wege keinerlei Erfahrung bestand. Abzulesen ist das auch an den Titeln der Sprachbücher mit hohen Auflagen, die generell für „höhere Schulen" (Mensing, Lyon) geschrieben sind.

So genau nun diese oben genannten Darstellungen aus dem Raum der Volksschule und auch die grundsätzlichen Kritiker am Gymnasium, z. B. Varow, wissen, was abzulehnen ist, so wenig gelingt es ihnen, etwas festumrissen Neues an die Stelle des Alten zu setzen. Die Forderung nach Neuem allein genügt nicht. Auch die Darstellung von Methoden, die immer nur vom Verfasser selbst erprobt sind, ist unbefriedigend. Fast hat es den Anschein, als habe sich ein festes System des Sprachunterrichts aufgelöst, es sei aber kein neues an seine Stelle getreten, sondern lediglich eine Fülle von individuellen Versuchen und Meinungen. Der große Rahmen: Lebendigkeit des Sprachunterrichtes ist allen gemeinsam. Auf die Frage aber, wie Lebendigkeit und Sicherung von Wissen, wie spontanes Erarbeiten und Fixierung für die Dauer zu vereinbaren seien, bleiben die Versuche von Hugo Weber bis Lotte Müller die Antwort schuldig.

Weil dieses sprachliche Arbeiten im Grunde ständig in Gefahr ist, sich im Augenblick zu erschöpfen, kann es mit der systemhaft denkenden Sprachwissenschaft auch aus diesem Grunde wenig Berührung haben. Weil es vom Sprechen des Kindes ausgeht und ihm zur Freude am Sprechen verhelfen will, kann es von der historischen Sprachwissenschaft keine Impulse empfangen. Dieser Tatbestand ist wohl so eindeutig, daß nur ein Vertreter dieser Linie ausdrücklich Stellung dazu nimmt. 1927 schreibt Hugo Weber, wie es scheint, ein für allemal: „Die wissenschaftliche Grammatik ist vorzugsweise historische Grammatik, welche mit der Laut- und Flexionslehre zu beginnen hat ... Aber die Methode der wissenschaftlichen Grammatik gehört ... nicht in die Volksschule."[108]

[107] S. o. S. 36 f.
[108] S. o. S. 130.

So ergibt sich als Resultat, daß von zwei verschiedenen Ansätzen, zwei verschiedenen Auffassungen über Sprachbetrachtung her, der wissenschaftlich–historischen Sprachforschung der Zugang in die Schule verwehrt wurde. Die höhere Schule denkt im Deutschunterricht in Übereinstimmung mit der Fremdsprachengrammatik logisch–deduktiv, und ihr System ist so fest gefügt, daß historische Einsichten in den Bau der Sprache wohl angefügt, nicht aber integriert werden können, die Volksschule geht ahistorisch und im Grunde systemfeindlich von der Gegenwartssprache aus. Der Gesichtspunkt, daß man als „Gebildeter" etwas über den Werdeprozeß der Sprache wissen müsse, scheidet aus. So gibt es auch zwischen Sütterlins Darstellung über die deutsche Sprache der Gegenwart[109] und dieser Richtung keine Berührungspunkte, die doch vom Titel dieses Buches her zu erwarten wären. Wenn die Volksschule philologische Forschung mit einbezieht, geschieht das in „Häppchen". Das aber bekommt der Philologie schlecht, geht auch wohl am didaktischen Ziel der Volksschule vorbei.

Schon seit 1872 also hat die Volksschule die Wendung zur „Sprache der Gegenwart" vollzogen. Sie ist damit der höheren Schule und der wissenschaftlichen Grammatik weit voraus. Das gilt auch methodisch, denn sie will Induktion und Analyse. Sie sieht sehr früh, daß die Sprache lebendig ist, muß diese Einsicht aber bis in die zwanziger Jahre des neuen Jahrhunderts hinein immer wieder betonen, wohl weil sie sich nur zögernd durchsetzt. Trotz der Originalität und Priorität dieser Versuche sind sie jedoch nicht befriedigend. Ihnen fehlen die Konsequenzen, wie sie etwa Ammann, Kern oder Drach gezogen haben. Überspitzt könnte man vielleicht sagen, ihnen fehle Wissenschaft.

Das historische Verdienst dieser Darstellungen liegt ohne Zweifel darin, daß sie Anstöße zur Verlebendigung der Sprachbetrachtung gegeben haben, die im Raum der höheren Schule erst in den Sprachbüchern verwirklicht wurden, die nach 1945 erschienen sind.

[109] S. o. S. 28 ff.

## 5. Inhalt- und leistungsbezogene Sprachwissenschaft und reihend-präsentierende und deduktive Schulgrammatik: Die Phasenverschiebung bezüglich der Methode und der Ergebnisse bei der Untersuchung des Deutschen zugunsten der Wissenschaft

Für die wissenschaftliche Grammatik hat die Zeit um 1900 durch Finck, Dittrich und Sütterlin wertvolle Neuansätze gebracht.[110] Aufgenommen werden sie zunächst durch Voßler, dessen Untersuchungen „Positivismus und Idealismus in der Sprachwissenschaft", „Grammatik und Sprachgeschichte" und „Das System der Grammatik" 1904, 1910/11 und 1913 erscheinen.[111] Voßlers ästhetische Sprachbetrachtung ist jedoch wenig geeignet, der Schule neue Wege zu eröffnen. Wie Dittrich und Finck kann man ihm lediglich einen mittelbaren Einfluß auf die Schulgrammatik zuschreiben.

Offenbar ist der Einfluß der Junggrammatik zu Beginn des 20. Jahrhunderts noch so groß, daß die Neuansätze der Jahrhundertwende zunächst wenig Nachahmung finden. Um 1900 erscheinen in rascher Folge die Bücher von Lyon,[112] Finck,[113] Wundt,[114] Sütterlin,[115] Dittrich[116] und Voßler.[117] 1907 und 1918 erscheinen die 2. bzw. 4. Auflage der „Deutschen Sprache der Gegenwart", 1910 Fincks „Haupttypen des Sprachbaus", 1910/11 und 1913 die beiden oben genannten Aufsätze von Voßler und 1914 Kluges „Unser Deutsch". Parallel dazu erscheinen aber folgende von der Junggrammatik bestimmte Werke: 1893, 1897 und 1900 die drei Bände „Vergleichende Syntax der indogermanischen Sprachen" von Delbrück und 1901 seine „Grundfragen der Sprachforschung",[118] 1898 Erdmanns „Grundzüge der deutschen Syntax", Band 2,[119] 1909 Pauls „Prinzipien der Sprachgeschichte" in 4. Auflage mit Pauls Kritik an Delbrück und der psychologischen Sprach-

[110] S. o. S. 25–32.
[111] S. o. S. 34 f.
[112] Lyon, Deutsche Grammatik, 1897, s. o. S. 23 ff.
[113] Finck, Der deutsche Sprachbau, 1899, s. o. S. 25 ff.
[114] Wundt, Völkerpsychologie I, 1900.
[115] Sütterlin, Die deutsche Sprache der Gegenwart, 1900, s. o. S. 28 f.; ders., Das Wesen der sprachlichen Gebilde, 1902, s. o. S. 29.
[116] Dittrich, Grundzüge der Sprachpsychologie, 1903, s. o. S. 30 ff.
[117] Voßler, Positivismus u. Idealismus, 1904.
[118] S. o. S. 17 f.
[119] S. o. S. 19.

betrachtung,[120] 1916 ff. seine „Deutsche Grammatik", 1919 schreibt Behaghel seine „Geschichte der neuhochdeutschen Grammatik", 1926 seine „Deutsche Satzlehre"[121] und 1923, 1924, 1928 und 1932 erscheinen die vier Bände seiner „Deutschen Syntax".[122] Wenn man von der 1. Auflage von Pauls „Prinzipien" von 1880 ausgeht, ergibt sich eine Kontinuität junggrammatisch-historischer Sprachforschung bis in die frühen dreißiger Jahre. Demgegenüber gibt es auf der Seite der „Neuansätze" eine Lücke zwischen 1904 und 1923, wenn man von den nicht mehr grundlegenden Veröffentlichungen von Finck, Sütterlin, Voßler und Kluge nach 1904 absieht. Der erste Weltkrieg hat sicher dazu beigetragen, daß sich diese Richtung der Forschung zunächst nicht breiter entfalten konnte.

Um so lebendiger wird die Entwicklung nach 1920. Während Behaghel von 1923–32 in seiner „Deutschen Syntax" noch einmal historisch arbeitet und die Ergebnisse der Junggrammatik sammelt und ordnet und dieser Richtung damit einen markanten Schlußpunkt setzt, erscheinen schon die Aufsätze und Bücher von Porzig,[123] Weisgerber,[124] Neumann,[125] Trier[126] und Hempel.[127] Diese Arbeiten befassen sich zum Teil nur mit Einzelproblemen, das wird schon an den Titeln deutlich. Sie haben aber eins gemeinsam, und das läßt zu, daß man sie in einem Atemzuge nennt: Sie sind der „inneren Form" des Deutschen auf der Spur,[128] sie haben sich von jedem vorgegebenen System gelöst, arbeiten induktiv und kommen zu neuen Ergebnissen. Ihr Betrachtungsobjekt ist die Sprache der Gegenwart, die Ergebnisse der Junggrammatik nehmen diese Zeitgenossen Behaghels nicht mehr auf. Es liegt nahe, bei diesem Wechsel an einen dialektischen Prozeß zu denken, wobei die Diachronie die These und die Synchronie

[120] S. o. S. 14.
[121] S. o. S. 19.
[122] S. o. S. 18.
[123] Porzig, Der Begriff der inneren Sprachform, 1923.
[124] Weisgerber, Das Problem der inneren Sprachform und seine Bedeutung für die deutsche Sprache, 1925/26, s. o. S. 45.
[125] Neumann, Die Sinneinheit des Satzes und das indogermanische Verbum, 1929, s. o. S. 40 f.
[126] Trier, Der deutsche Wortschatz im Sinnbezirk des Verstandes, 1931, s. o. S. 33.
[127] Hempel, Über Bedeutung und Ausdruckswert der deutschen Vergangenheitstempora, 1932, s. o. S. 42 f.
[128] S. o. S. 40 ff.

238

die Antithese darstellen. Nach so vielen Jahrzehnten fast ausschließlich historischer Forschung ist diese Antithese verständlich. Vielleicht ergibt sich für die spätere Forschung die Aufgabe, eine Synthese zu entwickeln, denn auch die Arbeiten von Glinz, Erben, Brinkmann, Grebe und Weisgerber untersuchen fast ausschließlich nach synchronischen Gesichtspunkten.

1924 erscheint der 1. Band von Ammanns „Die menschliche Rede".[129] Der 2. Band folgt vier Jahre später. Der Titel ist ein Programm. In den Untersuchungen vorher sprach man von „Grammatik" (Lyon), „Sprachbau" (Finck), „Sprache" (Sütterlin) oder „Syntax" (Behaghel). Ammann aber will die lebendige Rede betrachten: „Die eigene Sprache als Teil unseres eigenen Lebens ist der gewiesene Ausgangspunkt einer solchen Untersuchung."[130] Ammann versteht unter Sprache primär Muttersprache, die eine überindividuelle Realität besitzt, die die Kontinuität des Sprechens und Verstehens ermöglicht, deren sich der Redende immer neu bedienen kann. Von diesem grundlegend neuen synchronischen Ansatz kommt Ammann zu neuen Einzelergebnissen. Kern ermittelt Wortarten nach ihrem Rang für die Satzfügung,[131] Ammann scheidet sie auf Grund ihrer verschiedenen Weise, Bedeutung auszudrücken.[132] Wort, Satz und Rede sind nicht starr voneinander geschieden, sondern lebendig aufeinander bezogen. Die zentrale Stellung hat der Satz. Wie bei Glinz wird er schon hier als Ausdruckseinheit gefaßt, die von einer Sprechintention geprägt ist.[133]

Mit dieser Auffassung von Sprache und Rede, vom Satz und den Wortarten ist jeder logisch-deduktiven Betrachtung des Deutschen der Boden entzogen. Zugleich sind durch eine Theorie über die Sprache alle Einzelheiten unterfaßt, die etwa zu den Tempora oder zur Leistung anderer sprachlicher Phänomene im Laufe der zwanziger und dreißiger Jahre erbracht werden.

Auf dem Hintergrund dieser Arbeiten von Ammann erscheinen die Versuche von Reis und Kalepky,[134] dem Wesen der Sprache von der Psychologie her näherzukommen, als verfehlt. Das

---

[129] S. o. S. 44 ff.
[130] S. o. S. 47.
[131] S. o. S. 155 ff., bes. S. 157.
[132] S. o. S. 48.
[133] S. o. S. 49, zu Glinz S. 62.
[134] S. o. S. 36–40.

Verdienst von Reis ist, bei dem Ausschluß aller logisch-einengenden Kategorien aus der Sprachbetrachtung mitgeholfen zu haben.[135] Kalepky hat darüber hinaus noch ein anderes Anliegen: Er will die Lücke zwischen historischer und psychologischer Grammatik schließen,[136] will also die vorliegenden Ergebnisse in sein System mit einbeziehen. Damit denkt er traditionsbewußter als Porzig, Weisgerber und Ammann, die neu anfangen wollen. Aber auch ihm gelingt keine Synthese von alt und neu, denn am Ende spielt die Psychologie in Kalepkys Buch die alles andere beherrschende Rolle. Verglichen mit den Arbeiten der übrigen „nichtpsychologisch" denkenden Sprachforschung in den zwanziger und dreißiger Jahren erscheinen Reis' und Kalepkys Versuche von vornherein zum Scheitern verurteilt, denn sie kommen über den Umweg der menschlichen Psyche zur Sprache und versuchen, Bewußtseinsstrukturen als Sprachstrukturen wiederzufinden.[137] Ihre sprachwissenschaftlich wichtigste Aufgabe hatte die psychologische Grammatik um 1900, als sie die Identität von sprachwissenschaftlich und sprachhistorisch durchbrach. Um 1925 ist diese Richtung überholt. Denn die Forschung, die durch Ammann, Porzig, Trier oder Hempel repräsentiert wird, sieht ihr Arbeitsfeld direkt in der Sprache der Gegenwart, deren Struktur und „innere Form" es in Anlehnung an Wilhelm von Humboldt aufzudecken gilt.[138]

Die synchronische Sprachforschung hat bis etwa 1935 folgende Ergebnisse erbracht:

Sprechen ist ein Lebensvorgang, Satz und Sprache sind lebendig,[139] Aufdeckung der „inneren Form" des Deutschen wird als Problem gesehen;[140] erste Ergebnisse werden erarbeitet,[141] Neugliederung des deutschen Wortschatzes nach Wortfeldern[142] und nach Bedeutungsgruppen,[143] der Begriff „Nebensatz" erscheint vom Mitteilungscharakter der Sprache her als unsinnig,[144] Erweis des Verbs als eines

[135] S. o. S. 37.
[136] S. o. S. 38.
[137] S. o. S. 46.
[138] S. o. S. 33 f.
[139] Wunderlich-Reis; s. o. S. 37; Kalepky, s. o. S. 38; Ammann, s. o. S. 47
[140] Kirchner, Kluge, Junker, s. o. S. 33.
[141] Weisgerber, s. o. S. 45 ff.
[142] Trier, s. o. S. 33.
[143] Ammann, s. o. S. 48.
[144] Kalepky, s. o. S. 38.

„Satzwortes",[145] Herausarbeitung der Leistung der Abstrakta als Vergegenständlichung eines Satzinhaltes vom Verb aus,[146] Verbindung der Vergangenheitstempora mit Lyrik, Epik und Dramatik, ihre Leistung und Verwurzelung im Deutschen, Entobjektivierung der Tempora,[147] Distanzstellung im deutschen Satz, Satz als Schnittpunkt zwischen Typischem und Individuellem,[148] Forderung „motivierter Sätze", nicht willkürlicher Beispiele bei der sprachwissenschaftlichen Arbeit.[149]

Diese Ergebnisse stehen zunächst vereinzelt. 1937 erst werden sie gesammelt, gesichtet und systematisiert: Erich Drach schreibt seine „Grundgedanken der deutschen Satzlehre".[150] Zum ersten Mal hat synchronische Sprachforschung zu einem System geführt, das in seiner lebendigen Satzlehre sowohl für die Wissenschaft als auch für die Schule akzeptabel ist.

Im Bereich der Schulgrammatik ergibt sich während des Zeitraumes von etwa 1925 bis 1937, im Grunde seit dem Erscheinen von Sütterlin-Martins „Grundriß" von 1908[151] kaum etwas Neues.

Wie wenig aktuell während des ersten Weltkrieges eine Umgestaltung des Grammatikunterrichtes in der höheren Schule war, zeigt ein Literaturbericht von Oskar Weise aus dem Jahre 1918 in der Zeitschrift für den deutschen Unterricht.[152] Es werden dort zunächst vier wissenschaftliche Werke und fünf Schulgrammatiken besprochen: Schulgrammatiken von Lyon-Scheel, Friedrich Schmidt, Helmsdörfer, Splettstößer-Wolff und Bartmann, bei denen bis auf eine Schulgrammatik noch eine historische Ausrichtung festgestellt wird. Anregungen gibt Georg Rosenthal 1919 in einem Bericht über den „Versuch einer Neuordnung am Katharineum in Lübeck". Hier heißt es: „In der Grammatik müssen gleichfalls die Regeln in Lebenswerte umgesetzt werden. In Quarta z. B. bleibe man nicht bei der Festellung der Substantiv-, Attribut- und Adverbialsätze, sondern zeige im Anschluß an die Fremdsprache, wie der Rhythmus des Satzes durch richtige Umgestaltung des kürzeren in das längere

[145] Neumann, s. o. S. 40 f.
[146] Porzig, s. o. S. 41 f.
[147] Hempel, s. o. S. 42 f.
[148] Admoni, s. o. S. 43 f.
[149] Ammann, s. o. S. 49.
[150] S. o. S. 49 ff.
[151] S. o. S. 158 ff.
[152] Weise, Literaturbericht 1918, S. 272–274.

Glied oder umgekehrt gefördert werden kann ... Auch hier halte man das einmal Gelernte stündlich lebendig im lebendigen Verkehr mit der Sprache. Das Ohr muß fein unterscheiden lernen ... Der Rhythmus der Sprache bedarf unserer Pflege."[153] Wie lassen sich Regeln in Lebenswerte umsetzen? Bleiben nicht auch die vorgeschlagenen Umstellungen rhetorische Spielereien, wobei sie noch dazu von der Fremdsprache auf das Deutsche übertragen sind? Lediglich die abschließenden Bemerkungen zur Lebendigkeit der Sprache führen weiter.

1925 wurden neue Richtlinien für den Unterricht an höheren Schulen erarbeitet. Sie sind im gleichen Jahr als „Rahmenlehrpläne für die höheren Schulen" von der Ortsgruppe Frankfurt/M. des Preußischen Philologenverbandes herausgegeben worden.[154] Sie sehen im Teil „Sprachlehre" folgende Stoffe vor:

Sexta: Hochsprachliche Lautbildung, ihr Verhältnis zu Mundart und Umgangssprache, Hauptgruppen der Laute, Wortarten, Beugung von Haupt-, Bei-, Zeitwort, der einfache Satz: Glieder, Gliedstellung, Betonung, Wortschatzerweiterung, Treffübungen.

Quinta: Lautwandel: Ablaut (Abstufung, Abtönung), Umlaut, Tonfall in Wort und Satz, Sprach- und Sprechsilben, Genaueres über Wortarten und Beugung, Zusammensetzungen, Umschreibungen beim Zeitwort (das Einfachste), Wortschatzerweiterungen, Treffübungen, Wortsippen, Satzverbindung, Nebensätze (Hauptsächliches), Bildliches in der Sprache.

Quarta: Laute und Schrift, Satzgefüge, Weiteres über Nebensätze, Bindewörter, Wortschatzerweiterungen, Treffübungen, Bedeutungswandel, Ableitungen *(heit, schaft)*, Abschluß der Zeichensetzung, Aussageweisen.

Untertertia: Abschließende Zusammenfassung der Lautlehre, Erarbeitung der Lauttafel, Lautverschiebung, Altertümliches in der Sprache, Erb-, Lehn-, Fremdwort, Vor-, Geschlechts-, Ortsnamen, Volkskundliches in Redensarten, Satzlehre im einzelnen und Feineren.[155]

Dazu wird für die mit Latein beginnenden Gymnasien folgende Bemerkung gemacht: „Auf der Unterstufe Hand-in-Hand-Arbeiten des Deutsch- und des Lateinlehrers besonders auf dem Gebiet der

153 Rosenthal, Versuch einer Neuordnung, S. 258.
154 Rahmenlehrpläne für die höheren Schulen, 1925.
155 Ebd., S. 21–23.

Sprachlehre. Unterschiede zwischen beiden Sprachen dabei scharf zu betonen, z. B. bei der Behandlung des Zeitworts; unbedingt zu vermeiden, daß sie deutsche Sprachlehre in das Gerüst der lateinischen gezwängt wird."[156] Damit hat eine der Forderungen, die seit Kern,[157] Delbrück,[158] Sütterlin[159] und Voßler[160] von der wissenschaftlichen Grammatik immer wieder erhoben wird, nämlich nicht von der Fremdsprachengrammatik aus logisch-deduktiv zu verfahren, in die Lehrpläne der höheren Schulen Eingang gefunden. Zugleich sind die höheren Schulen — wenigsten in den Richtlinien — in diesem Punkt auf die Linie der Volksschule eingeschwenkt, die diese seit Hildebrand vertritt. Dabei wird 1925 betont, was schon 1900 für Sütterlin in der Erstauflage seiner „Deutschen Sprache der Gegenwart", 1883 für Kern in der „Deutschen Satzlehre" und 1872 für Hugo Weber und Richter[161] eine Selbstverständlichkeit war. Trotz dieser neuen Einsichten in der Methode ist der Stoffplan für Sexta bis Untertertia sehr konservativ: Er enthält wenig Satzlehre, hauptsächlich Flexionslehre und noch immer viel sprachhistorischen Stoff.

Es ist aufschlußreich zu beobachten, welche Ergebnisse durch Sprachunterricht nach diesen Richtlinien erzielt worden sind. Ein Aufsatz von 1933 gibt hier Aufschluß.

In der Zeitschrift für Deutschkunde berichtet Sebald Schwarz in diesem Jahr von einem Versuch der Lübecker Oberschulbehörde, die Kenntnisse in systematischer Grammatik im Deutschen zu überprüfen. Dazu wurden Schüler der Obertertia und Unterprima aller Schulgattungen herangezogen. Ihr Grammatikunterricht war wesentlich nach den damaligen Lehrplänen in der Quarta beendet worden;[162] was von diesen Kenntnissen übriggeblieben war, sollten die Schüler an Hand eines zu untersuchenden Textes dokumentieren. Gefordert waren Wort-, Satzteil-, Wortform- und Satzbestimmungen. Zwei Fragen zum Konjunktiv schlossen sich an.[163] Die statistischen Angaben als Auswertung dieses Versuches führt

[156] Ebd., S. 28.
[157] S. o. S. 155 ff.
[158] S. o. S. 36.
[159] S. o. S. 36.
[160] S. o. S. 34 ff.
[161] S. o. S. 128 ff.
[162] S. o. S. 132.
[163] Schwarz, Systematische Grammatik, S. 739.

Schwarz nicht im einzelnen auf. Er stellt lediglich besonders fest, daß die Schüler gegenüber den beiden Fragen zum Konjunktiv „einfach ratlos" waren.[164] Sie sollten entscheiden, ob in einem Satz des ihnen vorgelegten Textes an Stelle eines Indikativs ein Konjunktiv stehen könnte, in einem anderen Satz sollten sie einen vorliegenden Konjunktiv begründen. Waren schon die Ergebnisse zu den übrigen Aufgaben nicht befriedigend, so versagten hier fast alle Schüler. An diesem Punkt, an dem es darauf ankam, den im Text fixierten Aspekt der Aussagesicherheit herauszuspüren, kamen die Schüler mit den formal-grammatischen Begriffen nicht weiter. Und dieses Ergebnis gibt den Bemühungen von Greyerz und Lotte Müller,[165] die im Grammatikunterricht mehr an die Schulung des Sprachgefühls denken, sicherlich zu einem Teil recht, wenn sie auch diese Seite des Unterrichtes zu stark akzentuierten. Ein Fazit ist also, daß die nach herkömmlicher Methode unterrichteten Schüler in den die Stilistik berührenden Fragen völlig hilflos sind und versagen. Schwarz beurteilt die Situation auf Grund der angefertigten Statistik auch allgemein sehr negativ: „Tatsächlich ist die ganze Herrlichkeit (formaler Grammatikkenntnisse) nach zwei Jahren so gut wie völlig verschwunden. Die Schüler kennen sich unter den Blumen im Garten der Grammatik nicht mehr aus. Ihnen fehlen die grundlegenden Kenntnisse."[166] Er will festhalten, daß systematische Grammatik im Hinblick auf die Fremdsprachen betrieben werden muß, aber er kommt zu der etwas radikalen Lösung, sie dann auch in diesen Fächern zu behandeln: „Wir haben im deutschen Unterricht Besseres zu tun als die lebendige Sprache in Schubfächer zu packen."[167] Auch die formalbildende Seite der Grammatik schätzt er gering.

Die Untersuchung von Schwarz ist insofern bemerkenswert, als sie nicht die Meinung eines einzelnen wiedergibt, sondern statistische Angaben zugrunde legt, die dazu noch von Schülern aller höheren Schulgattungen stammen. Ein Aufsatz mit dem Titel „Grundsätzliches zur Neugestaltung des Deutschunterrichts" der ebenfalls 1933 erschienen ist, führt über Schwarz hinaus [168]. Dort heißt es:

[164] Ebd., S. 739.
[165] S. o. S. 136 ff., 139 ff.
[166] Schwarz, Systematische Grammatik, S. 741.
[167] Ebd., S. 742.
[168] Krippendorf, Grundsätzliches zur Neugestaltung des DU, 1933.

„Die Sprache ist die ureigenste und wesentlichste Schöpfung eines Volkes. Als das konstitutive Element für das deutsche Volkstum, seinen Charakter und seine Bewußtseinsstruktur, als Daseins- und Ausdrucksform der deutschen Volksseele sowie als das einigende und vereinigende Band der deutschen Schicksalsgemeinschaft bedarf sie straffster und zuchtvollster Pflege. Erziehung im lautersten Geiste der deutschen Sprache muß oberstes Gesetz und heilige Pflicht sein. Der Sprachunterricht soll zu verständnisvollem Einfühlen in Wesen und Werden der Muttersprache führen, den Sprachsinn, das Sprach- und Stilgefühl vertiefen und verfeinern und Freude an wie Liebe zu ihrem Reichtum, ihrer Kraft und Schönheit wecken. Innige Vertrautheit mit dem Wortschatz, tiefspürendes Eindringen in die geistige Struktur der Sprachmittel, in die Funktionen des Wortes wie in die konstruktiven Eigenheiten der syntaktischen Gebilde sind unerläßliche Vorbedingungen für den sicheren Gebrauch der deutschen Sprache. Freilich ist die mechanisch-statische Auffassung, die das eigentliche Leben der Sprache durch den Betrieb der grammatisierenden Methode tötete, endgültig aus der Schule zu verbannen zugunsten einer dynamischen Auffassung, die in der Sprache einen lebendigen Organismus sieht, in welchem völkische Triebkräfte mannigfachster Art walten. Es muß Verständnis geweckt werden sowohl für die eigene immanente Gesetzmäßigkeit des Deutschen unter Heranziehung früherer Sprachstufen und der Mundarten als auch für die arteigenen Kräfte, welche die Sprache bilden und formen … Das Verständnis für das innere Wesen der Spracherscheinungen ist … zu entwickeln … Der Sinnzusammenhang zwischen den sprachlichen Ausdrucksmitteln einerseits und der Denknorm … andererseits ist für Sprachschulung und Stilbildung besonders auszuwerten."[169]

Dieses Zitat enthält in prägnanter Kürze vieles von dem, was an grundsätzlich Neuem in der wissenschaftlichen Grammatikforschung der zwanziger Jahre erarbeitet worden war. Streicht man das nationale Pathos ab, das einen aufschlußreichen Blick in die Atmosphäre des beginnenden Hitlerreiches tun läßt, so bleiben als sachliche Forderungen:

Der Grammatikunterricht soll von der Muttersprache ausgehen, er soll nur in Grenzen formal arbeiten, die Sprachhistorie berücksichtigen, aber nicht überbewerten, den Zusammenhang von freier

---

[169] Ebd., S. 517.

Fügung und Fügungsnorm aufweisen, alles in allem schließlich „die eigene immanente Gesetzmäßigkeit des Deutschen" aufdecken.[170] Diese Forderung wird schon 1883 von Kern erhoben,[171] der Aufsatz von Krippendorf wie der Schulversuch von Lübeck, von dem Schwarz berichtet, beweisen, daß auch 1933 noch kein lebendiger Sprachunterricht in den höheren Schulen gegeben wurde, mit dessen Ergebnissen, außer vielleicht wenn sie statisch-feststellend die Satzzergliederung oder die Laut- und Flexionslehre betrafen, man sich zufrieden geben konnte. Lebendiger, die Struktur des Deutschen aufdeckender Sprachunterricht ist immer noch Programm, obwohl ihm auf wissenschaftlicher Seite Voßler,[172] Kluge,[173] Junker,[174] Ammann,[175] Weisgerber,[176] Trier,[177] Porzig,[178] Wunderlich-Reis,[179] Neumann[180] und Hempel[181] vorgearbeitet haben. Dazu kommt als wohl wichtigster Sprachwissenschaftler, der seine Erkenntnisse für die Schule fruchtbar machen will, Ludwig Sütterlin.[182]

Welche Schulgrammatiken wollen Schwarz und Krippendorf mit ihrer Kritik treffen? Es müssen hauptsächlich die von Lyon, Mensing und Florstedt-Stieber sein. Lyons „Handbuch" erscheint bis 1936, Mensings „Deutsche Sprachlehre" laut Deutschem Bücherverzeichnis bis 1933/34, und Florstedt-Stiebers „Neue deutsche Sprachlehre" wird zu Beginn der zwanziger Jahre erarbeitet und erscheint 1935 in 14. Auflage.[183] Daß diese Kritik für Mensing, der logisch-deduktiv-historisch vorgeht, und für Lyon, der dieses System lediglich modifiziert, zu Recht besteht, braucht hier nicht noch einmal dargelegt zu werden.[184] Es bleibt zu klären, ob auch Florstedt-Stieber der Forderung, „die eigene immanente Gesetzmäßigkeit des Deutschen"[185] aufzudecken, nicht gerecht werden.

[170] S. o. S. 245.
[171] S. o. S. 155 ff.
[172] S. o. S. 34 ff.
[173] S. o. S. 33.
[174] S. o. S. 33.
[175] S. o. S. 44 ff.
[176] S. o. S. 34.
[177] S. o. S. 34.
[178] S. o. S. 41 f.
[179] S. o. S. 36 ff.
[180] S. o. S. 40 f.
[181] S. o. S. 42 f.
[182] S. o. S. 28 ff.
[183] S. o. S. 162.
[184] S. o. S. 115, 154 f.
[185] S. o. S. 245.

Im Vorwort zur Ausgabe von 1935 nehmen Florstedt-Stieber unter anderem Stellung zu ihren wissenschaftlichen Vorbildern. Sie nennen dabei Wunderlich-Reis, Voßler und Sütterlin.[186] Ihnen liegt daran, sprachwissenschaftlich gesicherte Erkenntnisse aufzunehmen, die sich im Anschluß an Reis und Voßler in einer lebendigen Satzlehre niederschlagen müßten. Aber die Besprechung oben zeigt, daß die „Neue Deutsche Sprachlehre" lebendigen Grammatikunterricht im Sinne der Forderung von Krippendorf nur als Programm vertritt,[187] daß sie wohl kindgemäße Beispiele zu bringen bemüht ist,[188] dieses Verfahren aber nicht durchhält,[189] und daß sie schließlich genau wie Sütterlin-Martin statisch-präsentierend verfährt.[190] Damit ist Florstedt-Stiebers Verhältnis zur Sprachwissenschaft noch einmal gekennzeichnet. Sie schließen sich im wesentlichen an Sütterlin und seine „Deutsche Sprache der Gegenwart" an. Aufzählend und reihend stellen sie dar, was im Deutschen an sprachlichem Bestand vorliegt und fügungsmäßig möglich ist.

Verglichen mit den sprachwissenschaftlichen Ergebnissen, die seit 1925 erarbeitet sind,[191] wirkt die Schulgrammatik der zwanziger und dreißiger Jahre antiquiert. Diese Situation hat folgende Gründe:

1. Die Einzelergebnisse der Sprachwissenschaft ergeben zunächst noch keine geschlossene Gesamtkonzeption, auf die sich die Neubearbeitung eines Sprachbuches hätte stützen können.

2. Zwischen der Zusammenfassung der Einzelergebnisse durch Drach in den „Grundgedanken zur deutschen Satzlehre" und dem Ausbruch des zweiten Weltkrieges liegen nur zwei Jahre. Diese Zeit war für eine Neubesinnung der Schulgrammatik zu kurz.

3. Die in dem erwähnten Zeitraum hauptsächlich benutzten Schulgrammatiken von Mensing, Lyon und Florstedt-Stieber waren in sich so fest gefügt, daß einzelne Übernahmen aus der Sprachwissenschaft ihre Gesamtstruktur zerstört hätten.

Die sprachwissenschaftlichen Einzelergebnisse werden durch Drach gesichtet und verarbeitet und fließen in die großen Grammatiken

[186] S. o. S. 163.
[187] S. o. S. 171.
[188] S. o. S. 163.
[189] S. o. S. 164.
[190] S. o. S. 171, zu Sütterlin o. S. 229.
[191] S. o. S. 240 f.

ein, die nach dem zweiten Weltkrieg entstanden sind.[192] Trier, Porzig und Weisgerber bauen ihre Ansätze selbst weiter aus. Es ergibt sich eine kontinuierliche Linie sprachinhaltlicher Forschung seit dem Erscheinen von Ammanns Buch „Die menschliche Rede" (1924)[193] bis heute. Vorbereitet wird diese Entwicklung durch die „Neuansätze um 1900".[194] Die zwischen den beiden Weltkriegen benutzten großen Schulgrammatiken sind 1885 (Lyon),[195] 1903 (Mensing)[196] und um 1920 (Florstedt-St.)[197] konzipiert worden. Florstedt-St. haben ihre Grundkonzeption von Sütterlin-Martin (1908)[198] übernommen. Legt man 1935 als Vergleichsjahr für die Situation in beiden Bereichen fest, ergibt sich, daß die Schulgrammatik etwa 30 bis 40 Jahre sprachwissenschaftlicher Forschung unberücksichtigt gelassen hat. Florstedt-St. nennen zwar als Vorbilder Voßler und Wunderlich-Reis,[199] aber sie verarbeiten deren Neuansätze nicht. Die 14. Auflage ihrer „Neuen Deutschen Sprachlehre" von 1935[200] erwähnt die neuen Konzeptionen der zwanziger Jahre[201] noch nicht.

Die große Zahl neuer Sprachbücher nach 1945[202] hat ihre Ursache in dieser Diskrepanz zwischen Forschung und Schulgrammatik vor dem zweiten Weltkrieg. Seit 1950 muß die Schule bei dem Versuch der Synchronisation beider Bereiche die Arbeit nachholen, die in den zwanziger und dreißiger Jahren nicht getan worden ist, zum Teil auch noch nicht getan werden konnte.

[192] S. z. B. zu Hempel, o. S. 42, Anm. 168.
[193] S. o. S. 44 ff.
[194] S. o. S. 23 ff.
[195] S. o. S. 147.
[196] S. o. S. 110.
[197] S. o. S. 162.
[198] S. o. S. 158.
[199] S. o. S. 247.
[200] S. o. S. 162.
[201] S. o. S. 44 ff.
[202] S. u. das Schema, S. 280 ff.

## 6. Aufnahme, Systematisierung und Ausgestaltung der vor dem zweiten Weltkrieg erarbeiteten Einzelergebnisse auf der Linie von Erich Drach: Synchronische Erforschung der Sprache durch Glinz, Erben, Brinkmann, Grebe und Weisgerber

Die Überschau über die Fülle der grammatischen Untersuchungen des Deutschen in den letzten 15 Jahren zeigt eine Vielzahl von Ergebnissen und Fragestellungen, die die zukünftige Forschung noch bewältigen muß. Die schon vor dem zweiten Weltkrieg in synchronischer Arbeit gewonnenen Einsichten[203] sind integriert, neue Systeme sind entstanden. Die gemeinsamen Grundlinien, die schon in den Einleitungsbemerkungen zur wissenschaftlichen Grammatikforschung nach dem zweiten Weltkrieg für einige Werke erwähnt worden sind,[204] können nun präziser gefaßt werden.

Grammatikforschung unserer Zeit ist durchgehend synchronische Forschung. Man geht von der Sprache der Gegenwart aus. Glinz tut das, indem er die Sprache nach dem Vorbild der Naturwissenschaften als Objekt zum Experiment betrachtet. Verfahren, Ergebnisse und Termini sind der Sprache neu abgewonnen. „Nötig ist nur, daß bei jedem schließlichen Resultat klar gesehen werden kann, wie weit es auf Erprobung beruht, und auf welchen besonderen Experimenten, und wie weit es interpretiert ist, und aus welchen Erwägungen heraus."[205] In immer neuen Anläufen untersucht Glinz seinen Beispieltext aus dem Wilhelm Meister.[206] Das ganze Buch „Die innere Form des Deutschen" ist somit ein riesiges „Analyseprotokoll"[207] zur deutschen Sprache mit eingestreuten Ergebnissen, wobei der Weg der Ergebnisfindung nachvollzogen werden kann. Das Verfahren, alle Ergebnisse durch Spracherprobung zu erbringen, ist so neu wie die Ergebnisse original sind. Grundsätzlich heißt es zu Beginn der textuntersuchenden Arbeit: „Solche Stücke zusammenhängender Rede (gemeint ist der Goethe-Text) lesen wir mehrmals laut, lassen sie uns von verschiedenen anderen vorlesen und versuchen nun, mit

---

[203] S. o. S. 240 f.
[204] S. o. S. 56.
[205] Glinz, Innere Form, S. 58.
[206] Ebd., s. z. B. S. 71 ff. und S. 180 ff.
[207] Frey, Lage und Möglichkeiten, S. 28.

möglichster Ausschaltung der uns geläufigen grammatischen Gliederung, rein vom Hören her, eine Einteilung zu gewinnen."[208] Dabei geht es Glinz sicherlich nicht darum, eine Anti-Grammatik zu schreiben, sondern um eine sachlich angemessene Untersuchung ohne Polemik gegen das bisher Bestehende. Textbänder am Schluß des Buches und eine Vergleichstabelle mit der „Darstellung der neuen Werte durch die Begriffe der herkömmlichen Grammatik"[209] fassen das Erarbeitete zusammen. Aus der Vergleichstabelle ergibt sich, daß Glinz allein mit 15 Bezeichnungen für verschiedene Satzarten oder die satzartigen Gebilde arbeitet, die er entweder neu gewinnt oder übernimmt: Alleinsatz, Gesamtsatz, Prägesatz, Trägersatz, Einfügsatz, Anführsatz, Kernsatz, Spannsatz, Stirnsatz, Spannsetzung, Nennsetzung, Artsetzung, freie Setzung, Alleinsetzung, Größensetzung.[210] Ähnlich ist es bei den Wortarten. Hier erscheinen Verb, Größennamen, Größenhinweis, Größenumriß, Größenzeichen oder Größenmarke, Zahlwörter, Mengenwörter, Begleitartwörter, Artwörter in Begleitform, Artwörter in Angabeform, Stellwörter und Bauwörter;[211] davon sind alle Begriffe bis auf „Zahlwörter" neu. Glinz selbst geht sehr ausführlich auf die Probleme ein, die seine neue Terminologie mit sich bringt:[212] „Auch die in der Wissenschaft üblichen lateinischen Namen sind nicht vorurteilslos und nur-grammatisch, sondern sie enthalten noch Bedeutungsmomente logischer oder allgemeiner Natur, die für den speziell grammatischen Zweck stören können ... Namen, womit jede gewünschte Größe eindeutig bezeichnet werden kann, sind also unerläßlich. Die alten Namen reichen zum Teil nicht aus, zum Teil sind sie durch frühere grammatische und logische Lehren so geprägt, daß sie im neuen Zusammenhang den Blick eher vom Wesentlichen ablenken, statt ihn darauf hinzuleiten."[213] Die neuen Namen also repräsentieren auch das neue Verfahren. Im Blick auf die Schule formuliert Glinz zur Terminologie: „Es wird ... Sache praktischer Erprobung sein, festzustellen, wie weit hinunter im Schulunterricht die hier gebrauchte „Endterminologie" verwendet

---

[208] Glinz, Innere Form, S. 71.
[209] Ebd., s. nach S. 472.
[210] Ebd., S. 487.
[211] Ebd., S. 488 ff.
[212] Ebd., S. 60 ff.
[213] Ebd., S. 61.

werden kann, wie weit andere, anschaulichere kindertümliche Namen eintreten müssen, und wie solche zu bilden sind."[214] Auch im letzten Abschnitt des Buches, das „Ausblick" überschrieben ist, ist von der Verbindung dieser wissenschaftlichen Grammatik und der Schule die Rede. Glinz sieht Linien „zur Unterrichtswissenschaft und zur Unterrichtspraxis, bis hinab in die Schulstube der Kleinen",[215] sie sind allerdings im Rahmen der „Inneren Form des Deutschen" nur angedeutet.

Glinz beschreibt die deutsche Sprache und deckt ihre Struktur auf. „Das Werk von 1952 hat die hergebrachte Grammatik der zehn Wortarten und fünf Satzteile aufgebrochen, es hat ... eine morphologische Beschreibung sprachlicher Ausdrücke ermöglicht."[216] Mit anderen Worten: Glinz Buch ist „ganz einfach die erste strukturalistische Grammatik des Deutschen".[217]

Die Wendung zur „Sache", zur Sprache, hat Erben mit Glinz gemeinsam. Das zentrale Wort seiner Grammatik ist „Leistung". Die Funktionen sprachlicher Bestände zu zeigen, die spannungsvolle Polyphonie eines Satzes als bewirkte Einheit aufzudecken, ist sein Anliegen. Es geht um Grundfunktionen der Wörter als Verb, als Nennwort, als Adjektiv oder Präposition, wobei formale Besonderheiten kaum oder nur am Rande erwähnt werden, wenn von ihnen zu sprechen aus funktionalen Aspekten heraus unumgänglich notwendig ist.[218] Erben benutzt ebenfalls eine neue Terminologie, die einzelnen Bezeichnungen sind aber ohne Schwierigkeit durch die herkömmlichen lateinischen Ausdrücke zu ersetzen. Er mißt diesem Problem grundsätzlich weniger Bedeutung bei als Glinz.[219] Der „Abriß" hat vor der „Inneren Form" den Vorteil, daß er einen kürzeren Weg geht. Verglichen mit der Kompliziertheit der Satzzergliederungen, Satzbezeichnungen und Satzbögen, die Glinz im Überblick auf den Textbändern und in der Vergleichstabelle bietet,[220] sind die Satzmodelle, die Erben als Grundstrukturen erkennt,[221] ohne weiteres einsichtig und durchschaubar. Von der ganzen Anlage her sind

[214] Ebd., S. 64.
[215] Ebd., S. 478.
[216] Frey, Lage und Möglichkeiten, S. 23.
[217] Ebd., S. 22.
[218] S. o. S. 76 f.
[219] S. o. S. 250 f.
[220] S. o. Termini S. 250.
[221] S. o. S. 77.

die Ergebnisse Erbens unkomplizierter, nicht grober, aber weniger sensibel als bei Glinz. „Die innere Form des Deutschen" ist der Spiegel eines Neubeginns, wobei nichts als gesetzt stehenbleibt. Erben verfährt anders. Sein Stichwort „Leistung"[222] wirkt wie ein Magnet, der alles Bestehende neu ausrichtet und nur manches als unbrauchbar abstößt. Daß sich dabei gegenüber der herkömmlichen Grammatik Akzentverschiebungen ergeben, ist system-immanent.

Glinz' Bemühen war es, das herkömmliche grammatische System aufzulösen und die sprachlichen Phänomene durch Experimente an gestalteter Rede neu zu entdecken, zu fassen und zu gliedern. Dabei ist das Netz der neu entstandenen Begrifflichkeit sehr eng.[223] Brinkmann geht vom Sprachbestand aus und beleuchtet ihn hinsichtlich seiner Valenz, Aussage zu bilden. In der Hinnahme von Gegebenheiten und in seiner Nähe zur gewohnten Terminologie ist er Erben verwandt. Aber auch von ihm trennt ihn Wesentliches. Erbens „Abriß" erscheint neben Brinkmanns „Deutscher Sprache" gefügter, linienhafter und organischer. Wie oben schon an Brinkmanns Behandlung des Genitivs gezeigt worden ist,[224] wird das Einzelphänomen, um das es gerade geht, umkreist. Die Darstellung wird immer wieder breit. Brinkmann orientiert und informiert über das sprachliche Detail in Opposition zu anderen Erscheinungen sehr ausführlich. Das Buch ist eine Bestandsaufnahme unter dem Aspekt sprachlicher Leistungen, die immer wieder punktuell ansetzt, sich konzentrisch ausweitet und sich dann wieder einem anderen sprachlichen Phänomen zuwendet. Über weite Strecken gibt „Die deutsche Sprache" eine rein aufreihende Besprechung zusammengehörender Erscheinungen. So wird z. B. von Seite 164 bis Seite 202 „der inhaltliche Wert" von einzelnen Präpositionen besprochen, ein Vorhaben, das die Absicht, „Gestalt und Leistung" des Deutschen aufzudecken, nahezu zu hemmen scheint. Schon oben wurde erwähnt, daß Brinkmann mit der Komplexität seiner Darstellungsweise die Vielfalt, Nuanciertheit und Gestuftheit von „Welt" bewußt machen möchte, die sich in der Sprache spiegelt,[225]

---

[222] S. o. S. 68 f.
[223] Vgl. z. B. die Satzarten, s. o. S. 250.
[224] S. o. S. 82.
[225] S. o. S. 81.

die, nach Weisgerber, in der Sprache immer neu gewortet wird.[226] Daß die systematische Behandlung des Einzelphänomens unter solch komplexer Darstellungsweise leidet, ist ebenfalls erwähnt worden,[227] und weiter schien sich der Zusammenfall von Lautgestalt und morphe im Goetheschen Sinne als geistig-„eigentlicher" Gestalt zu ergeben.[228] Damit – und Brinkmann bietet selbst im Vorwort zu seinem Buch die Berechtigung dazu[229] – rückt Brinkmann von Erben und Glinz ab und tendiert zu Weisgerber. Denn sowohl Glinz als auch Erben operieren an der Rede, an dem, was konkret vorliegt. Brinkmann geht es um das Zusammenspiel der Sprachphänomene innerhalb des Sprachbestandes, der in seiner aufeinander bezogenen Strukturiertheit wohl ähnlich wie Weisgerbers „sprachliche Zwischenschicht" zu denken ist.[230] Dabei ist zu berücksichtigen, daß Brinkmann die Weisgerbersche Begrifflichkeit nicht verwendet.

Weisgerber nähert sich dem Problem Sprache nicht auf experimentellem Weg wie Glinz, sondern von einem denkerischen Ansatz her. Das kommt schon im Titel seines Buches „Die vier Stufen in der Erforschung der Sprachen" zum Ausdruck, denn hier soll offenbar ein Verfahren erarbeitet werden, nach dem alle Sprachen betrachtet werden können. Von einem deutschen Erprobungstext könnte Weisgerber daher gar nicht ausgehen. Daß Sprache nicht einfach Abklatsch, sondern Verarbeitung von Wirklichkeit ist, daß die Lautzeichen also „die Sache nur durch eine geistige ‚Zwischenschicht'... treffen",[231] ist heute allgemein anerkannt.[232] Der Weg der Spracherkenntnis über die vier Stufen erscheint allerdings sehr langwierig, vielleicht zu sehr von der Theorie her bestimmt. Schon bei Brinkmann liegt die Gefahr der Diskontinuität der Linie von der „Gestalt" zur „Leistung" nahe.[233] Erst „Gestalt" im Sinne von „Komplex des Daseins eines wirklichen Wesens"[234] hebt diese Diskrepanz auf. Dabei scheint

[226] S. o. S. 95.
[227] S. o. S. 82.
[228] S. o. S. 88.
[229] S. o. S. 88.
[230] S. o. S. 94.
[231] S. o. S. 94.
[232] Vgl. Frey, Lage und Möglichkeiten, S. 13.
[233] S. o. S. 87 f.
[234] S. o. S. 88.

aber die konkrete einzelne Form, scheinen grammatische Phänomene wie Deklination und Konjugation zweitrangig zu werden. Diese Tendenz ist bei Weisgerber noch ausgeprägter, wenn er zwischen grammatisch-analytischer Stufe (gestalt- und inhaltbezogene Betrachtung) und energetischer Stufe (leistungs- und wirkungsbezogene Betrachtung) trennen will. Auch Erben denkt leistungsbezogen, aber er deklariert die von ihm aufgedeckten Leistungen nicht als „Sprachzugriffe", bleibt somit auf der Redeebene und berührt die in der Sprache liegende Ambivalenz von Bestand und Prozeß, von ergon und energeia überhaupt nicht. Obwohl sich die vier Stufen Weisgerbers gegenseitig ergänzen und durchdringen sollen,[235] fällt es schon denkerisch schwer, etwa eine Beziehung zwischen gestaltbezogener und wirkungsbezogener Sprachforschung herzustellen. Wiederum ist Erbens Verfahren praktikabler. Einbeziehung des „Lebens" in den Gesichtskreis der Sprachforschung[236] hat er nicht als Programm, sicher aber als stillschweigende Voraussetzung, wenn anders Sprache mit Leben zu tun hat.

Grebes Grammatikduden gerecht zu werden, ist wegen der Streuung der Einzelergebnisse über viele Paragraphen schwierig. Insgesamt zeigt der Duden die Wendung zur Sprache, wie Glinz, Erben und Brinkmann sie vollzogen haben. „Die Sprache wird betrachtet und beschrieben, so wie sie in den sehr geschickt ausgewählten Beispielen und Zitaten entgegentritt."[237]

Angesichts der Fülle der Erkenntnisse, die die Sprachwissenschaft im Laufe der letzten 15 Jahre erbracht hat, ist die Untersuchung der Auswirkungen auf die Schulgrammatik im ganzen schwierig. Es kann hier nicht darum gehen, nun jede nach 1952 erschienene Schulgrammatik noch einmal zu betrachten, um festzustellen, welcher Passus, welcher Terminus oder welche Einzelkonzeption von Glinz, Erben, Brinkmann, Grebe oder Weisgerber hergeleitet werden kann. Das ist schon oben an manchen Punkten der Einzelbesprechung versucht worden.[238] Angesichts der Tatsache aber, daß sich die Verfasser von Schulgrammatiken zu ihrer zugrunde liegenden wissenschaftlichen Konzeption durchweg nicht äußern,

[235] S. o. S. 93 f.
[236] S. o. S. 95.
[237] Grosse, Neuere Arbeiten, S. 104.
[238] S. o. z. B. zu Rahn-Pfleiderer, S. 175.

sind diese Ergebnisse mit Vorsicht aufzunehmen. Das Programm, eine vollständige Liste von Übereinstimmungen zu erarbeiten, würde der Spekulation einen zu weiten Raum geben. Es kann hier lediglich darum gehen, Grundlinien von Übereinstimmungen aufzuzeigen, und dann in umgekehrter Richtung die Ergebnisse wissenschaftlicher Grammatikforschung an den Erfordernissen der Schule zu prüfen. Dazu helfen die zusammenfassenden Formulierungen zur „Sprachbetrachtung", wie sie die „Richtlinien für den Unterricht in der höheren Schule" von 1963 bieten.[239]

### 7. Grundlinien der Begegnung zwischen wissenschaftlicher und schulischer Grammatik nach dem zweiten Weltkrieg

Die Fülle von neuen Sprachbüchern nach 1950 zeigt, daß die Schulgrammatik in Bewegung gekommen ist. Nur Rahn-Pfleiderer und Florstedt-Stieber sind vor dem zweiten Weltkrieg vertreten. Dabei konnten sich Rahn-Pfleiderer durch eine Änderung der Gesamtkonzeption, durch eine Anpassung der Schulgrammatik an die Verfahrensweise und die Ergebnisse der Sprachwissenschaft in der Ausgabe B gut behaupten.[240] Schon 1938 erscheint Rahns Stilbuch „Schule des Schreibens" in 10. Auflage.[241] Das Werk bietet Aufsatzerziehung und Stilbildung, so daß offenbar in den dreißiger Jahren in den unteren Klassen der höheren Schulen ein Grammatikkurs nach Mensing, Lyon oder Florstedt-Stieber zu absolvieren war, dem dann in der Oberstufe eine aufgesetzte Stil- und Aufsatzlehre folgte. Die zugrunde liegende didaktische Konzeption war wohl, zunächst den Sprechbestand bewußt zu machen oder zu erhellen, um ihn dann im eigenen sprachlich–stilistischen Tun zu aktualisieren. Das heißt: ergon- und energeia-Charakter der Sprache wurden nacheinander behandelt, wobei die eigentliche Grammatik immer im Bereiche des ergon blieb. Über die Ergebnisse dieses Grammatikunterrichtes gibt das Lübecker Schulexperiment Aufschluß.[242] Durch die Parallelbehandlung von Grammatik und Aufsatzerziehung verfolgten Rahn-

[239] Die Schule in NRW, 1963.
[240] S. o. S. 181 f.
[241] Rahn, Die Schule des Schreibens, ein Lehrgang für die Stilbildung für die deutschen Schulen, Oberstufe, 10. Aufl. 1938.
[242] S. o. S. 243 f.

Pfleiderer das Ziel, „auch die grammatische Belehrung einzubeziehen in die Aufgaben der Sprachgestaltung".[243] Das geschah in der Ausgabe A schon seit 1947. Die Ausgabe B, die seit 1958 erscheint, verfolgt diese Linie noch konsequenter, indem hier in der Quarta und Untertertia die zunächst statische Sprachbetrachtung in eine dynamische – oder nach Weisgerber: energetische – umschlägt.[244] Der bedeutsame Unterschied zwischen der Sprachbetrachtungskonzeption von Ausgabe A und B ist dabei der, daß A diesen Umschlag im Raum der „Stilübungen" vollzieht, B dagegen im Bereich der Sprachbetrachtung.[245] Hier zeigt sich in der Entwicklung eines Schulbuches der Einfluß der wissenschaftlichen Grammatikforschung ganz deutlich: Zunächst stehen ergon und energeia als Grammatik und Stillehre in zeitlicher Abfolge ohne Zusammenhang hintereinander, dann werden beide Gebiete synchronisiert, wobei aber Sprachbetrachtung weiter nur Aufdeckung des ergon bleibt, schließlich wird dynamisch-energetische Betrachtung auch ein Thema der eigentlichen Grammatik, wobei die Bewußtmachung des ergon-Charakters in den drei ersten Jahren für den Umschlag zur leistungsbezogenen Betrachtung offen ist.

Florstedt–Stieber haben die Anpassung an die fortschreitende Entwicklung der Sprachwissenschaft, die Rahn-Pfleiderer gelungen ist, nicht mitgemacht. Die „Deutsche Sprachlehre" erscheint 1951 noch einmal in 3. Auflage bei Diesterweg, wird aber dann vom Verlagsprogramm abgesetzt und durch Hoppes Sprachbuch[246] ersetzt. Florstedt–Stieber waren im wesentlichen von Sütterlins sprachwissenschaftlicher Konzeption abhängig,[247] ihr Verfahren war Aufzählung und Bewußtmachung des sprachlich Vorhandenen und Möglichen.[248] Damit waren sie um 1920 noch auf der Höhe der Zeit. Das Beharren bei dieser Position hat jedoch zu einer Diskrepanz zwischen Schulgrammatik und der vor allem in den zwanziger und dreißiger Jahren fortschreitenden wissenschaftlichen Grammatikforschung geführt, die offenbar durch Korrekturen nicht beseitigt werden konnte. So fing Hoppe neu an. Wie es scheint, durchleuchtet er in Anlehnung an Brinkmann und Drach den Horizont „Spra-

[243] S. o. S. 181.
[244] S. o. S. 182 f.
[245] S. o. S. 183.
[246] S. o. S. 190.
[247] S. o. S. 247.
[248] S. o. S. 171.

che".[249] Wie Brinkmann sieht er Sprache und menschliche Existenz gekoppelt.[250] Wenn es ihm weiter darum geht, Sprechen als Aktualisierung von in der Sprache vorgegebenen Möglichkeiten bewußt zu machen um „zu werten, umzuwerten, abzuwerten, zu vergleichen",[251] so erinnert das an Weisgerbers „sprachliche Zugriffe".[252] Hoppes „grammatische Felder",[253] in denen z. B. sprachliche Möglichkeiten der Qualifizierung verglichen werden, erinnern ebenfalls schon an Weisgerber, der die sprachlichen Merkmale darin unterscheiden will, wie sie sich voneinander abheben „und doch sich wieder an anderen Merkmalen messen".[254] Hoppes Sprachbuch hat ohne Zweifel viel von der wissenschaftlichen Sprachforschung gelernt. Es ist dicht an der Sprache der Gegenwart. Jede Regelgrammatik wird vermieden. Die Konzeption ist einheitlich, wie es scheint, an Brinkmann orientiert, denn wie dort rücken z. B. bei der Untersuchung des grammatischen Feldes der Artaussagen sprachliche Einzelteile aus ganz verschiedenen Bereichen zusammen, um sich gegenseitig abzugrenzen.[255] Brinkmann erschloß z. B. die Leistung des Genitivs in Opposition zur adjektivischen Möglichkeit,[256] Hoppe stellt die Artaussagen in Gestalt von Wortarten, Satzgliedern, Vergleichsformen, Wortbildungen und Metaphern nebeneinander und läßt sie sich damit selbst qualifizieren.[257]. Auch hier ergibt sich wie bei Rahn-Pfleiderer eine Abhängigkeit von der wissenschaftlichen Grammatik im Grundsätzlichen und auch in manchen Details. Die Frage ist nur, ob nicht in diesem Sprachbuch die Sprachbetrachtung zuungunsten der übrigen Aufgaben des Deutschunterrichtes zu sehr in den Vordergrund tritt, und ob nicht eine solch ausgedehnte, manchmal schon wissenschaftliche Untersuchung der Sprache den Schüler überfordert.

Einen völlig anderen Weg als Hoppe gehen Henss-Kausch. Sie scheinen sich mehr an Glinz' „Innerer Form" orientiert zu haben.

[249] S. o. S. 190.
[250] S. o. S. 190.
[251] S. o. S. 190.
[252] S. o. S. 96.
[253] Z. B. Das grammatische Feld der Artaussage, Heft IV, S. 31 f.
[254] S. o. S. 96.
[255] Vgl. zu Brinkmann o. S. 82.
[256] S. o. S. 82.
[257] Hoppe, Unsere Sprache IV, S. 32.

Denn die Arbeit am Text hat in den drei Bänden entscheidende Bedeutung.[258] Immer wieder setzt die grammatische Arbeit an Texten an und kommt zu Einsichten in den deutschen Sprachbau. Das Verfahren ist dabei allerdings kleinschrittig und nicht immer zu rechtfertigen.[259] Im ganzen bieten Henss-Kausch in Anlehnung an die moderne Sprachwissenschaft eine leistungsbezogene Sprachbetrachtung. Dabei ist eine genauere Festlegung auf eine bestimmte Richtung der Sprachwissenschaft nicht festzustellen.

In der Anlage im großen – mit dem Einschnitt nach der Quarta – berührt sich das Sprachbuch von Schmitt-Martens mit dem von Rahn-Pfleiderer. Auch hier also werden ergon- und energeia-Charakter der Sprache aufgezeigt. Eine wichtige Verschiedenheit besteht allerdings insofern, als Schmitt-Martens schon von Anfang an mehr von zusammenhängenden Texten, von lebendiger Rede und von echten Situationen ausgehen, wo Rahn-Pfleiderer lediglich Beispielsätze bieten.[260] Das Programm, das Martens in seinen „Anregungen und Erläuterungen" zum „Deutschen Sprachbuch" vertritt, faßt zusammen, was viele, wohl alle nach dem zweiten Weltkrieg erschienenen Schulgrammatiken wollen: Abrücken von der dem Lateinischen abgewonnenen Grammatik, Abwendung von Deklinations- und Konjugationsschemata und von formaler Grammatik überhaupt, wenn sie um ihrer selbst willen betrieben wird. Statt dessen will Martens die Wendung zur lebendigen Sprache mit einer lebendigen Satzlehre. Denn „in den letzten Jahrzehnten setzte sich die Überzeugung durch, daß eine lebende Sprache anderen Gesetzen gehorcht als toten, abstrahierenden Regeln".[261] Für den Sprachunterricht der höheren Schule wird hier programmatisch eine Frage beantwortet, die seit der Jahrhundertwende offen war. Seitdem Hugo Weber und Richter, Kern und Sütterlin, Voßler, Lüttke, Greyerz, Hartnacke und Müller immer wieder nach einer nicht-logisierenden und lebendigen, induktiv verfahrenden Grammatik gerufen haben, ist die Grammatik der höheren Schule in Bewegung. Bis in die zwanziger und dreißiger Jahre hinein wird zwar noch Sprachlehre im Anschluß an K. F. Becker getrieben,[262] aber durch Lyon und vor allem durch

[258] S. o. S. 199.
[259] S. o. S. 199.
[260] S. o. S. 176.
[261] S. o. S. 194.
[262] Vgl. Mensings Sprachbuch, das 1926 in 25. Aufl. erscheint, S. o. S. 110 ff.

Sütterlin und Kern werden schon vor 1900 neue Impulse gegeben.[263] Diese drei Forscher versuchen darüber hinaus, Sprachforschung und Schulgrammatik zu synchronisieren. Ähnliches schwebt auch Martens vor, wenn er von den „in den letzten Jahrzehnten" gewachsenen neuen Erkenntnissen über die Sprache redet.[264] Das Unbehagen an der überkommenen Schulgrammatik wird also hier wie bei Kern, Lyon und Sütterlin ganz deutlich gespürt und ausgesprochen. Und genau wie diese Forscher wollen Schmitt-Martens Änderung durch Übernahme neuer Einsichten aus der Sprachwissenschaft. Wie gesagt, gilt das nicht nur für ihr „Deutsches Sprachbuch" allein, sondern wohl für alle neu erarbeiteten Schulgrammatiken nach 1945, wenn sie ihr Anliegen auch nicht so prägnant formulieren.

Eine lebendige Satzlehre versuchen Schmitt-Martens unter anderem auch durch Satzbilder zu erreichen,[265] die das inhaltliche Zusammenspiel der Einzelteile, durch Pfeile verdeutlicht, vor Augen führen. Solche Satzbilder scheinen den Satz als Inhaltseinheit[266] besser zu veranschaulichen als diejenigen, die Kern,[267] Lotte Müller[268] oder auch Erben[269] benutzen, die mehr schematisch die grammatische Abhängigkeit der Einzelteile voneinander oder ihre Abfolge in der Zeit herausstellen. Insgesamt bieten Schmitt-Martens einen geschlossenen leistungsbezogenen Grammatikkurs an, der sich von Redezusammenhang über Satz, Satzteil und Wort bis hin zur Silbe spannt. Mit diesem Konzept scheinen sie sich am meisten Erbens Methode und Ergebnissen der Sprachbetrachtung zu nähern.[270] Ausdrücklich nennen sie aber auch Glinz und Drach als wissenschaftliche Gewährsleute.[271]

Eine so geschlossene Konzeption wie Schmitt-Martens haben Hirschenauer-Thiersch nicht erreicht. Einen Teil des schon oben angeführten Passus zur Satzlehre[272] zitiert auch Emmy Frey: „Der Satz stellt sich dar als die zwischen Ding und Vorgang gegebene

[263] S. o. S. 222 ff.
[264] S. o. S. 194.
[265] S. o. S. 195.
[266] S. o. Glinz, S. 62.
[267] S. o. S. 157.
[268] S. o. S. 142.
[269] S. o. S. 77.
[270] S. o. S. 68 f.
[271] S. o. S. 197.
[272] S. o. S. 187 f.

Spannung. Zur Darstellung des Sachverhalts reichen jedoch nicht immer zwei Worte aus. In das Spannungsfeld des Satzes fügen sich weiter wachsend neue Wörter und neue Bezeichnungen ein zur Orientierung in der Welt."[273] Schon oben ist die in diesen Sätzen enthaltene Problematik erwähnt worden.[274] Frey sieht den Abschnitt als „Ausbund von Verschwommenheit" und urteilt: „Mit Derartigem verschmiert ein Schulbuch den kindlichen Intellekt."[275] Die neuere Sprachforschung ist im Hintergrund bei Hirschenauer-Thiersch wohl erahnbar,[276] sie ist aber nicht befriedigend verarbeitet.

Die „Kurze deutsche Grammatik" von Schablin wurde schon oben als Ausnahme gekennzeichnet,[277] sie soll vielleicht auch so verstanden werden, wenn sie im Vorwort als „eine Art Nachschlagewerk" bezeichnet wird.[278] Darin und im Inhalt lehnt sie sich stark an den Grammatikduden an.

Über das Sprachbuch „Wort und Sinn"[279] läßt sich noch nichts Endgültiges sagen. Eindeutig ist der Einfluß von Glinz zu spüren.[280] Die Satzlehre geht von der lebendigen Rede aus; die Besprechung der Wortarten vollzieht sich in Übereinstimmung mit der gesamten neueren Grammatikforschung immer im Raum des Satzes.[281] Durch die Arbeit an Texten und den immer neuen Hinweis darauf, sprachliche Phänomene im Redezusammenhang aufzuspüren, dürfte dieses Sprachbuch auch der Forderung nach Verbindung von Sprachbetrachtung und Interpretation voll gerecht werden.[282]

Was haben all diese Schulgrammatiken von der neueren wissenschaftlichen Sprachforschung seit etwa 1925, vor allem von der Forschung der letzten 15 Jahre gelernt?

Schon auf den ersten Blick wirken unsere Grammatikhefte lebendiger und fesselnder als die von Lyon, Mensing, Müller-Frauen-

---

[273] Frey, Lage und Möglichkeiten, S. 10.
[274] S. o. S. 188 f.
[275] Frey, Lage und Möglichkeiten, S. 10.
[276] S. z. B. o. S. 189.
[277] S. o. S. 198.
[278] Schablin: Kurze dt. Gr., S. 3.
[279] S. o. S. 200.
[280] S. o. S. 200.
[281] S. o. S. 200.
[282] S. u. S. 262 f.

stein, Matthias oder Michaelis,[283] lebendiger aber auch als die
Bücher von Sütterlin-Martin[284] und Florstedt-Stieber.[285] Die Bücher heute bieten durchweg Texte, lassen dem Schüler Raum für
eigenes Erkennen und arbeiten nicht mehr im belehrend-allwissen-
den Stil.[286] Vor allem in der Wendung zur Sprache ist die Schulgrammatik der wissenschaftlichen Sprachforschung gefolgt: „Heute ist es (nahezu) selbstverständlich, daß es im deutschen Satz
keine ‚regelmäßige Wortfolge' Subjekt-Prädikat usw. und keine
‚Inversion' gibt, sondern drei gesetzmäßige Stellungen für die
Finitform des Verbs; daß „wird schlafen" nicht schlankweg als
‚Futur' ausgegeben werden darf usw. Der Sprachinhaltsforschung
(außer Weisgerber vor allem: J. Trier, W. Porzig) ist es zu danken,
wenn die Schulsprachlehre die Sprache in ihren allgemeinen Be-
zügen hat sehen lernen ... Wortfeldbetrachtungen sind selbstverständlich als Anbahnung des Verständnisses für das, was Weisgerber ‚Zwischenwelt' nennt."[287] Diese Formulierungen decken sich
mit dem, was auch die Einzelbetrachtung der Schulgrammatiken
erbracht hat. In der neuen Auffassung von der Satzlehre haben
Drach und Glinz besonders gewirkt. Rahn-Pfleiderer,[288] Hirschenauer-Thiersch,[289] Hoppe,[290] Schmitt-Martens, die ausdrücklich
beide Sprachforscher erwähnen,[291] Thiel,[292] das Sprachbuch Wort
und Sinn[293] und der Sprachspiegel[294] zeigen deutlich ihren Einfluß.
Das von Drach 1937 vorgelegte Material[295] ist so gesichert, daß
seine Übernahme unproblematisch ist.
Problematik allerdings birgt die Übernahme neuerer Erkenntnisse
und Methoden der Sprachforschung in die Schulgrammatiken
auch heute noch. Es ist aufschlußreich, Zusammenfassendes darüber
zu erfahren, was „Sprachbetrachtung" als ein Gebiet des Deutschunterrichtes überhaupt an Ergebnissen bringen soll.

[283] S. o. S. 147 ff., 110–127.
[284] S. o. S. 158 ff.
[285] S. o. S. 162 ff.
[286] S. o. zu Mensing, S. 112.
[287] Frey, Lage u. Möglichkeiten, S. 20 f.; zu Trier u. Porzig s. o. S. 33, 41 f.
[288] S. o. S. 172 ff.
[289] S. o. S. 184 ff.
[290] S. o. S. 190 ff.
[291] S. o. S. 193 ff.
[292] S. o. S. 199.
[293] S. o. S. 200.
[294] S. o. S. 200 ff.
[295] S. o. S. 49 ff.

Die „Richtlinien für den Unterricht in der höheren Schule" von 1963[296] formulieren, durch die Sprachbetrachtung solle der Schüler „Einsicht in den Bau der deutschen Sprache und die in ihr wirkenden Kräfte gewinnen".[297] Damit fordern sie grundsätzlich eine Sprachbetrachtung, die sich auf neuere wissenschaftliche Grammatikforschung stützt. Daran schließt sich die präzisere didaktische Forderung, die die andersartige Schwerpunktsetzung der Fremdsprachengrammatik zum Hintergrund hat: „Beim Sprachunterricht in der Muttersprache tritt die Frage nach dem Bestand an Formen und Fügungen gegenüber der Frage nach den Leistungen der sprachlichen Erscheinungsformen zurück."[298] Beim muttersprachlichen Unterricht kann das geschehen, weil Formen und Fügungen dem Schüler im unbewußten Sprechen vorgegeben zur Verfügung stehen und „nur" bewußt gemacht werden müssen. Aus diesem didaktischen Ziel folgt nun ein ganz bestimmtes methodisches Vorgehen: „Das heißt, daß schon in der Unter- und Mittelstufe die inhaltliche Erfassung dem Besprechen der Einzelerscheinungen vorausgeht. Es bedeutet ferner, daß die grammatische Einzelerscheinung nur vorübergehend für sich allein, beim Abschluß der Besprechung aber wieder in ihrer Leistung innerhalb des Ganzen gesehen werden muß."[299] Mit anderen Worten: Die Blickrichtung des Betrachters muß sich im Laufe grammatischer Arbeit immer wieder wandeln: Ausgehend vom inhaltlichen Erfassen eines Redeganzen kommt sie über das Feststellen sprachlicher Bestände zum Aufzeigen sprachlicher Leistungen. Dabei gewinnt der Schüler einmal Einblick in die überkommenen Gesetzmäßigkeiten der deutschen Sprache „in ihrem überlieferten Bestand an Formen und Gehalten",[300] er sieht aber auch „im Akt der individuellen Äußerung, ... wie die Redeabsicht im Sprechakt innerhalb der Gesetzmäßigkeiten und Möglichkeiten verwirklicht wird".[301]

Als stufengerechten Weg schlagen die Richtlinien vor, in den unteren Klassen systematisch vorzugehen, wobei die Betrachtung

[296] S. o. S. 255.
[297] Richtlinien, S. 1.
[298] Richtlinien, S. 3.
[299] Ebd., S. 3.
[300] Ebd., S. 4.
[301] Ebd., S. 4.

„für die Leistungen der Sprache offen bleibt".[302] In der Mittelstufe „besteht die besondere Aufgabe darin, die Leistungen der Sprache und die Möglichkeiten sprachlicher Gestaltung allmählich deutlicher sichtbar zu machen".[303] „In den oberen Klassen gilt es, das Sprachverständnis weiter zu vertiefen."[304] Für die Terminologie gilt dabei: „Wenn es auch bei richtig verstandenem Sprachunterricht verhältnismäßig unwichtig ist, wie man die einzelne grammatische Erscheinung benennt, so ist es doch aus schulpraktischen Gründen notwendig, sich auf die lateinischen Namen als die für alle Fächer brauchbaren zu einigen."[305]

Alle besprochenen Schulgrammatiken mit Ausnahme von Schablin[306] werden diesem programmatischen Hinweis auf lebendige Sprachbetrachtung in Anlehnung an die moderne Sprachwissenschaft gerecht. Wem aber sollen sie sich anschließen? Welche Möglichkeiten enthalten die Konzeptionen von Glinz, Erben, Brinkmann, Grebe und Weisgerber für den fortschreitenden Prozeß der Übernahme wissenschaftlicher Ergebnisse und Methoden in die Schule? Glinz' Methode der völligen Neuentdeckung von Ergebnisssen durch fortschreitende Erprobung im Stile der Naturwissenschaften scheint für die Schule zu langwierig. Der Erkenntnisprozeß muß hier wohl abgekürzt werden. Der Weg darf zwar in der Art des Brinkmannschen Verfahrens bei der vorgegebenen, in Einzelbestände gegliederten Sprache beginnen[307], das Bewußtmachen dieser Bestände darf aber nicht so umständlich und breit vonstatten gehen wie in der „Deutschen Sprache". Weiter scheint es kaum praktikabel, in der Schule von einer morphe im Sinne Goethes auszugehen.[308] Diese Auffassung von der geistig strukturierten Gestalt der Sprache muß wohl allem Grammatikunterricht als didaktische Konzeption zugrunde liegen, ausgehen allerdings muß die grammatische Arbeit von der Klang- und Buchstabengestalt, um von hier Funktionen aufzudecken. Hier könnte die Schulgrammatik von der zupackenden, zielstrebigen und ein-

---

[302] Ebd., S. 5.
[303] Ebd., S. 5.
[304] Ebd., S. 5.
[305] Ebd., S. 6.
[306] S. o. S. 198 f.
[307] S. o. S. z. B. S. 80 f.
[308] S. o. S. 253.

linigen Konzeption Erbens lernen.[309] Wie aber ist es mit dem Formenmaterial der deutschen Sprache? Ist es möglich, die Formen wie Erben lediglich nebenbei zu erwähnen, nur dann also, wenn sie als Funktionskennzeichen nicht umgangen werden können?[310] So durchführbar die von Erben demonstrierte leistungsbezogene Arbeit etwa für die Klassen von Unter-/Obertertia ab erscheint, gehört nicht aber das systemhafte Denken nicht doch in die Schule? Am Schluß seiner Grammatik gibt Erben einen Überblick über Glinz' Ergebnisse und stellt fest, Glinz habe versucht, „den Einsichten der modernen Sprachwissenschaft und den Erfordernissen der modernen Schulgrammatik möglichst gleichermaßen gerecht zu werden."[311] Weiter heißt es: „Damit ist besonders der formalen Prägung unserer Satzglieder in hohem Maße Rechnung getragen und ein Gerüst geboten, das sich vielleicht bei grammatischen Analysen im Deutschunterricht als nützlich erweisen wird und schon deshalb besser als das herkömmliche System ist, weil es die Rolle der Satzglieder vom Charakter des Satzes als sprachlicher Gestaltung eines Geschehens oder Seins her zu bestimmen versucht.

Die Wissenschaft wird sich allerdings fragen müssen, ob man den sprachlichen Verhältnissen voll gerecht wird, wenn das Prinzip der Deklinierbarkeit zum Hauptgesichtspunkt der Satzgliedeinteilung gemacht wird."[312] Erben wehrt sich dagegen, daß wissenschaftliche Grammatikforschung auf schulische Belange Rücksicht nimmt. Das heißt wiederum für die Schule, daß sie aus didaktischen und methodischen Gesichtspunkten heraus genau abwägen muß, wie weit sie bei der Übernahme von Konzeptionen und Ergebnissen gehen darf. Wieweit muß die Grammatik des Deutschunterrichtes eigenständig sein, um die „innere Form" des Deutschen zu erhellen? Wie weit darf sie Rücksicht auf das Phänomen Sprache überhaupt nehmen, darf sie Kategorien erarbeiten, die auch für die Fremdsprachen zutreffen? Wie steht es mit der Terminologie? Glinz forderte genuine, neue, prägnante Namen für die grammatisch faßbaren Erscheinungen des Deutschen,[313] die

[309] S. o. S. 252.
[310] S. o. S. 251.
[311] Erben, Abriß, S. 202.
[312] Ebd., S. 203, vgl. dazu aber auch o. S. 64.
[313] S. o. S. 250 f.

Richtlinien fordern eine Einigung auf die lateinischen Namen aus „schulpraktischen Gründen",[314] opfern also die Glinzsche Sachbezogenheit und -richtigkeit der schulischen Notwendigkeit und meinen sogar, für richtig verstandenen Sprachunterricht sei es „verhältnismäßig unwichtig . . ., wie man die einzelne grammatische Erscheinung benennt".[315]

Möglicherweise lassen sich die aufgeworfenen Fragen durch eine nochmalige Betrachtung des Deutschen Sprachspiegels beantworten.

Von den in dieser Arbeit besprochenen Sprachforschern haben Glinz, Brinkmann und Weisgerber am Sprachspiegel mitgearbeitet. Ganz bewußt verarbeitet er moderne sprachwissenschaftliche Erkenntnisse.[316] Am meisten schließt er sich dabei an Glinz an. Beide stimmen darin überein, daß sie grundsätzlich Wert auf eine neue und „sachgemäße" Terminologie der im Deutschen erfaßbaren Phänomene legen.[317] Der Sprachspiegel will allerdings darüber hinaus die alten lateinischen Termini weiter benutzen, und wird insofern den Forderungen der Richtlinien gerecht.[318] Beide fassen den Satz als Geschehenseinheit mit beteiligten Wesenheiten,[319] und wie Glinz geht der Sprachspiegel bei der Aufdeckung der Satzstruktur den Weg Verben – Substantive – Adjektive. Die Terminologie ist ganz von Glinz abhängig. So werden z. B. die fallbestimmten Satzglieder als „Größen" bezeichnet,[320] die Adjektive erscheinen als „Artwörter", die Pronomen als „Anzeigewörter" und die Partikeln als „lagebestimmende Wörter".[321] Die „Tafel der Zeitformen und Aussagearten für das aktive deutsche Verb", die der Sprachspiegel im ersten Heft bietet,[322] ist von Glinz übernommen.[323] Weiter sind auch die Symbole für die einzelnen Satzbögen und Satzglieder von Glinz entwickelt,[324] die aufeinander bezogene

---

[314] S. o. S. 263.
[315] S. o. S. 263.
[316] S. o. S. 201.
[317] S. o. S. 201 f., 250 f.
[318] S. o. S. 263.
[319] S. o. S. 202, 67.
[320] S. u. S. 277 und o. S. 66.
[321] S. o. S. 202 und Glinz, Innere Form, S. 191, 302 (hier „Größenzeichen" u. a. auch für Pronomen) und S. 198 („Lagewörter").
[322] Sprachspiegel I, S. 98–100.
[323] Glinz, Innere Form, Tafel nach S. 400.
[324] S. o. S. 205, Glinz, Innere Form, Textbänder nach S. 472.

Strukturiertheit des Satzes wird demnach genauso wie bei Glinz bewußt gemacht. Es kann auch hier nicht darauf ankommen, einen vollständigen Kanon von Übereinstimmungen mit Glinz oder Brinkmann und Weisgerber zu erstellen. Deutlich ist jedenfalls, daß der Sprachspiegel in wesentlichen Grundlinien mit der „Inneren Form des Deutschen" übereinstimmt. Um so bedeutsamer ist es, daß in der Neuherausgabe des ersten Bandes eine Annäherung an die herkömmliche Schulgrammatik vollzogen ist. Die Grundkonzeption ist zwar erhalten geblieben, aber die von Glinz übernommenen Symbole der Satzgliedkennzeichen sind fortgefallen. Der Satz: *Er schilderte ihnen alles mit großem Ernste* wird in seinem Ablauf folgendermaßen gekennzeichnet:

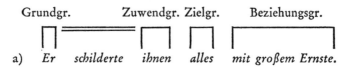

a)   *Er   schilderte   ihnen   alles   mit großem Ernste.*

Mit den ursprünglichen Symbolen böte der Satz folgendes Bild:

b)   *Er   schilderte   ihnen   alles   mit großem Ernste.*[325]

Die ursprüngliche Satzanalyse mit Hilfe der Symbole hat sich wohl als zu schwierig erwiesen und ist deshalb fallengelassen worden.

Mit der Grundkonzeption sind auch die Haupttermini, wie an Schema a) ersichtlich ist, in die Neubearbeitung übernommen worden. An Einzelpunkten aber gibt es terminologische Unterschiede zwischen der ersten und der zweiten Ausgabe.

In Heft I der Ausgabe A werden von Seite 60 bis 63 die Partikeln als fünfte Wortart besprochen. Zusammenfassend heißt es: „Allen Partikeln ist gemeinsam, daß sie eine Lage, eine Bewegung oder einen Zusammenhang angeben (im Raum, in der Zeit oder in unserer Vorstellung)..."[326] An entsprechender Stelle von Ausgabe B werden die Partikeln zunächst als Restwortart neben Verben, Nomen, Pronomen und Adjektiven erschlossen, neu aber ist ihre Unterteilung nach herkömmlicher Fachterminologie: Die Begriffe

[325] Sprachspiegel, Ausg. A I, S. 120, Ausg. B I, S. 125, s. auch o. S. 205.
[326] Sprachspiegel, Ausg. A I, S. 63.

Adverbien, Präpositionen und Konjunktionen tauchen wieder auf. Band I der Neuausgabe macht also an diesen beiden Stellen deutlich, daß sich Ergebnisse, die man von der wissenschaftlichen Grammatik übernimmt, in den Raum der Schule wohl doch nicht ohne weiteres übertragen lassen. Die Unterrichtspraxis muß zeigen, ob dieser „Weg zurück" nicht auch in der Zukunft noch weiter beschritten werden muß. Es ist dabei zu prüfen, inwieweit man dem allgemein menschlichen Phänomen Sprache mit allgemein geltenden Kategorien gerecht werden kann. Eine Übereinstimmung zwischen deutscher und Fremdsprachengrammatik etwa in den Termini läßt sich sicherlich auch heute noch rechtfertigen. Ein Maßstab für Übernahmen aus der Sprachwissenschaft ist die Aufnahmefähigkeit des Schülers. Darauf gehen auch Schmitt-Martens im Vorwort zum 2. Heft ihrer Schulgrammatik ein, wenn sie sagen, „daß dem Kind ein wirklicher Zugang zur neuen Satzauffassung erst vom achten Schuljahr ab möglich ist".[327] Bei Rahn-Pfleiderer ist dieser Tatbestand folgendermaßen ausgedrückt: „Bisher (Sexta–Quarta) haben wir in der Grammatik betrachtet, wie unsere Sprache in ihren Sätzen gefügt ist. Dazu lernten wir die Arten der Wörter, ihre Formveränderungen und mannigfachen Fügungen kennen und benennen. Von jetzt an wollen wir untersuchen, welche Kraft den einzelnen Wortarten, Formen und Fügungen innewohnt und was sie daher für den Sinn, den wir ausdrücken wollen, zu leisten vermögen."[328] Wenn Rahn-Pfleiderer ihre Grundkonzeption nicht völlig ändern wollen, können sie sich also etwa Erbens leistungsbezogener Sprachforschung[329] erst ab Unter-/Obertertia öffnen. Ihr Weg bringt einen Umschwung in der Methode mit sich: Vom Feststellen sprachlicher Bestände und Formen kommt man zum Aufzeigen sprachlicher Leistungen. Sollte dieser Weg, wie Schmitt-Martens vermuten, auch jugendpsychologisch fundiert sein, hätten alle Bemühungen um Angleichung der Schulgrammatik an die wissenschaftliche Grammatik hier ihre Grenze.

[327] S. o. S. 197.
[328] S. o. S. 177.
[329] S. o. S. 251 f.

## IV. TABELLEN

*1. Otto Lyon, Handbuch der deutschen Sprache, 3. Aufl. 1891*

Stoff-Verteilung

Methode, didaktische Zielrichtung, erkennbare Einflüsse wissenschaftlicher Grammatik

1 Buch von 272 Seiten für die Klassen Sexta bis Tertia

deduktiv vom Satz als grammatischer Einheit ausgehend, aber auch von der Sprache her argumentierend (Objekt); Methode allgemein durchgängig Mischung aus Deduktion u. Induktion; dabei in Übereinstimmung mit Lyons wissenschaftl. Grammatik

*Sexta:*
*Satzlehre:* allgemeine Satzbestimmung, die wichtigsten Satzteile: Subjekt-Prädikat (dabei keine besondere Betonung d. Zweiteiligkeit), Akk.- u. Dat.-Obj., Adjektivattr.

*Laut- und Wortbildungslehre:*
Sprechsilben, Stamm- u. Bildungssilben, Sprachsilben, Zusammensetzungen, Betonung, die Laute

Kurz u. nicht eigentlich historisch, eher informativ

*Wortlehre:* 8 Wortarten (darunter eine Wortartengruppe)

1. Substantiv (Einteilung, Deklinationstabellen, Genera u. Deklinationsformen, Bildung von Substantiven) und
Artikel, der nicht als bes. Wortart gerechnet wird

2. Adjektiv (Deklinationstabellen, Steigerung, Wortbildungslehre)

3. Pronomen (ausführl. Besprechung wie bei 1.)

4. Numerale

5. Verb (6 Zeiten mit 6 Konjunktiven, starke-schwache Konj. ...)

6. Adverb

Einführung d. Wortarten unter Vermeidung v. reiner Deduktion nach verschiedenen Verfahren; dabei immer wieder Vermischung v. Satz- u. Wortebene; komplexhaftes Denken auch durch Aufzeigen v. Verwandlungen von Wortart zu Wortart ("Verwandlung v. Adjektiven in Substantive" [S. 32])

7. Konjunktion

8. Interjektion

*Satzlehre:* Wiederholung und planvolle Verflechtung von Wort- u. Satzlehre: die Wortarten in ihrer Funktion, Satzglieder zu repräsentieren
*Orthographie u. Zeichensetzung*

funktionales Denken wie in Lyons Deutscher Grammatik, jedoch auf das Feld Satzglied-Wortart verengt

*Quinta:*
*Wortlehre:* Einführung d. 9. Wortart:
9. Präposition
Wiederholung und genauere Bestimmung der Satzfunktionen der übrigen Wortarten
*Satzlehre:* Ergänzung d. Satzteilreihe: Adv. Best., Attribute, Apposition, der zusammenges. Satz: Satzreihe u. Satzgefüge

Methode: vom vorliegenden Schema ausgehend Präsentierung sprachlicher Bestände

*Quarta:*
*Satzlehre:* ausführliche Besprechung der Nebensatzarten
*Wortlehre:* Wiederholung

statisch-konstatierend

*Tertien:*
*Laut- u. Wortbildungslehre:*
Laute, Silben, Wortbildungslehre, Ablaut
*Satzlehre:* Ergänzungen z. Quarta-Pensum, komplizierte Satzgefüge, Periodenbau
*Wortlehre u. Lehre v. einfachen Satz:* Wiederholungen

Ansetzen beim Lateinischen als bekannter Fremdsprache, Lautgesetze, Verners Gesetz am ausführlichsten in der Wortbildungslehre

## 2. Otto Mensing, Deutsche Sprachlehre für höhere Schulen, 25. Auflage 1926

| Stoff-Verteilung | Methode, didaktische Zielrichtung, erkennbare Einflüsse wissenschaftlicher Grammatik |
|---|---|
| 1 Heft für die Klassen Sexta bis Tertia | |

*Sexta:*
*Lautlehre:* Laute und Buchstaben als Wortbestandteile, Gliederung der Laute
*Wortlehre:* 10 Wortarten
Formenlehre: a) Konjugation (6 Tempora, 2 Genera, 3 Modi, starke u. schw. Konj., Ablaut) b) Deklination (Genera, Kasus, Numeri, st., schw. u. gemischte D.). An Wortarten werden besprochen: Verb, Substantiv, Pronomen, Adjektiv (Steigerung), Zahlwort, Adverb, Präposition

Umfangreiche Grundlegung von einem grammatischen Schema aus; synthetisch-deduktiv; nie von Redeabsicht ausgehend, sd. Rubrizierung sprachlichen Materials in grammatische Kategorien; Aufbau d. Satzes aus seinen Teilen; stark an der wiss. Forschung d. Junggramm. orientiert; in d. Satzlehre (Zweiteiligkeit) in Übereinst. mit Paul, Sütterlin, Delbrück

*Quinta:*
*Lautlehre:* Lautwandel, Umlaut, Ablaut, Vokaländerungen, Konsonantenänderungen
*Wortlehre:* Unregelmäßigkeiten in der Konjugation, wenige Ergänzungen zur Dekl., pronominale Biegung, ausgedehnte Wortbildungslehre
*Satzlehre:* präpositionales Obj., Umstandsbestimmungen, Zusammenfassung u. Abschl. zum einf. Satz, beim zusammenges. Satz Koordination, Subordination, Einteilung d. Nebensätze

Hauptgewicht auf Satzlehre, die schon hier zu vorläufigem Abschluß gebracht wird; dabei synthetisch wie oben; daneben Öffnung zur Sprachhistorie in der Wortbildungslehre

*Quarta:*
*Wortlehre:* alle Lautstände beim Präteritum u. seinem Konjunktiv, gemischte Konj., Präterito-Präs., transit. u. intransit. Verben, Perfekt mit haben u. sein, Adjektive als Attribut
*Satzlehre:* Ausf. Bespr. d. Nebensätze

Abschluß d. Wort- u. Satzlehre, keine Änderung der schon in Sexta angewandten Methode, in der Wortlehre in Ergänzungen zum Stoff der ersten beiden Jahre rein historisch

*Tertien:*
*Wortlehre:* ergänzende Anmerkungen zur Formenlehre, Wortbildungslehre d. Adjektive, ausgedehnte historische Untersuchung des dt. Wortschatzes
*Satzlehre:* ergänzende Anmerkungen, Tempus d. Konjunktivs

fast nur noch sprachhistorisch in Anlehnung an die Methode der Junggrammatik, Sprache zu betrachten, Übernahme ihrer Ergebnisse

271

### 3. Florstedt-Stieber, Neue deutsche Sprachlehre, 14. Aufl. 1935

| Stoff-Verteilung | Methode, didaktische Zielrichtung, erkennbare Einflüsse wissenschaftlicher Grammatik |
|---|---|

**1 Heft für die Klassen Sexta bis Quarta**

*Sexta:*

*Satzlehre:* der einfache Satz, Satzarten, Satzglieder: Subjekt, Prädikat, Bestimmungsgruppen zu Subj. u. Präd.
*Wortlehre:* psychologische Einführung: Welt-Sinne-Sprache-Wortarten, Substantiv: Genus, Numerus, Kasus sehr ausführlich mit Tabellen, Pronomen, Adjektiv, Numerale, Verb: Zeitbetriff (allgemeine Einführung), 3 Zeitstufen, dabei 5 Zeiten ohne Fut. II; Genera (als Änderung d. Ansatzstelle), Modi

An wiss. Vorbildern werden Wundt, Paul, Sütterlin, Wunderlich-Reis, Harder u. Voßler genannt. Am ehesten folgt d. Sprachbuch Sütterlin in Betonung d. ergon-Charakters d. Sprache u. in Ablehng. d. Bevormundg. durch die lat. Gram. Beginn in Übereinstimmung mit Wunderlich-Reis u. Voßler mit Satzlehre, strenge Zweiteiligkeit d. Satzes aber gegen Wunderlich-Reis; größtes Pensum in Wortlehre in Sexta; Methode: Texte u. Beispielsätze dienen kaum als Arbeitsgrundlage, eher zur Demonstration sprachlicher Gegebenheiten. Mischung v. Deduktion u. Induktion

*Quinta:*

*Satzlehre:* Satzgruppen: Satzreihe u. Satzgefüge, Verwendung d. Konjunktionen ohne funktionale Aspekte, Form u. Arten d. Nebensätze
*Wortlehre:* „Die Redeteile nach Form und Bedeutung": nicht funktional, Musterung d. Wortschatzes u. Einteilung in Abstrakta, Ortsnamen, Sammelnamen, Tätigkeiten, Zustände ...
Wortbildung: Zusammensetzungen, Ableitungen, Vokalveränderungen, Abkürzungen

Satzlehre formal nach Konstruktionsabhängigkeit zwischen Haupt- u. „Neben"-Satz scheidend Wortlehre statisch sichtend und rubrizierend

272

*Quarta:*
*Satzlehre:* die Nebensätze als Satzteile, ausführliche Besprechung aller Möglichkeiten (Subjektsätze, Prädikatsätze, Bestimmungssätze, Unterarten davon)
*Wortlehre:* Ergänzungen in Dekl. u. Konj.
*Anhang:* 6 S. Lautlehre

Neues nur noch in der Satzlehre, die aber auch das Quinta-Pensum ergänzt u. abschließt

kann auf die 3 Klassen verteilt werden

273

| Stoff-Verteilung | Methode, didaktische Zielrichtung, erkennbare Einflüsse wissenschaftlicher Grammatik |
|---|---|

je 1 Heft für die Klassen 5–10,
1 Heft „Sprachbetrachtung" für
die Oberstufe in Vorbereitung

*Sexta:*
*Satzlehre:* Subjekt-Prädikat als
Kerne, Satzarten
Attribute, Objekte, Adverbialien,
Prädikatsnomen, Apposition
*Wort- u. Formenlehre:* 10 Wortarten, ausf. Bespr. der Substantive (Genera, Kasus, Numeri), Pronomen, Präpositionen, Binde- u.
Fügewörter, Verben (Dekl., Tempussystem, Modi, st./schw. Verben, Genera)

Umfangreiche Grundlegung auch
im Hinblick auf d. Fremdspr.,
manchmal sehr diffizil (Substantive), didakt. Absicht: Aufzeigen
des Bestehenden u. Gesicherten,
dabei Nähe z. Dudengrammatik,
herkömmliche Terminologie d. lat.
Gram., im ganzen schon hier ausgehend von der Redeabsicht, doch
Schwerpunkt auf Bewußtmachen
des ergon

*Quinta:*
*Satzlehre:* erweiterter Satz – Satzreihe – Satzgefüge, Nebensätze
*Wort u. Formenlehre:* Verb: Genera, Indikativ – 2 Konjunktive,
Funktion d. Tempora bei der Auffächerung d. Zeit (koordinierende)
Konjunktionen und (subordinierende) Fügewörter

Wiederholung u. Vertiefung, Beginn funktionaler Betrachtung; Leistung d. Einzelwortes, d. Einzelform für die Einheit „Satz", Methode aber noch vorwiegend: Vorführung u. Übung d. Phänomene
(Beispieltexte), Terminus „Fügwort" von Glinz (vgl. Innere
Form, S. 259), hier allerdings ohne
die Bedeutung einer „Spezialisierungsspitze" von Fügteilen; „Fügwort" auch bei Erben (Abriß,
S. 124, § 177, E. faßt dort aber
Präpositionen u. Konjunktionen
darunter).

*Quarta:*
*Satzlehre:* Aufzeigen d. Ineinander
von vorgegebener Sprachstruktur
und individueller Gestaltungsmöglichkeit, Satzarten: Kern-, Stirn-,
Spannsatz, Genese d. Nebensätze
aus d. Parataxe (diachronisch),

Redeeinheit „Satz" wird als eine
Ganzheit erschlossen, in der sich
individuelle Aussageabsicht und
objektiv vorgegebene Sprachstruktur treffen; Kennzeichnung der 3
Satzmodelle nach Glinz: Innere

274

Funktion d. Konjunktivs
*Wort- u. Formenlehre:* st./schw.
Deklination, st./schw. Verben
*Sprachkunde:* Sprachlandschaften,
Namenkunde (diachron.)

Form 96 ff. „Zwang und Freiheit
im Satz" erinnert an Erben: Gesetz
u. Freiheit ...
Umschlag von statisch-feststellen-
der zu funktionsbezogener Methode, durch Betrachtung d. Sprachvergangenheit am Einzelpunkt
Öffnung für Diachronie

*Untertertia:*
Baugesetz u. Redeabsicht, Satz-
pläne: Grundstellung – Gegen-
stellung (vgl. Sexta: Satzarten –
Quarta: Satzpläne), Funktionen d.
Nomina, der obliquen Kasus beim
Substantiv, Funktion d. Prono-
mina, Leistung d. Verbs
*Sprachkunde:* Aufbau d. Wort-
schatzes, Wortfelder

Nach vorwiegender Analyse in
Sexta–Quarta nun funktional-
leistungsbezogene Betrachtung;
Aufgabe d. Unterschiedes Satzlehre–Wort- u. Formenlehre; damit in Übereinstimmung mit den
Bemühungen moderner Grammatiker (z. B. Glinz, Erben), ohne daß
„leistungsbezogen" oder „funktional" besonders definiert oder voneinander abgehoben wären

*Obertertia:*
Verb: Klammerfunktion, Tempus
u. Zeitstufe, Aktionsart
Adjektiv: Wesen u. Leistung, Partizipien als Adjektive, Adjektiv in
der Wortbildung
Eingliedern und Fügen durch
„Nebensätze" oder Nominalgruppen, Funktion der Konjunktionen
*Sprachkunde:* Ortsnamen, Fremd-
u. Lehnwörter (diachron.)

Erhellung der Funktion von Verb,
Adjektiv und Konjunktion vom
Satzganzen her; in Übereinstimmung mit Glinz vom „Gemeinten"
ausgehend, dann die Einzelfunk-
tionen der Satzelemente bestim-
mend

*Untersekunda:*
Verb: Modusform u. Modalität,
Leistungen d. Konjunktive I und II
Satz: Wortstellung u. Stellenwert:
Musterung des Satzes noch einmal
unter dem Aspekt „Baugesetz und
Redeabsicht" (vgl. zur Quarta)

wie in O III; Untersuchung der
Modalitätsverhältnisse an längeren
literarischen Texten, Berücksichtigung der Umgangssprache

| Stoff-Verteilung 4 Hefte | | Methode, didaktische Zielrichtung, erkennbare Einflüsse wissenschaftlicher Grammatik |
|---|---|---|

*Sexta u. Quinta (Heft 1)*

| 1. Ausgabe (A) | Neubearbeitung (B) | |
|---|---|---|
| 1. *Satz* als Redeteil, einfacher Satz (Schritt) und zusammenges. Satz (Schrittfigur) 2. *Wortarten:* a) Verb als Geschehenseinheit, inhaltliche Gliederung d. Wortart, Tempora Präs. u. Prät. | 1. *Der Satz u. d. Wörter:* Gesamtinhalt, Abschnitte, Sätze a) Verb: wie A, neu: Verbzusatz, dabei Vorarbeit auf Klammerbau; vom Verb aus Gewinnung d. Subjekts-Grundgröße | Ausgehend von Texten, Beginn mit dem Satz in Übereinstimmung mit Glinz, Erben, Brinkmann u. Grebe; Satz als dynamische Einheit von einzelnen Gliedern, die vom Verb aus Rollen besetzen; auch diese Vorrangstellung d. Verbs, das die Satzperspektive öffnet, in Übereinstimmung mit den genannten Sprachwissenschaftlern; Reduzierung d. Wortarten auf 6; dabei Besprechung d. Wortarten nach versch. Inhalt, versch. formaler Erscheinungsform u. verschied. funktional. Bedeutg. im Satz, wobei zunächst kein Gesichtspkt. dominiert, dann d. Satzfunktion i. d. Vordergrund tritt; statische Meth. d. alten Gram. ist aufgelöst, doch Satzbezüge zunächst sehr sparsam, um nicht zu verwirren; dadurch kein Umschlagen i. d. Methode wie b. Rahn-Pf. nötig; Versuch, die seit 1925 vorliegenden sprachwiss. Kenntnisse für die Schule zu nutzen; induktiv-hinführend mit guten Zusammenfassun- |
| b) Nomen (Substantiv): Wesen als Namenwort; Numeri; Ableitung aus Verben | b) Nomen (Substant.) stärkere Betonung d. Formalen bei den Numeri; neu: die Genera (in A unter Pronomen behandelt) | |
| c) Adjektiv: als Artwort; Steigerung, Substantivierung, Partizipien als Adjektive d) Pronomen: Nomenbegleiter u. Stellvertreter: Anzeigewörter: dazu gehören auch d. herkömmlichen Zahlwörter u. d. Artikel e) Partikeln: Lagebestimmende Wörter, dazu gehören die herkömmlichen | c) Adjektiv: wie A, doch Abgrenzung d. dt. Gebrauchs beim Verb v. Engl. u. Lat. d) Pronomen: wie A, doch ausführlicher e) Partikeln: wie A, doch Wiedereinführung d. Termini Adverb, Präposition, | |

Präpositionen, Adverbien u. Konjunktionen

f) Interjektion: nach Behandlung d. 5 vorhergehenden Wortarten übriggebliebene Restgruppe

Konjunktion, die Interjektionen werden unter Partikeln eingeordnet

gen. Diese Gesamtkonzeption auch in B, doch Komprimierung d. Einzelteile z. 4 großen Abschnitten, doch nicht Reduzierung d. Stoffes; Verhältn. von A 4. und B 3. zeigt die noch größere Betonung d. vom Satz ausgehenden Denkens bei B; dort aber Annäherung an herkömml. Grammatik: Fortfall d. Satzgliedsymbole und s. B 1. e)

3. Die Formen d. Verbs I: Präs., Prät., Perf.: allgemeine Zeit, vergangene Z., vollendete Z.; Gebrauch im Satz; Plusquamp. u. Futur: vorvergangene Z. und ausstehend vollendete Z.; finite-, infinite Formen-Imperativ; gemeinsamer Gebr. von finiten u. infiniten Formen im Satz (Klammerbau)
4. Die Kasus: der Satz u. d. beteiligten Wesen; Tabellen z. Flexion von Substantiv, Adjektiv; Haltung u. Bewegung in den 4 Fällen

Akk.   Symbole   Ziel
Dat.            Zuwendgr.
Gen.           Verknüpfg.
Nom.        ruhiges
                Dastehen

5. Die Formen des Verbs II: Konjunktiv I und II: die Kennzeichnung einer Aussage als „anzunehmen" und „nur zu denken"

2. Die Formen des Verbs: wie A
3. Die Satzglieder u. ihre Aufgaben: Beginn wie A 6. ohne „fallfremde Glieder", dann die 4 Fälle u. d. Satzbau, wie A 4., aber ohne die Fallsymbole; dann A 6. b) („fallfremde Glieder", Aufgabe im Satz); dann A 7., neu:

Präpositionaldativ,
Präpositionalakk.,  } =
Präpositionalgen.
= Beziehungsgrößen

4. Schwierigere Formen des Verbs: wie A 5.

Erlaubnis d. würde-Form im Konj.
(A I, S. 91)

ken"; richtiger Ge-
brauch
Passiv: Aktiv u. Passiv
als Umkehrung d. Ge-
schehensrichtung; Hand-
lungspassiv: Gegenrich-
tung, Zustandspassiv:
Zustand; Verb als Achse
u. Rahmen d. Satzes
6. a) Satz als Geschehen
mit beteiligten Wesen u.
weiteren Angaben; Er-
mittlung d. Satzglieder
durch Umstellprobe
b) die fallfremden Glie-
der als Angaben

Übernahme von
Brinkmann: Die
dt. Spr., S. 320

7. Die Rollen der fallbestimmten Satzglieder:

|  |  |  |
|---|---|---|
| 1. Subjektsnom. | Grundgröße | Fassung d. Sub- |
| 2. Prädikatsnom. | Gleichgröße | stant. in ihrer |
| 3. Objektsakk. | Zielgröße | Satzrolle nach |
| 4. Objektsdat. | Zuwendgröße | Glinz: Innere |
| 5. Objektsgenit. | Anteilgröße | Form, |
| 6. Präpositionalakk. |  | S. 163–179 |
| 7. Präpositionaldat. | Lagegröße |  |
| 8. Präpositionalgen. |  |  |
| 9. Adverbialakk. | Zielgröße |  |
| 10. Adverbialgenit. | Anteilgröße |  |

Zusammenfassung der
Satzlehre

*Quarta und Untertertia (Heft 2)*

1. Absicht, Redekern u. Schrittgliederung:
Satzfügungen (Gliedsätze) als adäquates
Ausdrucksmittel für die Komplexität
menschlichen Denkens
2. Der Ablauf des Satzes; die Folge d.
Satzglieder: Redeabsicht u. Satzbeginn,
Klammerbau
3. Formen u. Verbindungsmittel v. Teil-
sätzen: Satzaufgaben d. Konjunktionen;
Überleitung z. Stilproblemen; Arten d.
Gliedsätze (dabei auch „Inhaltssätze") als
Ausdruck bestimmter Gedankenverhält-
nisse; Infinitivkonstruktionen
4. Gesamtinhalt, grammatische Form und

„Inhaltssätze" mit daß oder
ob eingeleitete Gliedsätze
nach Brinkmann: Die dt.
Spr., S. 591 ff. Grammatik-

278

Verstehen der Gestalt: Grammatische Kenntnisse im Dienst der Interpretation
5. Der Satz als geistiges Bild, die Leistung d. Satzglieder

duden § 1073, der allerdings nur „daß"-Sätze so benennt (bei Glinz „Einfügsätze", Innere Form, S. 432 ff.)

*Obertertia und Untersekunda (Heft 3)*

1. Inhalt und Satzbau: Redeabsicht; Leistung v. Satzgliedern und Gliederungsplänen ganzer Sätze
2. Deutscher Sprachbau in älterer Zeit; Wandel und Beharrung
3. Zeit und Geltung in Sprache und Wirklichkeit: Probleme der Interpretation

Leistungsbezogen in grundsätzlicher Übereinstimmung mit Glinz, Erben, Brinkmann, Grebe, Weisgerber

Heft 4 hat keinen Sprachbetrachtungsteil mehr.

## 6. Historische Abfolge der behandelten Werke

Die folgende Tabelle gibt eine Übersicht über die behandelten Werke und ihre zeitliche Reihenfolge. Auf der linken Seite sind die sprachwissenschaftlichen Werke eingetragen, auf der rechten Seite die Schulgrammatiken.

| *Wissenschaftliche Grammatik* | *Schulgrammatik* |
|---|---|
| | (1831 Becker: Schulgr.) |
| | 67 Hildebrand: Vom dt. Sprachunterr. |
| | 72 H. Weber: Die Pflege nat. Bildg. |
| 80 Paul: Prinzipien | 72 Richter: D. Unterr. i. d. Mutterspr. |
| 83 Kern: Dt. Satzlehre | 83 Kern: Zur Methodik |
| 86 Erdmann: Grundz. d. dt. Synt. I | 86 Kern: Zustand u. Gegenst., Betr. üb. den Anfangsunterr. |
| | 88 Müller-Frauenstein: Handbuch |
| | 89 Bardey: Praktisches Lehrbuch 2./3. A. |
| 90 Lyon: Hist. u. gesetzgebende Gr. | 91 Lyon: Handbuch d. dt. Spr., 3. A. |
| 92 Wunderlich: D. dt. Satzbau | 92 Matthias: Hilfsb. f. d. dt. Sprachunterr. |
| 93/97/1900 Delbrück: Vgl. Synt. d. idgerm. Sprachen, Bde. 1–3 | |
| 97 Lyon: Dt. Grammatik | |
| 98 Erdmann: Grundzüge II | 98 Michaelis: Nhd. Grammatik, 2. A. |
| 99 Finck: D. dt. Sprachbau | |
| 1900 W. Wundt: Völkerps. I Die Spr. | |
| 1900 Sütterlin: D. dt. Spr. d. Gegenw. | |
| 01 Delbrück: Grundfr. d. Sprachfschg. | |
| 01 Wunderlich: D. dt. Satzbau, 2. A. | |

02 Sütterlin: D. Wesen d.
sprachl. Gebilde
03 Dittrich: Grundz. d. Spr.-
Psych.
04 Voßler: Posit. u. Idealism.
07 Sütterlin: D. dt. Spr. d.
Gegenw., 2. A.

03 Mensing: Dt. Sprachlehre

09 Paul: Prinzipien, 4. A.
10 Finck: Haupttypen
10/11 Voßler: Grammat. u.
Sprachgesch.

08 Sütterlin/Martin: Grundriß

13 Voßler: D. System d.
Gramm.

11 Lüttke: Sprachl.-Sprach-
beobachtg.

14 Kluge: Unser Deutsch

14 v. Greyerz: D. Deutsch-
unterr.

16 ff. Paul: Dt. Grammat.

16 Sütterlin-Martin: Grundriß.
6. A.

18 Sütterlin: D. dt. Spr. d.
Gegenw., 4. A.
19 Behaghel: Gesch. d. nhd.
Grammat.

18 Hartnacke: Dt. Sprachl.

19 Florstedt-Stieber: Neue dt.
Sprachlehre

21 Kirchner: Erkenntn. u.
Spr.

21 Müller: Dt. Spr.-Kunde
21/22 Müller: Vom DU i. d.
Arbeitssch.
21 v. Greyerz: D. Deutsch-
unterr., 2. A.

23 Porzig: Innere Sprachform
23/24/28/32 Behaghel: Dt. Syntax, Bde. 1–4
24 Ammann: D. menschl.
Rede I
25/26 Weisgerber: Innere
Spr.-Form
26 Behaghel: Dt. Satzlehre

23 Lüttke: Sprachl. – Sprach-
beobachtg., 2. A.

27 Weisgerber: Bedeutungslehre
28 Kalepky: Neuaufbau d.
Grammat.

26 Mensing: Dt. Sprachl.,
25. A.
27 Müller: Dt. Sprachkde.,
3. A.

29 Neumann: D. Sinneinh. d.
Satzes

282

62 Brinkmann: D. dt. Sprache

63 Weisgerber: D. vier Stufen
63 ff. Studia grammatica

62 Henss-Kausch: Dt. Sprachb., Bd. 1

65 Jägel: Dt. Sprachl.
65 Schablin: Kurze dt. Grammat.
66 Dt. Sprachspiegel, Bd. 1 neu
66 Sprachb. zu „Wort u. Sinn"

# V. LITERATUR

*1. Sprachwissenschaftliches Schrifttum*

Admoni, W.: Die Wortstellung im Deutschen, 1934, in: Das Ringen um eine neue deutsche Grammatik, hrsg. v. H. Moser, Darmstadt 1965, S. 376–380

Ders.: Die Struktur des Satzes, 1935, ebd., S. 381–398

Ders.: Der deutsche Sprachbau. Theoretische Grammatik der deutschen Sprache, Leningrad 1960

Amman, H.: Die menschliche Rede, 2 Bde. Lahr 1924 und 1928

Ders.: Sprachwissenschaft und Sprachtheorie, DU 6, 1954, H. 2, S. 5–28

Arens, H.: Sprachwissenschaft. Der Gang ihrer Entwicklung von der Antike bis zur Gegenwart, Freiburg 1955

Bach, A.: Geschichte der deutschen Sprache, Heidelberg ⁷1961

Baumgärtner, K.: Zur Syntax der Umgangssprache in Leipzig, Berlin 1959

Ders.: Die Mathematisierung der Grammatik, DU 16, 1964, H. 4, S. 25–46

Bech, G.: Studien über das deutsche Verbum infinitum, 2 Bde., Kopenhagen 1955 und 1957

Behaghel, O.: Geschichte der neuhochdeutschen Grammatik von Ickelsamer bis H. Paul, Zs. d. allgem. dt. Sprachvereins Jg. 34, 1919, Sp. 65–75

Ders.: Die Verneinung in der deutschen Sprache. Wissenschaftl. Beiheft 38/40 d. Zs. d. allgem. dt. Sprachvereins, V. Reihe, Kriegsheft 1916/ 1919, S. 225–252

Ders.: Deutsche Syntax. Eine geschichtliche Darstellung, Bde. 1–4, Heidelberg 1923–1932

Ders.: Deutsche Satzlehre (= Deutschkundliche Bücherei, Heft 1), Leipzig 1926

Ders.: Die deutsche Sprache, 10. unveränderte Aufl., hrsg. von Friedrich Maurer, Halle/Saale 1963

Bierwisch, M.: Grammatik des deutschen Verbs, Berlin 1963; Besprechungen dazu von Hartmann, P. in: Germanistik 1964, Nr. 2528, S. 539 f., Frey, E. in: DU Jg. 18, 1966, H. 5, S. 43–46

Blümel, R.: Einführung in die Syntax, 1914

Ders.: Grammatische Kunstausdrücke im Verhältnis zu Form und Bedeutung der sprachlichen Erscheinungen, GRM 8, 1920, S. 331–344

Bopp, F.: Über das Conjugationssystem der Sanskritsprache in Vergleichung mit jenem der griechischen, lateinischen, persischen und germanischen Sprache, hrsg. und mit Vorerinnerungen begleitet Dr. K. J. Windischmann, Frankfurt 1816

Bornemann: Von inhaltsbezogener und funktionaler Grammatik! Gymnasium, Zs. f. Kultur u. Antike, 1960, 102 ff.

Bremer, O.: Deutsche Lautlehre, Leipzig 1918

Brinkmann, H.: Die sprachliche Gestalt, Muttersprache 1949

Ders.: Die Wortarten im Deutschen. Zur Lehre von den einfachen Formen der Sprache, WW 1, 1950/51, S. 65–79

Ders.: Der deutsche Satz als sprachliche Gestalt, WW, 1. Sonderheft, 1952, S. 12–26

Ders.: Die Struktur des Satzes im Deutschen, Neuphilologische Mitteilungen 1959, S. 377 ff.

Ders.: Das deutsche Adjektiv in synchronischer und diachronischer Sicht, WW 14, 1961, S. 94–104

Ders.: Die deutsche Sprache. Gestalt und Leistung, Düsseldorf 1962; Besprechungen dazu von Rupp, H. in: Archiv für das Studium der neueren Sprachen und Literaturen 115, 200. Bd., 1964, S. 290 f. Schröder, W. in: PBB (Tüb.) 86, 1964, S. 362–368. Zimmermann, H. in: WW 16, 1966, S. 208 f.

Bühler, K.: Die Axiomatik der Sprachwissenschaften, Kantstudien 1933

Ders.: Sprachtheorie, Jena 1934

Dal, I.: Kurze deutsche Syntax, Tübingen 1952

Dam, J. van: Handbuch der deutschen Sprache, Groningen I 51961, II 31958

Delbrück, B.: Vergleichende Syntax der indogermanischen Sprachen, Bde. 1–3 (= Grundriß der vergleichenden Grammatik der indogermanischen Sprachen 3.–5. Bd.), Straßburg 1893, 1897, 1900

Ders.: Grundfragen der Sprachforschung, Straßburg 1901

Dittrich, O.: Grundzüge der Sprachpsychologie, Halle/S. 1903

Drach, E.: Grundgedanken der deutschen Satzlehre, Frankfurt 1937, 4. unveränderte Aufl., Darmstadt 1963

Ders.: Haupt- und Gliedsatz, in: Das Ringen ..., S. 269–279 (Abdruck eines Hauptkapitels aus den „Grundgedanken")

Duden, der große: Grammatik der deutschen Sprache, bearb. v. O. Basler, Leipzig 1935

Duden, der große, Bd. 4: Die Grammatik der deutschen Gegenwartssprache, hrsg. v. d. Dudenredaktion unter Leitung v. P. Grebe, Mannheim 1959; Besprechungen dazu von Weisgerber, L. in: WW 10, 1960, S. 372–374, Maurer, F. in: Archiv ... 112, 197. Bd., 1961, S. 183

Duden, Grammatik der deutschen Gegenwartssprache, der große Duden Bd. 4, bearbeitet von Paul Grebe, 2., vermehrte und verbesserte Auflage, Mannheim 1966

Dünninger, J.: Geschichte der deutschen Philologie, in: Deutsche Philologie im Aufriß, hrsg. v. W. Stammler, Bd. 1, 2Berlin 1957, Sp. 83–222

Erben, J.: Prinzipielles zur Syntaxforschung, mit dem besonderen Blick auf Grundfragen der deutschen Syntax. PBB (Halle) 1955, S. 144–165, abgedruckt in: Das Ringen ..., S. 505–526

Ders.: Gesetz und Freiheit in der deutschen Hochsprache der Gegenwart, DU 12, 1960, H. 5, S. 5–28

Ders.: Abriß der deutschen Grammatik, 6. unveränderte Aufl., Darmstadt 1963; Besprechungen dazu von Grosse, S. in: Archiv ... 112, 197. Bd., 1960, S. 187; Weisgerber, L. in: WW 10. Jg. 1960, S. 374–376

Ders.: Zum Neubau der deutschen Grammatik, DU 16, 1964, H. 4, S. 55–66

Ders.: Deutsche Wortbildung in synchronischer und diachronischer Sicht, WW 14, 1964, S. 83–93

Ders.: Deutsche Grammatik (Fischer Handbücher 904), Frankfurt 1968

Erdmann, O.: Grundzüge der deutschen Syntax nach ihrer geschichtlichen Entwicklung dargestellt, 2 Bde., Stuttgart 1886 und 1898

Essen, E.: Zum Aufbau der Grammatik im Deutschunterricht der Unterstufe, DU, 11, 1959, H. 1, S. 7–28

Dies.: Methodik des Deutschunterrichtes, 21959

Finck, F. N.: Der deutsche Sprachbau als Ausdruck deutscher Weltanschauung, 8 Vorträge, Marburg 1899

Ders.: Haupttypen des Sprachbaus, Leipzig 1910

Fischer, H.: Der Intellektualwortschatz im Deutschen und Französischen des 17. Jhds., Diss. Münster 1938

Fläming, W.: Zum Konjunktiv in der deutschen Sprache der Gegenwart, Inhalte und Gebrauchsweisen, Berlin 1959

Frey, E.: Lage und Möglichkeiten der Schul- und Volksgrammatik, DU 18, 1966, H. 5, S. 5–46

Fröhlich, A.: Sprache als Ordnungsgefüge, WW 9, 1959, S. 326–329

Funke, O.: Innere Sprachform. Eine Einführung in A. Martys Sprachphilosophie (= Prager deutsche Studien H. 32), Reichenberg 1924

Glinz, H.: Geschichte und Kritik der Lehre von den Satzgliedern in der deutschen Grammatik, Berlin 1947

Ders.: Die innere Form des Deutschen (= Bibliotheca Germanica 4), Bern 41965 (11952, 31962); Besprechung dazu von Maurer, F. in: Archiv ... 105, 190. Bd., 1954, S. 97

Ders.: Sprache, Sein und Denken. DU 6, 1954, H. 2, S. 56–67

Ders.: Aufgabe und Werdegang der deutschen Grammatik, WW 6, 1956, S. 328–335

Ders.: Der deutsche Satz. Wortarten und Satzglieder wissenschaftlich gefaßt und dichterisch gedeutet, Düsseldorf 1957

Ders.: Grammatik und Sprache, WW 9, 1959, S. 129–139

Ders.: Ansätze zu einer Sprachtheorie (= Beihefte zum Wirkenden Wort 2), Düsseldorf 1962

Ders.: Sprache und Welt (= Dudenbeiträge zu Fragen der Rechtschreibung, der Grammatik und des Stils, hrsg. v. P. Grebe, H. 6), Mannheim 1962

Ders.: Deutsche Syntax, Stuttgart 1965

Grebe, P.: Geschichte und Leistung des Dudens, WW 12, 1962, S. 65–73

Grosse, S.: Die deutsche Satzperiode, DU 12, 1960, H. 5, S. 66–81

Ders.: Neuere Arbeiten zur deutschen Sprache der Gegenwart, DU 12, 1960, H. 5, S. 102–108

Ders.: Durative Verben und präfigierte Perfektiva im Deutschen, DU 15, H. 1, 1963, S. 95–105

Ders.: Methoden inhaltsbezogener Sprachforschung, WW 14, 1964, S. 73–83

Ders.: Über die Versuche, den Bau des Satzes graphisch darzustellen, DU 18, 1966, H. 5, S. 65–91

Hartmann, P.: Zur kategoriellen Grundlegung der Syntax, Münchener Studien zur Sprachwissenschaft 12, 1958, S. 25–48

Hempel, H.: Über Bedeutung und Ausdruckswert der deutschen Vergangenheitstempora (Festgabe für Philipp Strauch), Halle 1932

Hermann, E.: Die Wortarten, Nachrichten der Gesellsch. d. Wiss. zu Göttingen, phil.-hist. Kl., 1928

Hoffmann, E.: Die Sprache und die archaische Logik, Tübingen 1925

Hüsgen, H.: Das Intellektualfeld der Arcadia und in ihrem englischen Vorbild, Diss. Münster 1936

Ipsen, G.: Sprachphilosophie der Gegenwart, 1930

Jaberg, K.: Ferdinand de Saussure's Vorlesungen über allgemeine Sprachwissenschaft, in: Sprachwiss. Forschungen und Ergebnisse, hrsg. v. seinen Schülern, Paris/Zürich/Leipzig 1937, S. 123–136

Jellinek, M. H.: Geschichte der neuhochdeutschen Grammatik von den Anfängen bis auf Adelung, 2 Bde., 1913 und 1914

Jung, W.: Grammatik der deutschen Sprache, Leipzig 1966

Junker, H. F. J.: Gegenstand und Aufgaben der Sprachwissenschaft, Neue Jahrbücher f. Wiss. u. Jugendbildung 7, 1931, S. 53–64

Ders.: Rede auf Wilhelm v. Humboldt und die Sprachwissenschaft (Auszug), Ber. üb. d. Verhdlgn. d. Sächs. Akad. zu Leipzig, phil.-hist. Kl., Bd. 87, 1935, H. 3, S. 13–28

Kalepky, Th.: Neuaufbau der Grammatik als Grundlegung zu einem wissenschaftlichen System der Sprachbeschreibung, Leipzig/Berlin 1928

Kern, F.: Die deutsche Satzlehre, Berlin 21888 (11883)

Kirchner, H.: Erkenntnis und Sprache, Individualität und Idealität im Sprachausdruck der Erkenntnis nach Wilhelm v. Humboldt, Diss. Breslau, Charlottenburg 1921

Klaus: Das psychologische Moment in der Sprache, Tübingen 1883

Klemm, A.: Der Satz und seine Teile, Ungarisches Jahrbuch 15, 1935, S. 472–480

Kluge, F.: Unser Deutsch. Einführung in unsere Muttersprache, Leipzig 1914

Koppelmann, H. L.: Ursachen des Lautwandels, Leiden 1939

Krahe, H.: Germanische Sprachwissenschaft I, Berlin 1956

Leopold, W.: Der Mitteilungsvorgang und die innere Sprachform, Anglia 56, H. 1, 1932, S. 1–22

Lorck, E.: Sprache als Medium und als Mittel, in: Jahrb. f. Phil., 2. Bd., München 1927, S. 174–187

Löwe, R.: Germanische Sprachwissenschaft, 2 Bde., Leipzig 1918

Lyon, O.: Historische und gesetzgebende Grammatik, Programm der Ammerschule zu Dresden-Altstadt, Dresden 1890

Ders.: Deutsche Grammatik und kurze Geschichte der deutschen Sprache (= Sammlung Göschen 20), Leipzig ³1897

Mackensen, L.: Die deutsche Sprache unserer Zeit, Heidelberg 1956

Marty, A.: Untersuchungen der Grundlegungen der allgemeinen Grammatik und Sprachphilosophie, Bd. 1, Halle 1908

Ders.: Satz und Wort. Eine kritische Auseinandersetzung mit der üblichen grammatischen Lehre und ihren Begriffsbestimmungen, Reichenberg 1925

Maurer, F., Stroh, F.: Deutsche Wortgeschichte II, 1959

Meinel, H.: Sprache und Sprachlehre in neuer Sicht, DU 18, 1966, H. 5, S. 47-64

Michels, V.: Deutsch, in: Stand und Aufgaben der Sprachwiss., Festschrift f. W. Streitberg, Heidelberg 1924, S. 463-511

Moser, H.: Deutsche Sprachgeschichte, Stuttgart 1950

Ders.: Entwicklungstendenzen des heutigen Deutsch, DU 6, 1954, H. 2, S. 87-107

Ders. (Hrsg.): Das Ringen um eine neue deutsche Grammatik, Aufsätze aus drei Jahrzehnten, Darmstadt 1965

Ders.: Neuere und neueste Zeit, von den 80er Jahren des 19. Jahrhunderts zur Gegenwart, in: Maurer-Stroh, s. d.

Motsch, W.: Syntax des deutschen Adjektivs, Berlin 1964; Besprechungen dazu von Hartmann, P. in: Germanistik 1964, Nr. 2539, S. 541 f., Frey, E. in: DU 18, 1966, H. 5, S. 43-46

Müller, G., Frings, Th.: Die Entstehung der deutschen daß-Sätze, Berlin 1959

Naumann, H.: Kurze historische Syntax der deutschen Sprache, Straßburg 1915

Neumann, F.: Die Sinneinheit des Satzes und das indogermanische Verbum, in: Festschrift für E. Husserl, zum 70. Geburtstag gewidmet, Halle 1929, S. 297-314

Paul, H.: Aufgaben der Wortbildungslehre, München 1894

Ders.: Prinzipien der Sprachgeschichte, Halle ⁴1909 (¹1880)

Ders.: Deutsche Grammatik, Bde. 1-5, Halle 1916 ff.

Ders., Stolte, H.: Kurze deutsche Grammatik auf Grund der fünfbändgen deutschen Grammatik von H. Paul, eingerichtet von H. Stolte, Tübingen ²1951

Pfleiderer, W.: Der deutsche Satz. Der deutsche Satzplan in seinen Grundzügen, in: Neue Satzlehre, hrsg. v. F. Rahn, Frankfurt/M. 1940, S. 39-56, S. 57-76

Ders.: Bemerkungen zu Rahns Grundelementen des Satzbaus. WW 1, 1950/51, S. 359 f.

Ders.: Die innere Form des Deutschen, DU 6, 1954, H. 2, S. 108-128

Ders.: Das Zeitwort im Deutschen und die Grundlagen des Satzes, DU 11, 1959, H. 1, S. 40-67

Porzig, W.: Der Begriff der inneren Sprachform, Idg. Forschungen 41, 1923, S. 150–169

Ders.: Das Wunder der Sprache, Bern 1950

Ders.: Die Methoden der wissenschaftlichen Grammatik, DU 9 1957, H. 3, S. 5–12

Ders.: Die Leistung der Abstrakta in der Sprache, Das Ringen ..., S. 255–268

Rahn, F. (Hrsg.): Neue Satzlehre, Frankfurt/M. 1940

Reifferscheidt, F. M.: Über die Sprache, Leipzig 1939

Reis, H.: s. Wunderlich, H.

Ries, J.: Was ist Syntax? o. O. 1894

Ders.: Was ist ein Satz? Beiträge zur Grundlegung der Syntax, H. 3, Prag 1931

Sandmann, M.: Substantiv, Adjektiv-Adverb und Verb als sprachliche Formen. Bemerkungen zur Theorie der Wortarten, Idg. Forschungen 57, 1937–1940

de Saussure, F.: Cours de Linguistique Générale, Paris ²1922 (¹1916); Übersetzung dazu von Lommel, H.: Grundfragen der allgemeinen Sprachwissenschaft, Berlin 1967

Schmidt-Rohr, G.: Mutter Sprache, Jena ²1933

Schneider, W.: Stilistische deutsche Grammatik. Die Stilwerte der Wortarten, der Wortstellung und des Satzes, Basel/Freiburg/Wien 1959

Schwinger, R. u. Nicolai, H.: Innere Form und dichterische Phantasie, 1935

Seidler, H.: Allgemeine Stilistik, 1953

Siebs, Th.: Deutsche Bühnensprache, Köln 1898

Snell, E.: Die Entdeckung des Geistes, Studien zur Entstehung des europäischen Denkens bei den Griechen, Hamburg 1946

Ders.: Der Aufbau der Sprache, Hamburg 1952

Steinthal, H.: Über den Ursprung der Sprache, 1851, ³1888

Ders.: Einleitung in die Psychologie und Sprachwissenschaft, Berlin ²1881

Stenzel, J.: Philosophie der Sprache, München 1934

Stoltenberg, H. L.: Neue Sprachgestaltung, Lahr 1930, ²1952

Storz, G.: Sprache und Wirklichkeit, DU 6, 1954, H. 2, S. 68–86

Stroh, F.: Handbuch der germanischen Philologie, Berlin 1952

Studia grammatica, s. Bierwisch, Motsch und „Thesen"

Sütterlin, L.: Die deutsche Sprache der Gegenwart, Leipzig 1900 (²1907, ⁴1918)

Ders.: Das Wesen der sprachlichen Gebilde, Heidelberg 1902

Ders.: Neuhochdeutsche Grammatik, 1924

Thesen über die theoretischen Grundlagen einer wissenschaftlichen Grammatik, studia grammatica 1, 1965, S. 9–30

Trier, J.: Der deutsche Wortschatz im Sinnbezirk des Verstandes, Münster 1931

Ders.: Das sprachliche Feld, Neue Jahrbücher f. Wissensch. u. Jugendbildung 10, 1934, S. 428–449

Ders.: Deutsche Bedeutungsforschung, in: Germanische Philologie, Festschrift für Behaghel, S. 173–200

Ders.: Festschrift für Jost Trier zum 70. Geburtstag, Köln 1964

Twaddell, W. F.: Combinations of Consonants in Stressed Syllables in German, Acta Linguistica 1, 1939, S. 189 ff. und 2, 1940/41, S. 31 ff.

Voßler, K.: Positivismus und Idealismus in der Sprachwissenschaft, Heidelberg 1904

Ders.: Das System der Grammatik, Logos 4, 1913, S. 203–223

Ders.: Grammatik und Sprachgeschichte oder das Verhältnis von „richtig" und „wahr" in der Sprachwissenschaft, Logos 1, 1910/11, S. 83–94

Wartburg v., W.: Das Ineinandergreifen von deskriptiver und historischer Sprachwissenschaft, Berichte üb. d. Verhandlgn. d. Sächs. Akad. d. Wiss. z. Leipzig, phil.-hist. Kl., Bd. 83, 1931, H. 1, Leipzig 1931

Weber, H.: Das Tempussystem des Deutschen und Französischen (= Romanica Helvetica 45), Bern 1954

Weisgerber, L.: Das Problem der inneren Sprachform und seiner Bedeutung für die deutsche Sprache, GRM 14, 1926, S. 241–256 (Druck der Antrittsvorlesung v. 1925)

Ders.: Die Bedeutungslehre – ein Irrweg der Sprachwissenschaft?, GRM 15, 1927, S. 161–183

Ders.: Muttersprache und Geistesbildung, 1929

Ders.: „Gegenwart" oder „erste Stammform", Zs. f. dt. Bildung 18, 1942, S. 1 ff.

Ders.: Grundzüge der inhaltsbezogenen Grammatik, Düsseldorf ³1962

Ders.: Die vier Stufen in der Erforschung der Sprache, Düsseldorf 1963

Ders.: Die wirkungsbezogene Sprachbetrachtung, WW 13, 1963, H. 5, S. 264–276

Wilmanns, W.: Deutsche Grammatik, Bde. 1–3, Straßburg 1899 ff.

Winkler, E.: Grundlegung der Stilistik, Bielefeld 1929

Woesler, R.: Ergebnisse ganzheitlicher Sprachforschung, Die Deutsche Höh. Schule 5, 1938, H. 20, S. 671–675

Wunderlich, H.: Der deutsche Satzbau, Bd. 2, Stuttgart ²1901 (¹1892)

Ders., Reis, H.: Der deutsche Satzbau, Bde. 1, 2, Stuttgart/Berlin 1924 f., 3. Aufl. d. Werkes v. Wunderlich von 1892

Wundt, W.: Völkerpsychologie, 1. Band: Die Sprache, Leipzig 1900


## 2. Andere wissenschaftliche Werke und Quellen

Gaudig, H.: Die Schule im Dienst der werdenden Persönlichkeit, Leipzig 1917

Gebhardt, B.: Handbuch der deutschen Geschichte, Bd. 3, Von der französischen Revolution bis zum 1. Weltkrieg, Stuttgart ⁸1960

Goethe, J. W.: Morphologie, Hamburger Ausg., Bd. 13, S. 53 ff.

Paulsen, F.: Geschichte des gelehrten Unterrichts, Bd. 2, Leipzig ²1897

Reble, A.: Geschichte der Pädagogik, Stuttgart ⁴1959

## 3. Schulgrammatiken und auf die Schulgrammatik bezogenes Schrifttum

Anthes, O.: Deutsche Sprachlehre für deutsche Kinder, Leipzig 1909

Arnold, A.: Spracherziehung durch Anleitung zum Hören und Verstehen, WW 13, 1963, S. 25–41

Bartmann, J.: Deutsches Sprachbuch für Bürgerschulen, Wien ⁶1915

Bardey, E.: Praktisches Lehrbuch der deutschen Sprache für die Hand der Schüler, 1. Teil: Grammatische Vorübungen, Leipzig ³1889, 2. Teil: Vollständige Elementargrammatik, Leipzig ²1889

Becker, H.: Deutsche Sprachkunde, Leipzig 1941

Becker, K. F.: Schulgrammatik der deutschen Sprache, Frankfurt 1831

Boost, K.: Arteigene Sprachlehre, Breslau 1938

Bötticher, G.: Übungen zur deutschen Grammatik mit einem Abriß der deutschen Sprachlehre für die unteren Kl. höh. Schulen, Leipzig 1896

Credner, K.: Grundriß der deutschen Grammatik nach ihrer geschichtlichen Entwicklung für höh. Lehranstalten und zur Selbstbelehrung, Leipzig 1908

Donath, R.: Zur Überwindung formalistischer Methoden im Grammatik-unterricht, DU 9, 1956, S. 331–342

Essen, E.: Aufbau der Grammatik im Deutschunterricht der Unterstufe, DU 11, 1959, H. 1, S. 7–27

Florstedt, F., Stieber, W.: Neue deutsche Sprachlehre, 14. unveränd. Aufl., Frankf. 1935; Neue dt. Sprachlehre, Frankf. 1943; Deutsche Sprachlehre, Frankf./Bonn ³1951

Francke, H.: Aufgabensammlung für den Unterricht in der deutschen Sprache, Weimar ⁸1896

Frankenberger, J.: Der deutsche Unterricht am Gymnasium, in: Das Gymnasium, im Auftrage d. Zentralinstituts f. Erz. u. Unterr. hrsg. v. O. Morgenstern, Leipzig o. J. (1926), S. 161–166

Frey, E.: Zum Neubau der Schulgrammatik, DU 11, 1959, H. 1, S. 88–103

Glinz, H.: Sprachliche Bildung in der höh. Schule, 1961

Greyerz v., O.: Der Deutschunterricht als Weg zur nationalen Erziehung, Leipzig ²1921 (¹1914)

Greyerz v., O., unserem zum 60. Geburtstag. Eine Festgabe von seinen Freunden, Bern 1923

Hähnel-Patzig: Deutsche Sprachschule, Leipzig 1892

Hartnacke, W.: Deutsche Sprachlehre im Sinne der Selbsttätigkeit – und im Dienst der Sprachsicherheit. Wegweiser und Stoffsammlung für den deutschen Sprachunterricht aller Schulgattungen, Leipzig 1918

Helmsdörfer, A.: Deutsche Sprachlehre für höh. Lehranstalten, Leipzig und Wien 1908

Hentschel, C., Matthias, Th., Lyon, O.: Entwurf eines Lehrplanes für den deutschen Unterricht im Realgymnasium, Ztschr. f. d. dt. Unterricht, Jg. 10, 1896, S. 700–706

Henss, R., Kausch, K.-H.: Deutsches Sprachbuch für höh. Schulen, Hannover 1962, 64, 66

Hildebrand, R.: Vom deutschen Sprachunterricht in der Schule und von etlichem ganz anderem, das doch damit zusammenhängt, in: Pädagog. Vorträge u. Abhandlungen in zwanglosen Heften, 1. Bd. III., Leipzig 1867

Ders.: Vom deutschen Sprachunterricht in der Schule und von deutscher Erziehung und Bildung überhaupt, Leipzig 11/121908 (11867)

Hirschenauer, R., Thiersch, R.: Deutsches Sprachbuch für Gymnasien, Hefte 1–6, München 1965 f.

Hirschenauer, R., Weber, A.: Deutsches Sprachbuch für Gymnasien, Hefte 7–11, München 1963, 1964, 1966

Hoppe, A.: Unsere Sprache in Gestalt, Schrift und Rede, Teile 1–4, Frankfurt 1963 und o. J.

Jägel, W. D.: Deutsche Sprachlehre, Paderborn 1965

Jahn, R.: Sprachlehre im Unterricht d. Muttersprache, Düsseldorf 1950

Ders.: Neuformung der Grammatik, WW 4, 1953/54, S. 65–74

Kern, A. und E.: Sprachschöpferischer Unterricht, Richtlinien f. einen ganzheitl. Sprachunterricht, Freiburg 21953

Kern, F.: Zur Methodik des deutschen Unterrichts, Berlin 1883

Ders.: Zustand und Gegenstand, Betrachtungen über den Anfangsunterricht in der dt. Satzlehre, Berlin 1886

Ders.: Lehrstoff für den dt. Unterricht in Prima, Berlin 21897

Klipstein, W.: Vergleichende Syntax des Deutschen, Französischen und Englischen. Ein neuer Weg zur Beherrschung der Grammatik, Hannover 1913

Koelwel, E.: Kleine deutsche Sprachlehre, Berlin 1947

Kracke, A.: Die Bauelemente der Sprache und ihre Funktion im einfachen Satz, DU 10, 1958, H. 4, S. 19–46

Krippendorf, K.: Grundsätzliches zur Neugestaltung des Deutschunterrichts, Zs. f. Deutschkde. 1933, S. 514 ff.

Krischan, J.: Sprachwissenschaft und Schule in der Gegenwart, Die Sprache 7, 1961, S. 1–13

Lehmann, R.: Der deutsche Unterricht. Eine Methodik f. höh. Schulen, Berlin 31909

Lüttke, E.: Sprachlehre als Anleitung zur Sprachbetrachtung, Leipzig 21923 (11911)

Lyon, O.: Handbuch der deutschen Sprache für höh. Schulen, Leipzig 31891

Ders.: Die Ziele d. dt. Unterrichts in unserem Zeitalter, Zs. f. d. dt. Unterr. 12, 1898, S. 15–45

Lyon, O., Scheel, W.: Handbuch der deutschen Sprache für höhere Schulen, 1. Teil Sexta–Tertia, Leipzig 61911

Dies.: Handbuch der deutschen Sprache für höhere Schulen, Ausg. D, Leipzig 91919

Martens, R.: Deutsches Sprachbuch, Anregungen und Erläuterungen zu Heft 1, Frankfurt o. J.

Matthias, A.: Geschichte des deutschen Unterrichts, München 1907

Ders.: Hilfsbuch für den deutschen Sprachunterricht auf den drei unteren Stufen höherer Lehranstalten, Düsseldorf 1892

Mensing, O.: Deutsche Sprachlehre für höhere Schulen, Ausg. C, Neubearbeitung nach den Richtlinien für die Lehrpläne der höheren Schulen Preußens von 1925, Dresden [25]1926

Michaelis, C. Th.: Neuhochdeutsche Grammatik, bearbeitet für höhere Schulen, Bielefeld und Leipzig [2]1898

Müller, L.: Vom Deutschunterricht in der Arbeitsschule, Leipzig [2]1922 ([1]1921)

Dies.: Deutsche Sprachkunde in der Arbeitsschule, Leipzig [3]1927 ([2]1925, [1]1923)

Müller-Frauenstein, G.: Handbuch für den deutschen Sprachunterricht in den oberen Klassen höherer Lehranstalten, 1. Zur Sprachgesch. u. Sprachlehre, Hannover 1889, 2. Zur Vers-, Stil- und Dispositionslehre, Hannover 1890

Pfleiderer, W.: Wortfelder im Schulunterricht, Zs. f. dt. Bildung 1941, H. 7/8, S. 230 ff.

Probst, F., Caselmann, Chr.: Deutsches Sprach- und Stilbuch für höhere Schulen, 4. und 5. Klasse, Karlsruhe und Leipzig [7]1938/39/40/41 ([1]1932)

Rahmenlehrpläne für die höheren Schulen auf Grund der Richtlinien vom 6. April 1925 herausgegeben von der Ortsgruppe Frankfurt/M. des Preußischen Philologenverbandes, Frankfurt 1925

Rahn, F.: Die Schule des Schreibens, ein Lehrgang für die Stilbildung für die deutschen Schulen, Oberstufe, 10. Aufl., Frankfurt 1938

Rahn, F., Pfleiderer, W.: Deutsche Spracherziehung, Ausg. A, Hefte 1–9, Stuttgart 1961, 63, 64, 65

Dies.: Deutsche Spracherziehung, Ausg. B, Hefte 1–6, Stuttgart 1961–64

Dies.: Deutsche Spracherziehung, Ausg. B (Hinweise des Verlags zur Neubearbeitung)

Rauh, S.: Deutsche Spracherziehung in der Schule, München 1923

Ders.: Die Grundfragen des deutschen Unterrichts, München 1923

Reichart, J.: Deutsche Sprachlehre, Regensburg 1955

Richter, A.: Der Unterricht in der Muttersprache und seine nationale Bedeutung, Leipzig 1872

Richter, J.: Die Stellung des Deutschen in der Höheren Schule, Monatsschrift für höh. Schulen XV, 1916, S. 172–182

Richtlinien für den Unterricht in der höheren Schule, s. Schule, die in NRW

Rosenthal, G.: Versuch einer Neuordnung des deutschen Unterrichts am Katharineum in Lübeck, Zs. f. d. dt. Unterr. 33, 1919, S. 256–262

Schablin, Ch.: Kurze deutsche Grammatik, Frankfurt 1965

Schmidt, F.: Deutsche Sprachlehre für höhere Schulen, Gießen 3. Aufl. o. J. (1918)

Schmitt, J. A.: Deutsches Sprachbuch. Ein Arbeitsbuch im Dienst der Stilbildung, Oberstufe, Frankfurt 1963

Schmitt, J. A., Martens, R.: Deutsches Sprachbuch, ein Arbeitsbuch im Dienst der Stilbildung, Hefte 1–6, Titel des Heftes 7/9: Deutsches Sprachbuch. Ein Arbeitsbuch zur Sprachbetrachtung und Sprachgestaltung, neue Ausg., Frankfurt 1962 ff.

Schmidt, W.: Zur Stellung der Grammatik im muttersprachlichen Unterricht, DU 9, 1956, S. 395–398

Schule, die in NRW. Eine Schriftenreihe des Kultusministeriums, H. 8, Richtlinien für den Unterricht in der höheren Schule. Teil e Deutsch, Ratingen 1963

Schwarz, S.: Systematische Grammatik des Deutschen in der höheren Schule, Zs. f. Deutschkde., 1933, S. 732 ff.

Sommer, F.: Vergleichende Syntax der Schulsprachen, Leipzig/Berlin 1921

Splettstößer, W., Wolff, G.: Deutsche Sprachübungen für die Vorschulen und unteren Klassen höherer Knabenschulen, Ausg. P für Quinta und Quarta, Berlin 1918

Sprachspiegel, Deutscher, Hefte 1–4, Düsseldorf 1964 und 1966

Dass.: Heft 1, Neubearbeitung, Düsseldorf 1966

Dass.: Hinweise für Lehrer, Düsseldorf 1961

Sütterlin, L., Martin, K.: Grundriß der deutschen Sprachlehre für die unteren Klassen höherer Schulen, 6. unveränd. Aufl., Leipzig 1916

Tachau, L.: Über sprachliche Übungen im deutschen Unterricht auf der Unterstufe höherer Schulen. In: Ztschr. f. d. dt. Unterr., Jg. 12, 1898, S. 369–390

Thiel, H.: Unsere Muttersprache, 8 Hefte, Frankfurt o. J.

Trunk, H.: Lebensvoller Sprachlehreunterricht, Leipzig 1916

Varow, W.: Res, non verba! Bildungsideal und Lebensbedingungen der Oberrealschule, Braunschweig und Leipzig 1903

Weber, H.: Die Pflege nationaler Bildung durch den Unterricht in der Muttersprache, Leipzig 1972

Weise, O.: Literaturbericht 1918: 1. Die deutsche Sprache, 2. Grammatik, Zs. f. d. dt. Unterr. 33, 1919, S. 272–274

Weisgerber, L.: Das Wissen vom Satz in der Sexta, WW 3, 1952/53, S. 365–367

Wilke, E.: Rudolf Hildebrand und seine Bedeutung für den deutschen Sprachunterricht, Pädagog. Zeitung 13, 1894, S. 146–149, S. 164–166, S. 271–274